Der kleine DUDEN

Deutsche Grammatik

Der kleine DUDEN

Deutsche Grammatik

Bearbeitet von
Rudolf und Ursula Hoberg

DUDENVERLAG
Mannheim/Wien/Zürich

CIP-Titelaufnahme der Deutschen Bibliothek
Hoberg, Rudolf: **Der kleine Duden** »Deutsche Grammatik«
Bearb. von Rudolf u. Ursula Hoberg
Mannheim; Wien; Zürich; Dudenverl., 1988
ISBN 3-411-02182-9
NE: Hoberg, Ursula; HST

Das Wort DUDEN ist für
Bücher aller Art für den Verlag
Bibliographisches Institut & F.A. Brockhaus AG
als Warenzeichen geschützt

© Bibliographisches Institut &
F.A. Brockhaus AG, Mannheim 1988
Satz: Zechnersche Buchdruckerei, Speyer
Druck: Druckerei Plenk KG, Berchtesgaden
Einband: Graphische Betriebe Langenscheidt, Berchtesgaden
Printed in Germany
ISBN 3-411-02182-9

VORWORT

Es wird häufig behauptet, daß heute weniger geschrieben und gelesen wird als früher. Das gilt sicher nicht für das Berufsleben: Immer mehr Menschen arbeiten in Berufen, die einen korrekten und sicheren Umgang mit der deutschen Sprache erfordern. Aber auch außerhalb des Berufes – in der Öffentlichkeit, im Alltag, in der Freizeit – kommt es darauf an, daß man seine Muttersprache mündlich und schriftlich beherrscht. Und Voraussetzung dafür ist ein Grundwissen über den Aufbau unserer Sprache.

Diese Grammatik vermittelt alle wichtigen Kenntnisse über die Grundlagen von Aussprache und Schreibung, über Wortarten, Wortbildung und Satzbau. Darüber hinaus führt sie in allgemeinere Themen der Sprachbetrachtung ein und gibt in vielen Fragen des praktischen Sprachgebrauchs Hinweise für richtiges und gutes Deutsch.

Die Grammatik setzt keine Vorkenntnisse voraus. Alle Fachbegriffe und Zusammenhänge werden verständlich erklärt und mit Übersichtstabellen und einer Fülle von Beispielen erläutert. Verständlichkeit bedeutet aber hier nicht, daß die Zusammenhänge ungenau dargestellt werden; die üblichen grammatischen Begriffe werden verwendet und nicht durch vage Umschreibungen oder neue Ausdrücke ersetzt.

Die „Deutsche Grammatik" wendet sich vornehmlich an Erwachsene, kann aber auch von Schülern, etwa der beruflichen Schulen, benutzt werden. Auch für den Fremdsprachenunterricht schafft sie die notwendigen Voraussetzungen. Sie ist sowohl zum Selbststudium wie als Grundlage für Kurse in der Fort- und Weiterbildung geeignet. Sie kann als Lern- und Arbeitsbuch dienen, also ganz oder in Teilen systematisch durchgearbeitet werden, ist aber ebenso ein Nachschlagewerk für Einzelfragen. Mit Hilfe des Registers und der Querverweise (↑) kann der Leser leicht die Stellen finden, an denen ein gesuchter Begriff erklärt oder eine sprachliche Erscheinung näher behandelt wird.

Das Zeichen ⚠ macht auf typische „Gefahrenstellen" im Sprachgebrauch aufmerksam; hier erhält der Leser Auskunft in grammatischen Zweifelsfällen und Ratschläge für stilistische Fragen.

Die Dudenredaktion

INHALT

Wörter und Wortgruppen

Sätze

SPRACHE UND KOMMUNIKATION –
EINE EINFÜHRUNG

1 Wer die grammatischen Zusammenhänge durchschaut, weiß damit viel über eine Sprache, aber nicht alles. Grammatik ist nur ein Teil der Sprachlehre, allerdings ein sehr wichtiger. In diesem einleitenden Kapitel sollen einige Grundfragen und Grundbegriffe der Sprachbetrachtung erörtert werden, deren Kenntnis für ein umfassenderes Verständnis der Sprache notwendig ist. Es geht dabei zunächst um die Fragen, was man unter Sprache und Kommunikation versteht (↑ 2 ff.), wie sich die deutsche Sprache entwickelt hat und wie sie sich heute gliedert (↑ 10 ff.). Im Anschluß daran werden einige grundsätzliche Überlegungen zum Wortschatz und zur Grammatik, den beiden „Grundpfeilern" sprachlicher Kommunikation, angestellt (↑ 29 ff.), wobei auch geklärt werden soll, welche Bedeutung grammatisches Wissen für die Spracherlernung und Sprachbetrachtung hat.

1 Was ist Sprache?

2 Die Frage, was Sprache ist und welche Aufgaben sie für den einzelnen Menschen und für das menschliche Zusammenleben hat, gehört zu den Grundfragen der Menschheit. Schon in den ältesten uns erhaltenen Schriften – man denke etwa an die Bibel – wird diese Frage behandelt, und Dichter, Philosophen und Wissenschaftler haben sich immer wieder damit befaßt.

Wenn man über das Wort *Sprache* nachdenkt, stellt man fest, daß es mehrdeutig ist, daß mit ihm unterschiedliche Sachverhalte bezeichnet werden. Das soll an folgenden Beispielsätzen verdeutlicht werden:

1. Menschen verständigen sich durch Sprache.
2. Die englische Sprache wird von mehr Menschen gesprochen als die deutsche.
3. Ich bewundere vor allem seine Sprache.

In allen drei Sätzen kommt das Wort *Sprache* vor, es bedeutet jedoch in jedem Satz etwas anderes:

1. Im ersten Beispiel geht es um die Sprache im allgemeinen, um die menschliche Sprachfähigkeit. Jeder Mensch ist, soweit nicht bestimmte körperliche oder seelische Schäden vorliegen, fähig, eine oder mehrere Sprachen zu erlernen. Es handelt sich hier um eine angeborene Fähigkeit, die nur der Mensch besitzt, die ihn also von anderen Lebewesen unterscheidet (auf die sogenannten Tiersprachen kann hier nicht eingegangen werden). Daher ist die Sprache ein wichtiges, wenn nicht das wichtigste Kennzeichen des Menschen.

2. Nicht alle Menschen sprechen die gleiche Sprache; vielmehr haben sich im Laufe der Menschheitsentwicklung viele unterschiedliche Sprachen herausgebildet. Auf solche Einzelsprachen und nicht auf die Sprachfähigkeit im allgemeinen bezieht sich der zweite Beispielsatz, und an solche Einzelsprachen – etwa die deutsche, englische oder chinesische – denkt man in der Regel, wenn man das Wort *Sprache* verwendet. Auch in diesem Buch wird es, wenn nichts anderes gesagt wird, um Sprache in diesem Sinne gehen.

3. Der dritte Beispielsatz verweist darauf, daß sich Menschen, die die gleiche Einzelsprache sprechen, die also etwa eine gemeinsame Muttersprache haben, beim Sprechen und Schreiben nicht völlig gleich verhalten. Sie unterscheiden sich etwa in der Aussprache, im Tonfall, in der Schrift oder in der Wortwahl. In diesem Sinne hat jeder Mensch seine Individualsprache, seinen persönlichen Sprachstil.

Wozu braucht der Mensch Sprache? Zum einen dient Sprache der Verständigung, der Kommunikation; dies wird im folgenden Kapitel näher behandelt. Sprache ist aber mehr als nur Verständigungsmittel; sie ist auch für das menschliche Denken und Erkennen notwendig, worauf jedoch in diesem Buch nicht weiter eingegangen werden kann.

2 Was ist Kommunikation?

2.1 Allgemeines

3 Das Wort *Kommunikation* ist vom lateinischen Wort *communicare* abgeleitet, das „gemeinsam machen", „vereinigen", „mitteilen" bedeutet. Nachdem man bis in die sechziger Jahre im Deutschen kaum von Kommunikation gesprochen hat, gehört das Wort heute zu den zentralen Begriffen verschiedener Wissenschaften. Aber auch im öffentlichen und privaten Leben spielen *Kommunikation* und die Ableitungen *kommunizieren* und *kommunikativ* eine große Rolle, häufig allerdings lediglich als Schlag- und Modewörter.

Kommunikation vollzieht sich immer zwischen zwei Seiten: die eine – der Sender – teilt etwas mit, die andere – der Empfänger – nimmt die Mitteilung (die Information) auf.

Einen solchen Austausch von Informationen kann es zwischen Maschinen, zwischen Maschinen und Lebewesen, zwischen Lebewesen und besonders zwischen Menschen geben:

> Ein Funkgerät sendet Signale aus, die von einem Radiogerät empfangen werden (Maschine – Maschine).
>
> Eine Biene informiert andere Bienen durch einen Schwänzeltanz über eine Futterquelle (Tier – Tier).
>
> Ein Autofahrer sieht, daß die Ampel einer Kreuzung auf „Rot" steht (Maschine – Mensch).
>
> Jemand drückt auf einen Knopf der Fernbedienung, und der Fernsehapparat wird eingeschaltet (Mensch – Maschine, Maschine – Maschine).
>
> Ein Kind spricht zu seinem Wellensittich (Mensch – Tier).
>
> Eine Frau erzählt ihrem Mann von einem Treffen mit einer Freundin (Mensch – Mensch).

2.2 Menschliche Kommunikation

4 Sprachliche und nichtsprachliche Kommunikation

Bei Menschen unterscheidet man zwischen sprachlicher (verbaler) und nichtsprachlicher (nonverbaler) Kommunikation. Wie etwa die Pantomime zeigt, kann sich der Mensch bis zu einem gewissen Grade ohne Sprache, nur durch Mimik, Gestik, Gebärden und andere Handlungen verständlich machen. Allerdings sind einzelne Handlungen häufig mehrdeutig und nur aus dem Zusammenhang zu verstehen. So kann beispielsweise ein Achselzucken bedeuten: „Ich weiß nicht." – „Es ist mir egal." – „Da kann man nichts machen."

Häufig kommt es zu einem Zusammenspiel sprachlicher und nichtsprachlicher Kommunikation:

> Man begrüßt sich mit Worten und einem Kuß.
>
> Man gratuliert mit Worten und einem Blumenstrauß.
>
> Man lächelt einen Passanten an und fragt nach dem Weg zum Bahnhof. Der Passant beschreibt den Weg mit Worten und Gesten.
>
> Eine Frau sagt ihrem Mann, daß sie heute leider nicht kochen konnte. Der Mann lächelt verständnisvoll oder schaut verdrießlich.

Sprechen und hören, schreiben und lesen

5 Die längste Zeit ihrer bisherigen Entwicklung hat die Menschheit ohne Schrift gelebt; schriftliche Verständigung gibt es erst seit etwa 6000 Jahren. Und auch der einzelne Mensch lernt als Kind zunächst die mündliche Sprache, und erst wenn er dabei schon weit fortgeschritten ist, lernt er auch zu schreiben.

Mündliche und schriftliche Kommunikation unterscheiden sich in verschiedener Hinsicht:

Mündliche Kommunikation ist in der Regel ein Gespräch. Die beteiligten Personen sind wechselseitig Sprecher und Hörer, sie befinden sich im gleichen Raum, können sich und häufig auch die Gegenstände, über die sie sprechen, wahrnehmen. Sie können durch Gesten oder mit Worten *(da, hier)* auf etwas hinweisen, können Rückfragen stellen und zeigen, ob sie etwas verstanden haben oder nicht.

Von dieser für die mündliche Kommunikation typischen Form gibt es aber auch Abweichungen, etwa

– die Rede (z. B. im Parlament): Hier sind die Rollen von Sprecher und Hörer deutlich unterschieden; Möglichkeiten für Rückfragen sind nicht gegeben oder doch sehr eingeschränkt.

– das Telefongespräch: Die Gesprächspartner sind räumlich getrennt, können sich also gegenseitig nicht sehen; Mimik und
Gestik spielen keine Rolle.

Bei der schriftlichen Kommunikation besteht meist eine räumliche und zeitliche Trennung zwischen dem Sender (Schreiber)
und dem Empfänger (Leser). Schnelle Rückfragen sind nicht
möglich, Verständigungsschwierigkeiten können daher nur lang-
fristig behoben werden. Andererseits hat ein Schreiber meist
mehr Zeit als ein Sprecher; er kann seinen Text daher genauer
planen, eventuell auch verbessern, und der Leser kann ihn mehrmals durchlesen.

6 Aus den unterschiedlichen Kommunikationssituationen
ergibt sich, daß sich gesprochene Sprache in verschiedener Hinsicht von geschriebener unterscheidet; es sei hier
nur auf einige wesentliche Unterschiede hingewiesen:

– Gesprochene Sprache wird mit dem Ohr, geschriebene mit
dem Auge wahrgenommen. Die Informationen werden durch
Laute (↑ 43 ff.) bzw. durch Buchstaben (↑ 55 ff.) vermittelt.

– Da man im Gespräch auf etwas hinweisen und manches durch
Mimik und Gestik ausdrücken kann, braucht man nicht alles
in Sprache zu fassen. Oft genügen wenige Worte, kurze, auch
unvollständige Sätze; Nebensätze werden weniger verwandt.

– Demgegenüber muß der Schreiber alles, was er mitteilen will,
sprachlich ausdrücken. Dies und die Tatsache, daß für das
Schreiben eines Textes mehr Zeit zur Verfügung steht, haben
zur Folge, daß der Satzbau der geschriebenen Sprache komplizierter, stärker gegliedert ist, daß die Regeln der Grammatik
mehr beachtet werden, daß Wörter, die als umgangssprachlich
gelten, vermieden werden.

In diesem Buch wird verschiedentlich auf Unterschiede zwischen gesprochener und geschriebener Sprache verwiesen
(↑ etwa 20, 376, 452).

7 Gesellschaftliche Regeln

Menschliche Kommunikation ist weitgehend durch Regeln bestimmt, die in einer Gesellschaft vorherrschen und die
man Konventionen nennt:

Man spricht z. B. zu seinen Vorgesetzten anders als zu seinen
Freunden.

In manchen Kommunikationsformen, etwa in alltäglichen Gesprächen, sind die Gesprächspartner „gleichberechtigt", „gleichrangig", in anderen nicht: So bestimmt im Klassenzimmer in der Regel der Lehrer, bei der Gerichtsverhandlung der Richter, bei der Prüfung der Prüfer den Kommunikationsverlauf.

Es hängt von den gesellschaftlichen Beziehungen ab, ob man jemanden siezt oder duzt oder wie man jemanden in einem Brief anredet *(lieber, sehr geehrter)*.

8 Bedingungen der Situation

Wie ein Mensch spricht oder schreibt und wie jemand sprachliche Äußerungen versteht, hängt auch von Bedingungen ab, die in bestimmten Situationen vorherrschen, etwa von

- räumlichen Bedingungen: Wer einem Bekannten, der auf der gegenüberliegenden Seite einer sehr belebten Straße steht, etwas mitteilen will, muß schreien und wird sich daher kurz fassen.
- zeitlichen Bedingungen: Denselben Sachverhalt erzählt man, wenn man in Eile ist, anders, als wenn man genügend Zeit hat. Bei Zeitmangel spricht der Sprecher nicht nur kürzer, sondern er konzentriert sich auch auf das, was er für wesentlich hält. Die Möglichkeiten des Hörers, Rückfragen zu stellen, sind eingeschränkt.
- körperlichen oder seelischen Bedingungen: Ein leidender Mensch spricht anders als ein fröhlicher, ein betrunkener anders als ein nüchterner. Wer konzentriert zuhört oder liest, versteht eine Mitteilung besser als jemand, der abgelenkt, zerstreut ist.

Für jede Kommunikation ist also der Rahmen, der außersprachliche Kontext (Zusammenhang) wichtig, in der sie stattfindet.

9 Sprachliches Handeln

Wenn zuvor gesagt wurde, Kommunikation sei Austausch von Informationen, so bedeutet das nicht, daß es sich dabei immer um bestimmte „Themen" handeln muß. Jeder kennt Kommunikationsformen, bei denen es nicht in erster Linie „um die Sache" geht:

Menschen sagen bei der Begrüßung „Wie geht es Ihnen?" oder „Das Wetter will aber auch gar nicht besser werden."

Ein Mann beginnt ein Gespräch mit einer Frau, die er näher kennenlernen möchte.

Jemand meldet sich in einer Diskussion zu Wort, weil er denkt, er müsse endlich auch mal etwas sagen, oder weil er einen Kollegen ärgern will.

Jemand spricht auf einem Empfang mit möglichst vielen Leuten, um zu zeigen, daß er kontaktfreudig ist, und sagt der Frau seines Chefs ein paar nette Worte.

Jemand spricht betont kühl, um seine sachliche Überlegenheit zu zeigen.

Eine Mutter tröstet mit Worten ihr weinendes Kind.

Aus diesen Beispielen wird deutlich, daß es bei der menschlichen Kommunikation oft gar nicht so sehr auf den eigentlichen Inhalt des Gesagten ankommt, sondern darauf, zu anderen Menschen in Beziehung zu treten, auf sie einzuwirken.

Sprechen und Schreiben ist auch immer ein Handeln gegenüber anderen Menschen; beispielsweise kann man jemanden loben oder tadeln, trösten, beruhigen oder beleidigen, sich selbst „in Szene setzen" oder angeben.

Solche Handlungen haben Folgen:

Ich kann jemanden mit Worten verletzen, und solche Verletzungen sind oft schlimmer als körperliche.

Ich kann wegen einer Beleidigung angeklagt und verurteilt werden.

Ich kann etwas versprechen und gehe damit eine Verpflichtung ein.

Ich kann jemanden loben oder trösten und ihn dadurch verändern.

Sprachliche Handlungen vollziehen sich nicht nur mündlich, sondern auch schriftlich; man denke etwa an die Wirkungen, die Briefe oder Bücher auf Leser ausüben können.

3 Die Entwicklung der deutschen Sprache

3.1 Allgemeines

10 Auf der Erde gibt es 2500 bis 3000 Sprachen, von denen die meisten allerdings nur von kleinen Gruppen gesprochen werden. Lediglich 70 Sprachen werden von mehr als 5 Millionen und nur 14 Sprachen werden von mehr als 50 Millionen Menschen als Muttersprache verwandt. An erster Stelle in dieser Reihenfolge steht das Chinesische, an zehnter das Deutsche mit rund 100 Millionen Sprechern. In Europa steht Deutsch an zweiter Stelle, nach Russisch und vor Englisch, Italienisch, Französisch und vielen anderen Sprachen.

Man kann die Sprachen der Erde nach unterschiedlichen Gesichtspunkten einteilen, etwa nach ihrem grammatischen Bau. Man unterscheidet dann verschiedene Sprachtypen. So gibt es beispielsweise Sprachen wie das Altchinesische, bei denen die Wörter im Satz unverändert bleiben, die also – im Gegensatz etwa zum Deutschen – keine Ableitungen und Zusammensetzungen (↑ 72 f.) und keine Beugung (Flexion, ↑ 67) kennen.

Ein anderer wichtiger Einteilungsgesichtspunkt bezieht sich auf die Herkunft der Sprachen. Die Sprachwissenschaft konnte zeigen, daß bestimmte Sprachen miteinander verwandt sind, da sie sich aus einer gemeinsamen Grundsprache entwickelt haben. So sind beispielsweise die sogenannten romanischen Sprachen wie das Französische, Italienische oder Spanische aus dem Lateinischen hervorgegangen, und auch das Deutsche, Englische, Niederländische und andere Sprachen lassen sich auf eine gemeinsame Grundsprache, das Germanische, zurückführen. In Anlehnung an die menschliche Verwandtschaft spricht man hier von Sprachfamilien.

3.2 Die Vorstufen des Deutschen

11 Das Indogermanische

Eine der größten Sprachfamilien ist die indogermanische oder indoeuropäische. Im vorigen Jahrhundert hat die vergleichende Sprachwissenschaft nachgewiesen, daß viele Sprachen zwischen dem germanischen Sprachgebiet (in West- und Nordeuropa) und Indien in Lautung, Wortschatz und Grammatik miteinander verwandt sind. So heißt etwa *Vater* im Altindischen *pitár*, im Altgriechischen *patér*, im Lateinischen *pater* und im Englischen *father*; oder *drei* heißt im Altindischen *tráyas*, im Griechischen *treís*, im Lateinischen *tres*, im Russischen *tri* und im Englischen *three*. Dies sind nur willkürlich herausgegriffene Beispiele.

Man ging davon aus, daß die Sprachen, die solche Gemeinsamkeiten aufweisen, auf eine gemeinsame „Ursprache" zurückgeführt werden können, die man „Indogermanisch" oder „Indoeuropäisch" nannte. Von diesem Indogermanischen ist kein Wort überliefert, man hat aber versucht, es aufgrund der vorhandenen „Tochtersprachen" zu rekonstruieren. Und wenn hier von „Ursprache" die Rede ist, so geht es dabei lediglich um die Grundsprache einer Sprachfamilie, nämlich der indogermanischen, nicht aber um die Ursprache der gesamten Menschheit, über die die Sprachgeschichtsforschung nichts aussagen kann.

Man kann das Verhältnis der indogermanischen Sprachen zueinander in einem Stammbaum darstellen, muß sich allerdings bewußt sein, daß ein solcher Stammbaum nicht unbedingt die tatsächliche Auseinanderentwicklung der Sprachen wiedergibt:

Dieses Bild stellt nur einen kleinen Ausschnitt aus der Gliederung der indogermanischen Sprachen dar. Es kann aber deutlich machen, daß die indogermanischen Sprachen in unterschiedlicher Weise miteinander verwandt sind, daß also beispielsweise Deutsch mehr mit Englisch als mit Französisch oder Russisch zusammenhängt.

12 Das Germanische

Wie das obige Bild zeigt, ist das Germanische ein Zweig des Indogermanischen. Die Germanen siedelten seit etwa 2000 v. Chr. in Nordeuropa (in Dänemark, Norddeutschland und im Süden von Schweden, Norwegen und Finnland) und drangen in späteren Jahrhunderten allmählich nach Süden, Westen und Osten vor. Ein Teil der germanischen Völker und Sprachen ist vor allem im Zusammenhang mit der „Völkerwanderung" (3. bis 6. Jahrhundert n. Chr.) untergegangen, z. B. die Goten und die Burgunder. Die heute noch lebenden germanischen Sprachen teilt man in zwei Gruppen ein: Zu den nordgermanischen Sprachen gehört das Schwedische, Dänische, Norwegische und Isländische, zu den westgermanischen Sprachen das Englische, Friesische, Niederländische (einschließlich des in Südafrika gesprochenen Afrikaans) und das Deutsche.

Das Germanische unterscheidet sich durch verschiedene Merkmale von den übrigen indogermanischen Sprachen. Besonders wichtig ist die Tatsache, daß die Betonung im Wort in der Regel auf die erste Silbe des Wortes gelegt wurde (im Indogermanischen konnten auch andere Wortsilben betont werden). Man erkennt das, wenn man die Betonung der Wörter in germanischen Sprachen (z. B. im Deutschen oder Englischen) mit der in einer anderen indogermanischen Sprache (z. B. im Französischen) vergleicht:

> deutsch: Gárten, Váter, Ántwort, gében, fröhlich.
> englisch: gárden, fáther, mínute, cóver, póssible.
> französisch: jardín, maisón, matín, allér, petít.

Zur Betonung im heutigen Deutsch im einzelnen ↑ 52. Die Betonung auf der ersten Silbe hat dazu geführt, daß sich die Wörter im Laufe der Geschichte in ihrem Bau immer mehr veränderten (↑ 16).

3.3 Das Wort *deutsch*

13 Im Zusammenhang mit der Geschichte der deutschen Sprache soll kurz auf die Herkunft und Entwicklung des Wortes eingegangen werden, nach dem diese Sprache benannt ist.

Es handelt sich um ein altes germanisches Wort, das zunächst nur in lateinischen Texten überliefert wurde und dort *theodiscus* heißt. Zum erstenmal findet es sich im Jahre 786 in einem Bericht eines päpstlichen Gesandten über eine Kirchenversammlung in England. Es heißt dort, daß die Beschlüsse der Versammlung sowohl lateinisch als auch in der Volkssprache *(theodisce)* verlesen wurden, damit alle sie verstehen konnten. Diese Stelle und auch andere aus der folgenden Zeit machen deutlich, daß mit *theodiscus* die germanische Volkssprache bezeichnet wurde, wobei noch nicht zwischen den einzelnen germanischen Sprachen, also etwa zwischen Englisch und Deutsch, unterschieden wurde. In dem Adjektiv *theodiscus* („dem Volk eigen", „volksmäßig") steckt ein altes germanisches Substantiv, das „Volk" bedeutet und sich in abgewandelter Form heute beispielsweise noch in dem Namen *Dietrich* („Volksherrscher") findet. Das alte germanische Adjektiv veränderte sich in den folgenden Jahrhunderten mehr und mehr bis zu der heutigen Form *deutsch*.

Deutsch diente also zunächst nicht, wie man vermuten könnte, als Bezeichnung für ein Volk, eine Nation oder ein Land, sondern war ein Sprachbegriff, der ursprünglich so viel wie „germanisch" bedeutete. Mit diesem Wort wurde die germanische Volkssprache einerseits vom gelehrten Latein, andererseits vom Französischen abgegrenzt. Erst in späteren Jahrhunderten, als einige germanische Stämme mehr und mehr zu einem Volk zusammenwuchsen, wurde das Wort *deutsch* auch zur Kennzeichnung dieses Volkes und des Landes, in dem es wohnte, verwandt.

3.4 Epochen der deutschen Sprachgeschichte

14 Vergleich von vier Texten

Anhand der Veränderung eines der bekanntesten Texte, des Vaterunsers, soll im folgenden ein Eindruck davon vermittelt werden, wie sich die deutsche Sprache in rund tausend Jahren gewandelt hat. Es werden vier Textfassungen wiedergegeben, wobei die jüngste am Anfang und die älteste am Ende steht. Auf diese Weise soll der immer größer werdende Abstand früherer Sprachstufen zur heutigen verdeutlicht werden.

Der erste Text ist die „ökumenische" Fassung, der Gebetstext, der heute meist in christlichen Kirchen verwandt wird:

> Vater unser im Himmel, geheilig werde dein Name. Dein Reich komme. Dein Wille geschehe, wie im Himmel, so auf Erden. Unser tägliches Brot gib uns heute. Und vergib uns unsere Schuld, wie auch wir vergeben unsern Schuldigern. Und führe uns nicht in Versuchung, sondern erlöse uns von dem Bösen. (Denn dein ist das Reich und die Kraft und die Herrlichkeit in Ewigkeit.)

Der zweite Text stammt aus der Luther-Bibel von 1545:

> Vnser Vater in dem Himel. Dein Name werde geheiliget. Dein Reich kome. Dein Wille geschehe / auff Erden / wie im Himel. Vnser teglich Brot gib vns heute. Vnd vergib vns vnsere Schulde / wie wir vnsern Schüldigern vergeben. Vnd füre vns nicht in Versuchung. Sondern erlöse vns von dem vbel. Denn dein ist das Reich / vnd die Krafft / vnd die Herrligkeit in Ewigkeit.

Der dritte Text ist eine etwas freiere Übersetzung in Versform, die der Meistersinger Marner im 13. Jahrhundert verfaßte:

> Got hêrre, vater unser, der dû in dem himel bist,
> geheileget sî dîn nam an uns, getriuwer reiner Krist,
> zuo kum an uns daz rîche dîn,
> dîn wille werde hie als in dîm rîche.
> Dîn götlich brôt daz gip uns hiute sunder zwîfels wân,
> vergip uns unser schult, also wir unsern schuldern hân,
> bekorunge uns lâz ânic sîn,
> lœse uns von disen übeln al gelîche.

Worterklärungen: getriuwer = getreuer; sunder zwîfels wân = ohne Zweifel, gewiß; hân = haben; bekorunge = Versuchung; ânic = frei (von).
Das ^ (z. B. in *hêrre*) gibt an, daß der entsprechende Vokal lang ausgesprochen wird.

Die vierte Übersetzung des Gebets steht im „Weißenburger Katechismus" und stammt aus dem 9. Jahrhundert:

> Fater unsêr, thu in himilom bist, giuuîhit sî namo thin.
> quaeme rîchi thîn. uuerdhe uuilleo thîn, sama sô in hi-
> mile endi in erthu. Broot unseraz emezzîgaz gib uns hi-
> utu. endi farlâz uns sculdhi unsero, sama sô uuir farlâz-
> zêm scolôm unserêm. endi ni gileidi unsih in costunga.
> auh arlôsi unsih fona ubile.

Der Originaltext des Vaterunsers findet sich im Matthäus-Evangelium (Kapitel 6, Vers 9–13) und ist in altgriechischer Sprache abgefaßt. Im Mittelalter hat man Bibeltexte meist aus dem Lateinischen übersetzt und versucht, möglichst viel von den Eigentümlichkeiten des Lateinischen ins Deutsche zu übertragen. Daher heißt es beispielsweise nicht *Unser Vater*, sondern *Vater unser* (lateinisch: *pater noster*), obwohl ein nachgestelltes Attribut im Deutschen nur sehr selten vorkommt, etwa in *Röslein rot* (↑ auch 339). Luther hat sich bei seiner Übersetzung des Neuen Testaments bemüht, der deutschen Sprache gerecht zu werden und einen Text zu schaffen, den jedermann verstehen konnte:

> man mus die mutter jhm hause, die kinder auff der gassen, den gemeinen man auff dem marckt drumb fragen, und den selbigen auff das maul sehen, wie sie reden, und darnach dolmetzschen, so verstehen sie es den und mercken, das man Deutsch mit jn redet.

Der heutige Leser wird Luthers Übersetzung des Vaterunsers ohne Schwierigkeiten verstehen. Allerdings weicht die Sprache in verschiedener Hinsicht von der heutigen ab: in der Schreibung (*v* für *u*, *himel*, *kome*, *auff*, *teglich*, *füre*, *Krafft*, *Herrligkeit*), in der Lautung (*Schüldigern*, *Vbel*), in der Grammatik (*geheiliget*, *teglich Brot*, *Schulde*).

Auch das Gedicht aus dem 13. Jahrhundert läßt sich im großen und ganzen vom heutigen Sprachverständnis aus erfassen, wenn man von einzelnen Wörtern und Wendungen absieht, für die Übersetzungshilfen gegeben wurden. Aber man merkt auch deutlich, daß sich diese Sprache mehr von der heutigen unterscheidet als die Luthers. Es sei nur auf einiges hingewiesen: Das lange *i* (*î*) ist zu einem *ei* geworden: *sî* (sei), *dîn* (dein), *rîche* (Reich), *zwîfels* (Zweifels), *gelîche* (gleich). Bestimmte Wörter haben noch mehr Silben als heute: *geheileget* („geheiligt", auch bei Luther noch viersilbig), *rîche* („Reich"; die Flexionsendung fehlt heute); andere Wörter dagegen haben weniger Silben als heute: *nam* (Name), *kum* (komme), *götlich* (göttliches), *hân* (haben). Grammatische Zusammenhänge haben sich verändert: *dîn nam an uns* („dein Name bei uns"), *bekorunge uns lâz ânic sîn* („der Versuchung laß uns frei sein"). Die Schreibung ist ziemlich lautgetreu (vgl. z. B. *vergip*), weshalb der Text auch für heutige Leser verhältnismäßig leicht auszusprechen ist. Schwierigkeiten bereitet vor allem das *iu (getriuwer, hiute)*, das wie der Buchstabe *ü* ausgesprochen wird.

Den Text aus dem 9. Jahrhundert versteht ein heutiger Leser wohl nur noch, wenn er ihn genau mit dem heutigen Text vergleicht; da ein solcher Vergleich fast immer Wort für Wort durchgeführt werden kann, wurde auf Verständnishilfen (Worterklärungen) verzichtet. Auch hier gibt die Schreibung die Laute genau wieder; man muß nur darauf achten, daß *th (thu)* wie *d* ausgesprochen wird (ursprünglich war es, wie das Englische *th*, ein Lispellaut) und das *uu* (*giuuîhit* „geweiht") dem heutigen *w* entspricht (das *w* heißt ja im Englischen heute noch „double u" = doppeltes u).

15   Die Einteilung der deutschen Sprachgeschichte

Die vier Fassungen des Vaterunsers sind Beispiele für vier verschiedene Epochen der deutschen Sprachgeschichte:

- für die althochdeutsche Zeit (von etwa 750 bis etwa 1050)
- für die mittelhochdeutsche Zeit (von etwa 1050 bis etwa 1350)
- für die frühneuhochdeutsche Zeit (von etwa 1350 bis etwa 1650)
- für die neuhochdeutsche Zeit (von etwa 1650 bis zur Gegenwart).

Freilich ist dies nur eine sehr grobe Gliederung, und man muß bedenken, daß sich der Wechsel von einer Epoche zur anderen nicht schlagartig, sondern ganz allmählich vollzog.

Die Entwicklung der deutschen Sprache ist ein sehr komplizierter Vorgang, der hier nicht im einzelnen dargestellt werden kann. Im folgenden soll lediglich auf einige Entwicklungstendenzen hingewiesen werden.

16   Veränderungen im Sprachbau

Der Text des Vaterunsers aus dem 9. Jahrhundert läßt erkennen, daß das Althochdeutsche im Vergleich zu späteren Sprachstufen reich an vollen Vokalen in unbetonten Wortsilben ist *(in himilom - im Himmel, namo - Name, uuilleo - Wille, erthu - Erde)*. Dadurch, daß in den germanischen Sprachen und damit auch im Deutschen die Wortbetonung meist auf die erste Silbe gelegt wurde, sind die Endsilben immer mehr abgeschwächt worden oder sogar ganz weggefallen. Dieser Prozeß beginnt im Alt-

hochdeutschen und setzt sich im Mittelhochdeutschen und Neuhochdeutschen fort:

> himilom (dreisilbig) – Himmel (zweisilbig), geheiliget (viersil-
> big) – geheiligt (dreisilbig), unseraz – unser, sculdhi – Schulde –
> Schuld.

Diese Entwicklung hat zur Folge, daß grammatische Beziehungen immer weniger durch Wortendungen ausgedrückt werden
können, was dazu führt, daß sich etwa die Deklinationsformen
beim Substantiv immer mehr angleichen: Das Wort *namo*
(Name) beispielsweise hat im Althochdeutschen drei Formen für
die Fälle in der Mehrzahl, im Neuhochdeutschen nur noch
eine:

Mehrzahl (Plural)	Althochdeutsch	Neuhochdeutsch
Nominativ	namon	
Genitiv	namôno	Namen
Dativ	namôm	
Akkusativ	namon	

Die Veränderungen bei der Deklination und überhaupt beim
Formenbau sind zwar unterschiedlich verlaufen und haben zu
unterschiedlichen Ergebnissen im heutigen Deutsch geführt, insgesamt aber sind die Möglichkeiten, grammatische Merkmale
durch Wortendungen auszudrücken, immer mehr zurückgegan-
gen.

Deshalb von einer „Verarmung" oder gar von einem „Verfall"
der deutschen Sprache zu sprechen, wäre allerdings falsch, denn
es hat sich eine Fülle neuer sprachlicher Ausdrucksmittel herausgebildet. So wurde etwa der bestimmte Artikel *(der, die, das)*, der
in althochdeutscher Zeit entsteht, mehr und mehr zur Kennzeichnung der grammatischen Fälle verwandt *(die Namen, der*
Namen, den Namen, die Namen). Auch bestimmte Formen des
Verbs wie etwa die Perfekt- oder Passivformen sind erst im Laufe
der Sprachentwicklung entstanden. Und Präpositionen haben
vielfach die Aufgaben übernommen, die früher Wortendungen
hatten: Heute sagt man beispielsweise nicht mehr *Ich erinnere*
mich des Vorfalls, sondern *Ich erinnere mich an den Vorfall*. Dazu

kommt, daß sich die heutigen verschiedenartigen Satzformen erst allmählich herausgebildet haben; so gibt es etwa die zahlreichen Nebensatzarten (↑ 465 ff.) in althochdeutscher Zeit noch nicht.

17 Veränderungen im Wortschatz

Sprachgeschichtliche Entwicklungen zeigen sich vor allem auch in Veränderungen des Wortschatzes, die sich in unterschiedlicher Weise vollziehen.

Wörter können untergehen, absterben, und neue Wörter können entstehen. Das Wort *frô* („Herr") beispielsweise ist schon in althochdeutscher Zeit als eigenständiges Wort untergegangen; heute findet es sich nur noch in alten Zusammensetzungen wie *Frondienst* („Dienst für den Herrn"), *Fronvogt* („Aufseher, Verwalter des Grundherrn") oder *Fronleichnam* („Leib des Herrn"; mit *Leichnam* wurde früher auch der lebendige Körper bezeichnet). An die Stelle von *frô* tritt im Althochdeutschen *hêrro*, ein Komparativ zu *hêr*, das „hehr, erhaben, durch Alter ehrwürdig" bedeutet. Das althochdeutsche Wort *hêrro* entwickelte sich über das mittelhochdeutsche *hêrre* zum neuhochdeutschen Wort *Herr*.

Meist sterben Wörter jedoch nicht ab, sondern verändern sich in der Lautform, in der Bedeutung oder in beidem. Das mit *frô* verwandte althochdeutsche Wort *frouwa* („Herrin") etwa hat sich über mittelhochdeutsch *vrouwe* zum heutigen *Frau* entwickelt, hat dabei aber nicht nur die Ausdrucksseite, sondern auch den Inhalt geändert, denn das Wort bezeichnete lange die adlige Frau, die „Frau von Stand" und hat erst in den letzten Jahrhunderten die heutige Bedeutung angenommen und damit mehr und mehr das Wort *Weib* (mittelhochdeutsch *wîp*, althochdeutsch *wîb*) verdrängt.

Man unterscheidet verschiedene Arten des Bedeutungswandels, etwa

– die Bedeutungserweiterung: *Sache* (aus althochdeutsch *sahha* „Rechtsstreit, Prozeß, Rechtssache"); *Geselle* (aus althochdeutsch *gisellio* „der mit jemandem denselben Saal, denselben Wohnraum, teilt")

– die Bedeutungsverengung: *Hochzeit* (aus mittelhochdeutsch *hôchgezît* „hohes kirchliches oder weltliches Fest"); *Magd* (aus althochdeutsch *magad* „Mädchen, Jungfrau").

Große Veränderungen im Wortschatz haben sich vor allem auch dadurch ergeben, daß Wörter aus fremden Sprachen vom Deutschen aufgenommen wurden und heute als Lehn- oder Fremdwörter (↑ 33) Bestandteile des Wortschatzes der Deutschsprechenden sind.

Im frühen Mittelalter und auch später kamen die Wörter vor allem aus dem Lateinischen, und zwar dadurch, daß die Germanen bzw. die Deutschen die antike Kultur und das Christentum übernahmen *(Kalk, Keller, Mauer, Pflanze, Wein, Kloster, Mönch, Kapelle)*. Im Hochmittelalter und vor allem im 17. und 18. Jahrhundert wirkte besonders das Französische auf das Deutsche ein *(fein, rund, Armee, Brigade, Teint, Weste, Soße)*, und seit dem 19. Jahrhundert und besonders in den letzten Jahrzehnten ist es in erster Linie das Englische, das die deutsche Sprache beeinflußt *(Pullover, fair, flirten, Toast, Hobby, parken, testen, Slogan, Computer)*.

Die geschichtliche Entwicklung des heutigen deutschen Wortschatzes ist zum größten Teil erforscht und kann in etymologischen Wörterbüchern nachgeschlagen werden. (Etymologie ist die Wissenschaft von der Herkunft und Geschichte der Wörter.)

4 Die Gliederung der deutschen Sprache

4.1 Allgemeines

18 Die gegenwärtige deutsche Sprache ist kein einheitliches Gebilde, sondern hat verschiedene Erscheinungsformen:

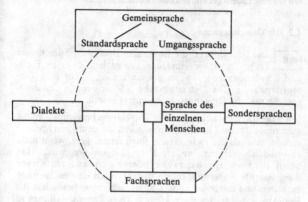

Eine solche schematische Darstellung darf nicht so verstanden werden, als ob es sich bei den einzelnen Sprachformen um in sich abgeschlossene Bereiche handele. Vielmehr gibt es Übergänge und wechselseitige Einflüsse, was in dem Schema durch die gestrichelte Linie angedeutet wird.

Zu unterscheiden sind einerseits die Sprache einzelner Menschen, die Individualsprache (↑ auch 2), von den Sprachen bestimmter Gemeinschaften oder Gruppen und andererseits diese Gemeinschafts- und Gruppensprachen untereinander.

Jeder Mensch hat seine eigene Sprache; er unterscheidet sich im Sprechen und Schreiben von anderen durch seine Stimme und seine Stimmführung, durch Besonderheiten in seiner Aussprache, durch seine Handschrift und durch seine Auswahl aus Wortschatz und grammatischen Mitteln. Zwar spricht und schreibt jeder Mensch in unterschiedlichen Situationen unterschiedlich, aber es gibt doch Merkmale (Stilzüge), die für längere

Zeit die Sprache eines Menschen kennzeichnen und seinen
Sprachstil ausmachen. Daher sagt man etwa *Er schreibt einen
flüssigen Stil* oder *Der Brief kann nicht von ihm stammen; das ist
nicht sein Stil.*

Der einzelne Mensch hat „seine" Sprache aber nur im Rahmen
einer oder mehrerer Gemeinschaftssprachen, deren Besonderheiten im folgenden gekennzeichnet werden sollen.

4.2 Die Gemeinsprache

19 Die Sprachform, die im ganzen deutschen Sprachraum
verbreitet ist, die – im Gegensatz zu den Dialekten, Fach-
und Sondersprachen – allen gemeinsam ist, nennt man Gemeinsprache. Die Gemeinsprache läßt sich in die Standardsprache und die Umgangssprache untergliedern.

Mit Standardsprache wird die Sprachform bezeichnet, an die
man zunächst meist denkt, wenn man von der deutschen Sprache
spricht, und um die es in diesem Buch immer geht, wenn nicht
ausdrücklich auf eine andere Form hingewiesen wird. Man
nennt sie auch Hochsprache oder Hochdeutsch. Gegen
diese Begriffe bestehen insofern Bedenken, als sie eine Wertung
enthalten und durch sie andere Sprachschichten, besonders die
Dialekte, abgewertet werden können. Dazu kommt, daß man in
der Sprachwissenschaft mit „Hochdeutsch" die mittel- und süddeutschen Dialekte bezeichnet (↑ 22).

Mehr als andere Sprachformen ist die Standardsprache normiert,
d. h. durch Regeln bestimmt, die beim Spracherwerb und vor allem auch im Deutschunterricht der Schulen erlernt werden. So
gibt es Regeln für die Rechtschreibung, Aussprache, Grammatik
und den Wortgebrauch, aber auch für das Verfassen bestimmter
Texte wie Briefe (insbesondere Geschäftsbriefe), Lebensläufe,
Protokolle, Berichte oder Beschreibungen. Die meisten Arbeiten,
die sich auf die deutsche Gegenwartssprache beziehen – etwa
Grammatiken oder Wörterbücher –, befassen sich mit der Standardsprache.

20 Viel schwieriger als die Standardsprache ist die Umgangssprache zu beschreiben, da sie kein einheitliches
Gebilde darstellt und nicht normiert ist. Sie wird vorwiegend im
privaten Bereich, im persönlichen Gespräch verwandt und ist

von Region zu Region unterschiedlich, da sie von den verschiedenen Dialekten beeinflußt wird. Auch Eigentümlichkeiten der Sonder- oder Fachsprachen können in sie eindringen. So ist die Umgangssprache zwischen jüngeren Menschen häufig anders als die zwischen älteren, und persönliche Gespräche zwischen Arbeitskollegen enthalten häufig fachsprachliche Wörter und Wendungen, auch wenn sie sich nicht auf ihre Arbeit oder ihren Beruf beziehen.

Vor allem aber ist die Umgangssprache dadurch bestimmt, daß standardsprachliche Normen weniger beachtet oder zumindest sehr vereinfacht werden: Man zieht Wörter zusammen *(wir ham* statt *wir haben, das isses* statt *das ist es)*, benutzt kurze, oft unvollständige Sätze, wenig unterordnende Nebensätze, ergänzt, was man vergessen hat *(Ich hab' ihn gesehen, Herrn Mayer)*, verwendet Allerweltswörter *(tun, machen, Ding, Sache)*, gefühlsbeladene Ausrufe *(Mensch! Verdammt!)* und saloppe oder drastische Wendungen, die man in der Standardsprache vermeiden würde.

Die Bedeutung der Gemeinsprache und besonders der Standardsprache hat immer mehr zugenommen. An dieser Sprachform, die sich seit dem späten Mittelalter herausgebildet hat, nehmen heute, wenn auch in unterschiedlicher Weise, alle Deutschsprechenden teil. Besonders die Schule und die Massenmedien (Zeitungen, Rundfunk und Fernsehen) haben dazu beigetragen, daß die Normen der Standardsprache als verbindlich angesehen werden; dies gilt vor allem für Rechtschreibung und Grammatik, weniger für Aussprache, Wortschatz und Stil.

4.3 Dialekte

21 Wie schon im vorigen Abschnitt gesagt, hat sich die deutsche Gemeinsprache erst seit dem späten Mittelalter, seit Beginn der frühneuhochdeutschen Zeit im 14. Jahrhundert, ganz allmählich entwickelt. Vorher gab es im deutschen Sprachgebiet keine einheitliche Sprache, sondern verschiedene Dialekte (Mundarten), von denen sich die meisten – wenn auch in veränderter Form – bis heute erhalten haben.

Dialekte sind Sprachformen, die in bestimmten geographischen Räumen (Gegenden, Landschaften, Orten) gesprochen werden. Die folgende Karte gibt die deutschen Dialekte in der Gegenwart wieder:

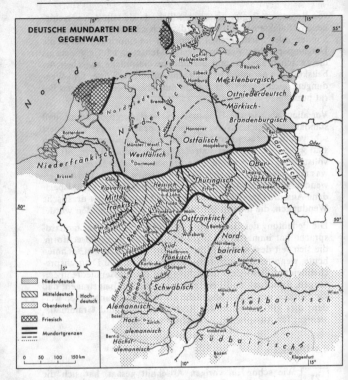

DEUTSCHE MUNDARTEN DER GEGENWART

Niederdeutsch
Mitteldeutsch ⎱ Hoch-
Oberdeutsch ⎰ deutsch
Friesisch
Mundartgrenzen

0   50   100   150 km

22 Man unterscheidet die großräumigen Sprachgebiete des Niederdeutschen, Mitteldeutschen und Oberdeutschen; „Mitteldeutsch" und „Oberdeutsch" wird mit dem Begriff „Hochdeutsch" zusammengefaßt. Diese Gliederung ergibt sich vor allem aus Unterschieden in der Lautung, die sich im Laufe der Sprachgeschichte entwickelt haben. So haben sich im Hochdeutschen bestimmte Laute verändert, die im Niederdeutschen und auch in den anderen germanischen Sprachen (z. B. im Englischen) unverändert blieben. Man spricht hier von der hochdeutschen Lautverschiebung, die vor allem die Laute *p*, *t* und *k* betraf:

p wurde zu *f* oder *pf*:

niederdeutsch	open	pund
englisch	open	pound
hochdeutsch	offen	Pfund

t wurde zu *s* oder *z*:

niederdeutsch	dat	tied
englisch	that	tide
hochdeutsch	das	Zeit

k wurde zu *ch* (Ich-Laut oder Ach-Laut):

niederdeutsch	ik	maken
englisch	I (aus ic)	make
hochdeutsch	ich	machen

Wie die Karte zeigt, gliedern sich die großräumigen Dialektgebiete des Niederdeutschen, Mitteldeutschen und Oberdeutschen jeweils in verschiedene Mundarten. Zum Niederdeutschen gehört etwa das Westfälische, Holsteinische und Mecklenburgische, zum Mitteldeutschen etwa das Moselfränkische, Hessische und Thüringische, zum Oberdeutschen etwa das Schwäbische und Bairische.

Dialekte kommen fast ausschließlich in gesprochener Sprache vor. Sie werden vor allem im persönlichen Gespräch verwandt, zuweilen auch im Rundfunk und in öffentlichen Reden und Diskussionen, etwa in Predigten oder Parlamentssitzungen kleinerer Gemeinden. Gelegentlich finden sich Dialekte aber auch in der geschriebenen Sprache: in Zeitungen (besonders im Lokalteil), in Romanen, Erzählungen, Dramen, Gedichten und in Textvorlagen für Mundartlieder.

23 Im Vergleich zur Standardsprache sind Dialekte nichts Zweitrangiges oder Minderwertiges. Zwar ist die „kommunikative Reichweite" des Dialekts viel geringer als die der Standardsprache, aber in alltäglichen Situationen kann der Dialekt mehr leisten, da der für solche Situationen notwendige Wortschatz im Dialekt häufig differenzierter und treffender ist. Dazu kommt, daß die meisten Menschen stark gefühlsmäßig auf Dialekte reagieren, sowohl auf den eigenen (falls sie einen Dialekt sprechen) als auch auf fremde. Dialekte können Sympathie und Antipathie erzeugen. Bei einer Repräsentativumfrage, die Ende der fünfziger Jahre in der Bundesrepublik Deutschland stattfand, wurde nach der Beliebtheit der Dialekte gefragt. Es ergab sich folgende Reihenfolge: An der Spitze lag die Sprache der Wiener (19% der Befragten); es folgten die Dialekte von Hamburg (18%), Köln (16%), München (15%), Berlin (13%), Stuttgart 9%), Frankfurt (8%) und Leipzig (2%).

Die Bedeutung der Dialekte hat immer mehr abgenommen, eine Entwicklung, die mit der immer weiteren Verbreitung der Gemeinsprache zusammenhängt und die vor allem in diesem Jahrhundert und besonders in den letzten Jahrzehnten sehr schnell fortgeschritten ist, insbesondere auch durch den Einfluß der Massenmedien. Aber diese Entwicklung verläuft im deutschen Sprachraum sehr unterschiedlich: In Mittel- und vor allem in Süddeutschland spielen Dialekte nach wie vor eine große Rolle; eine besondere Situation besteht in der Schweiz, wo das Schweizerdeutsche in immer weitere Bereiche des öffentlichen Lebens eindringt. Überhaupt ist das Interesse an Mundarten in den letzten Jahren wieder gestiegen, auch bei Jugendlichen. Dies steht im Zusammenhang damit, daß man sich ganz allgemein wieder stärker mit regionaler, mit „heimatlicher" Kultur befaßt. Allerdings muß man auch sehen, daß sich die Dialekte immer mehr der Standardsprache angleichen, so daß wohl längerfristig die kleineren Dialekte in größeren Regionalsprachen aufgehen werden.

4.4 Fachsprachen

24 Fachsprachen gibt es, seitdem es Arbeitsteilung gibt, und je differenzierter die Arbeitsteilung – vor allem im 19. und 20. Jahrhundert – wurde, desto mehr sprachliche Mittel wur-

den entwickelt, die nur auf einem engbegrenzten Gebiet anwend-
bar und weitgehend nur für die auf diesem Gebiet Tätigen
verständlich sind. Früher spielten Fachsprachen vor allem im
Handwerk eine Rolle; wenn man heute von Fachsprachen
spricht, so denkt man in erster Linie an die Sprachen der Wissenschaft, der Technik und der Verwaltung.

Über die Frage, wie viele Fachsprachen es gibt, besteht keine Einigkeit, und es wird auch schwierig, vielleicht unmöglich sein,
hier zu einer Einigkeit zu gelangen, da die Auffassungen darüber, was ein „Fach" ist und ob jedes Fach eine eigene Fachsprache besitzt, sehr auseinandergehen. Bilden beispielsweise
Bereiche wie Chemie oder Elektrotechnik Fächer mit einheitlichen Fachsprachen, oder muß man von den Spezialgebieten ausgehen, bei der Chemie also etwa unterscheiden zwischen den
Sprachen der organischen und anorganischen Chemie, bei der
Elektrotechnik etwa zwischen den Sprachen der Starkstromtech-
nik, der Nachrichtentechnik, der Meßtechnik und der Rege-
lungs- und Steuerungstechnik? Und kann man überhaupt von
einzelnen Fachsprachen sprechen, wenn man bedenkt, daß die
Grenzen zwischen den einzelnen Fächern fließend sind, daß sich
die einzelnen Arbeitsbereiche wechselseitig beeinflussen? So ist
sowohl für die Chemie als auch für die Elektrotechnik die Physik
und ihre Sprache von großer Bedeutung.

Wenn sich auch die Auffassungen der Sprachwissenschaftler
über die Gliederung der Fachsprachen und den Bau der einzelnen Fachsprachen unterscheiden, so ist man sich andererseits ei-
nig darüber, daß es für Fachsprachen insgesamt gewisse Kennzeichen gibt, die diese Sprachen von anderen unterscheiden und
von denen die wichtigsten im folgenden genannt werden sollen.

25 Dem Laien fällt an Fachsprachen vor allem auf, daß sie
Wörter enthalten, die er nicht versteht. Solche Fachwörter oder Termini (Einzahl: Terminus) dienen dem Fachmann
dazu, bestimmte Sachverhalte besonders genau und eindeutig zu
bestimmen. Die Gesamtheit der Termini eines bestimmten Fa-
ches nennt man Terminologie. So spricht man etwa von der me-
dizinischen oder juristischen Terminologie.

Ein Fachwort erhält seinen genauen Inhalt im allgemeinen durch
Definition, die – wie eine Gleichung in der Mathematik – zwei
Seiten hat: Links steht das, was noch unbekannt (unverständlich)

ist, was also noch definiert werden muß, rechts das, was bekannt (verständlich) ist und was daher zur Definition verwandt werden kann:

> Hypotenuse = in einem rechtwinkligen Dreieck die dem rechten Winkel gegenüberliegende Seite

> Etymologie = Wissenschaft von der Herkunft und Geschichte der Wörter.

Nach weitverbreiteter Meinung handelt es sich bei Fachwörtern meist um Fremdwörter (↑ 33), und hierin sieht man den Grund dafür, daß Fachwörter für Laien schwer oder nicht verständlich sind. Nun stammen gewiß viele Fachwörter aus fremden Sprachen, aber nicht das macht sie un- oder schwerverständlich, sondern die für Laien unbekannten, durch Definition geschaffenen Inhalte. Auch Fachwörter, die der deutschen Sprache entnommen sind, werden nicht verstanden, wenn der fachsprachliche Inhalt unbekannt ist. Die Juristen unterscheiden beispielsweise zwischen „Eigentum" und „Besitz", zwei deutschen Wörtern, die in der Gemeinsprache nahezu synonym (gleichbedeutend) sind. Nach dem „Bürgerlichen Gesetzbuch" ist Eigentümer einer Sache derjenige, dem sie gehört, der das Recht hat, über sie innerhalb der von der Rechtsordnung gezogenen Grenzen frei zu bestimmen; Besitzer ist derjenige, der die Sache tatsächlich hat („Der Besitz einer Sache wird durch die Erlangung der tatsächlichen Gewalt über die Sache erworben." § 854 des „Bürgerlichen Gesetzbuchs"). In diesem Sinne ist etwa der Mieter einer Wohnung auch der Besitzer der Wohnung. Dieser juristisch-fachsprachliche Inhalt von „Besitz" weicht erheblich vom gemeinsprachlichen ab und ist nur für denjenigen verständlich, der die fachsprachliche Definition kennt. Auch Fachwörter, die aus der deutschen Sprache stammen, können also ohne Definition nicht verstanden werden. Dies gilt auch für grammatische Termini: „Beugung" beispielsweise ist ohne Definition genausowenig verständlich wie „Flexion" (↑ 67).

26 Fachsprachen unterscheiden sich von anderen Sprachformen aber nicht nur durch ihren besonderen Wortschatz, sondern auch in ihrer Grammatik. Zwar sind die grammatischen Mittel die gleichen wie die der Standardsprache, aber bestimmte Mittel werden häufiger verwandt. Die folgenden Merkmale betreffen vor allem die naturwissenschaftlichen und die technischen Fachsprachen:

Mehrgliedrige Zusammensetzungen kommen öfter vor:

> Kreiskolbenmaschine, Rotationskolbenmotor, Trapezgewindeschleifmaschine, Hörsprachgeschädigtenpädagogik, Drehstromkurzschlußläufermotor, Lohnsteuerjahresausgleichsantragsverfahren.

Substantive treten gehäuft auf, so daß der Nominalstil (↑ 245) vorherrscht:

> *Bei der Überprüfung der Gültigkeit dieser Hypothese ist der zu geringe Umfang an Ausgangsmaterial in Anschlag zu bringen.* In einem stärker verbalen Stil, wie er in der Gemeinsprache vorherrscht, könnte der Satz heißen: *Wenn man überprüft, ob diese Hypothese gültig ist, muß man berücksichtigen, daß das Ausgangsmaterial nicht groß genug ist.*

Der letzte Beispielsatz macht deutlich, daß längere Attribute vorherrschen:

> bei der Überprüfung der Gültigkeit dieser Hypothese; der zu geringe Umfang an Ausgangsmaterial; die hier am heutigen Vormittag zur Diskussion stehende Frage.

Dies hat zur Folge, daß die Aussagen häufig in Hauptsätzen „komprimiert" werden, so daß in fachsprachlichen Texten Hauptsätze überwiegen (vgl. den obigen Beispielsatz *Bei der Überprüfung* ... und seine Umwandlung in ein Satzgefüge). Wenn Nebensätze vorkommen, handelt es sich meist um Relativsätze, Konditionalsätze (z. B. durch *wenn* eingeleitet), Kausalsätze (z. B. durch *weil* eingeleitet) oder *daß*-Sätze.

Da die wichtigen Informationen vor allem durch Substantive ausgedrückt werden, haben Verben häufig keine eigentliche Bedeutung, sondern nur eine grammatische Funktion; es entstehen Funktionsverbgefüge (↑ 92 f.):

> zur Durchführung bringen, zum Ausdruck bringen, zur Anwendung kommen, in Erwägung ziehen.

In Fachtexten wird der Handelnde häufig nicht genannt; es herrscht ein „unpersönlicher" Stil vor, besonders durch Verwendung des Passivs (↑ 161), von *man* oder von reflexiven Verben (↑ 95):

> Durch den Einsatz schnellaufender Pressen werden sehr hohe Stückzahlen erzielt. Man arbeitet fast ausschließlich vom Band. Viele Arbeitsvorgänge lassen sich ohne besondere technische Probleme leicht automatisieren.

27 Fachsprachen haben eine immer größere Bedeutung gewonnen: Ihre Zahl nimmt ständig zu, die Ausdrucksmittel der einzelnen Fachsprachen vermehren sich in einer Weise, daß Fachlexika häufig schon nach kurzer Zeit veralten; der Wortschatz der Fachsprachen ist schon seit langem weitaus umfangreicher als der der Gemeinsprache. Vor allem aber wirkt keine andere Sprachform so nachhaltig auf die Gemeinsprache ein. So findet sich beispielsweise der Nominalstil immer häufiger auch in standardsprachlichen Texten, und Fachwörter dringen in großer Zahl in die Gemeinsprache ein, etwa aus den Bereichen der Medizin *(Diagnose, Therapie, Hormone, Herzinfarkt)*, der elektronischen Medien *(Computer, Bit, Datenbank)* oder der Verwaltung *(Aufsichtsbehörde, Verwaltungsakt, Rechtsmittelbelehrung)*; allerdings ändern die Fachwörter in der Gemeinsprache häufig ihre Bedeutung.

Oft werden Fachsprachen negativ beurteilt, weil man sie als Laie nicht versteht. Man fordert, daß sich die Fachleute verständlich ausdrücken sollen. Fachsprachen sind jedoch notwendig, denn für die besonderen Gegenstände und Fragestellungen der einzelnen Fächer, vor allem der Wissenschaften, reichen die gemeinsprachlichen Mittel nicht aus. Freilich müssen die einzelnen Fachgebiete dafür sorgen, daß die Ergebnisse ihrer Arbeit auch für Laien verständlich werden. Die fachsprachlichen Inhalte müssen also in Gemeinsprache „übersetzt" werden. Dies ist die Aufgabe der Fachleute selbst oder besonderer „Vermittler", also etwa von Sachbuchautoren oder Journalisten.

4.5 Sondersprachen

28 Der Begriff der Sondersprachen kann sehr Unterschiedliches bedeuten. Man kann damit etwa alle „Sonderformen" des Deutschen bezeichnen, d. h. alle Sprachformen außer der Gemeinsprache. Meist aber versteht man darunter die Sprachen größerer oder kleinerer Gruppen innerhalb der Sprachgemeinschaft, z. B. die Sprachen der Jugendlichen, der älteren Menschen, der Arbeiter oder der Akademiker. Diese Beispiele machen deutlich, daß es sich hier um sehr verschiedenartige Sprachformen handelt und daß es vom jeweiligen Gesichtspunkt abhängt, welche Sondersprachen man unterscheidet.

So kann man etwa fragen: Gibt es eine besondere Sprache der Jugendlichen? Man kann aber auch spezieller danach fragen, ob es eine besondere Sprache der Schüler, der Studenten, der Lehrlinge bzw. Auszubildenden oder der Mädchen gibt. Und wenn man so fragt, weiß man selbstverständlich, daß die Jugendlichen bzw. Schüler, Studenten usw. nicht alle gleich sprechen, daß es also nicht um eine Einheitssprache für alle Angehörigen einer Gruppe geht. Man will vielmehr wissen, ob bestimmte sprachliche Mittel nur oder zumindest häufiger in bestimmten Gruppen vorkommen.

Für die Jugendsprache der achtziger Jahre sind etwa folgende Wörter und Wendungen kennzeichnend, die zum Teil auch schon früher verwandt wurden und von denen einige bereits in die Umgangssprache eingedrungen sind:

> auf etwas abfahren (Da fahr' ich voll drauf ab.), abschlaffen (Ich bin total abgeschlafft.), jemanden anmachen (Die macht mich echt an.), ausflippen (Der ist total ausgeflippt.), einen Bock haben auf (Auf das hab' ich einen unheimlichen Bock.), draufsein (Ich bin heute gut drauf.), echt, voll (Das find ich echt/voll gut.), Freak (Er ist ein Öko-Freak.), geil, affengeil (Das sind echt geile Klamotten.), irre (Er ist ein irrer Typ.), nerven (Hör auf, mich zu nerven!), raffen, schnallen (Ich hab's ihm erklärt, aber er rafft/schnallt es nicht.), Softi (Ich steh' auf Softis.)

Jugendsprache kann untertreibend, „cool", aber auch übertreibend sein *(Das hasse ich wahnsinnig.)*. Jugendliche verwenden diese Sprache hauptsächlich, wenn sie unter sich sind, und zwar einmal, um sich von der Sprache der Erwachsenen abzugrenzen, zum anderen, um dadurch die Zugehörigkeit zu einer Gruppe zu dokumentieren.

Sondersprachen, die hier am Beispiel der Jugendsprache gekennzeichnet wurden, sind also Kommunikationsmittel bestimmter sozialer Gruppen und unterscheiden sich von den

Fachsprachen dadurch, daß sie sich nicht auf bestimmte Arbeitsbereiche oder Berufe beziehen. Da aber die Angehörigen eines
Berufs oder einer Berufsgruppe – etwa die Mediziner, Juristen,
Ingenieure oder Metallarbeiter – auch soziale Gruppen bilden,
sind die Übergänge zwischen Fach- und Sondersprachen fließend.

5 Was sind Wörter?

In diesem Kapitel geht es um den Bau der Wörter im allgemeinen und besonders um die Wortbedeutung, um Grundbegriffe
der Wortsemantik (Semantik = Lehre von den Bedeutungen).

5.1 Das sprachliche Zeichen

29 An jedem Zeichen, etwa einem beliebigen Verkehrszei-
chen, muß man zweierlei unterscheiden:

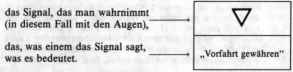

das Signal, das man wahrnimmt
(in diesem Fall mit den Augen),

das, was einem das Signal sagt,
was es bedeutet. → „Vorfahrt gewähren"

Allgemein gilt: Wenn etwas, was man wahrnimmt (sieht, hört),
eine Bedeutung hat, spricht man von einem Zeichen. Ein Zeichen hat also immer zwei Seiten: eine Ausdrucksseite (= was
man wahrnimmt) und eine Inhaltsseite oder Bedeutungs-
seite (= was mitgeteilt wird):

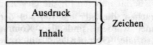

Auch Wörter, etwa das Wort *Stuhl*, sind Zeichen; man hört oder sieht etwas (Laute oder Buchstaben), kann aber nur etwas verstehen, wenn man die Bedeutung kennt:

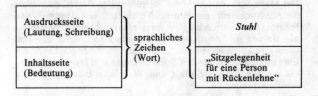

Der Unterschied zwischen der Ausdrucks- und der Inhaltsseite wird einem besonders bewußt, wenn man eine Sprache hört, die man nicht kennt, oder Texte in einer solchen Sprache „liest": Man erkennt, daß es sich um Sprache handelt, man kann Einzelheiten der Ausdrucksseite unterscheiden (Laute, Silben, Buchstaben), aber man versteht nichts, da man die Bedeutung nicht kennt.

Ein Wort ist also eine Einheit aus Ausdruck und Inhalt, eine Verbindung von Lauten bzw. Buchstaben und einer Bedeutung. Die kleinsten Bedeutungseinheiten einer Sprache nennt man M O R P H E M E. Hierbei handelt es sich einerseits um einfache (nicht zusammengesetzte oder nicht abgeleitete) Wörter wie *Tisch*, *Wald* oder *Geist*, andererseits um Wortteile, die bei der Wortbildung oder Beugung (Flexion) verwandt werden:

> *Tisch-chen:* zwei Morpheme: *Tisch* (Stammbedeutung) +
> *-chen* (Bedeutung: Verkleinerung)
>
> *Frau-en:* zwei Morpheme: *Frau* (Stammbedeutung) +
> *-en* (Bedeutung: Plural)

30 Das Verhältnis von Ausdruck und Inhalt

Der Schriftsteller Peter Bichsel (geb. 1935) erzählt in der Geschichte „Ein Tisch ist ein Tisch" von einem einsamen, alten Mann, der sein eintöniges Leben dadurch zu verändern sucht, daß er die Bezeichnungen für die Gegenstände in seinem Zimmer vertauscht: das Bett nennt er „Bild", den Tisch nennt er „Teppich", den Stuhl „Wecker", die Zeitung „Bett" usw. Auf diese Weise schafft er sich eine eigene Sprache, die er in Selbstgesprächen nur noch benutzt, so daß er die „alte" Sprache vergißt. Das führt dazu, daß die Menschen den alten Mann nicht mehr verstehen können und er noch mehr vereinsamt.

Der Mann verändert nicht die Bedeutung der Wörter, auch nicht die Ausdrucksseite, sondern die Verbindung von Ausdruck und Inhalt. Diese Verbindung ist zwar nicht notwendigerweise so, wie sie ist; sie könnte auch ganz anders sein, denn das Bett könnte beispielsweise auch „Bild" heißen. Aber im Laufe der Entwicklung der deutschen Sprache haben sich feste Verbindungen ergeben, die heute gültig sind. Wer sie verändert, wird nicht mehr verstanden.

Der Ausdruck ist „Träger" des Inhalts, ist „Signal" für den Inhalt: Wenn man das Wort *Stuhl* hört oder liest, verbindet man damit eine bestimmte Bedeutung. Aber der Ausdruck „enthält" den Inhalt nicht, denn sonst könnte man in einer fremden Sprache aus dem, was man hört oder liest, direkt auf die Bedeutung schließen. Bei lautmalenden Wörtern wie *zischen, wiehern, piepen* oder *summen* hat man allerdings den Eindruck, als ob der Ausdruck (die Lautung) direkt auf den Inhalt verweist. Solche Wörter wirken jedoch nur lautmalend, wenn man die Bedeutung kennt, wenn man weiß, daß diese Wörter Töne oder Geräusche bezeichnen. Man vergleiche etwa folgende Wortpaare:

platzen	Platz
zischen	fischen
klingen	ringen
Klang	Rang
krachen	Drachen
rauschen	tauschen

Die Wörter auf der linken Seite empfindet man als lautmalend, weil ihre Bedeutung auf Lautliches, auf Akustisches verweist. Dagegen beziehen sich die Wörter auf der rechten Seite nicht auf etwas Hörbares, und deshalb werden sie auch nicht als lautmalend empfunden. Lautmalende Wörter „schaffen" also nicht die Bedeutung, sondern können sie nur verstärken und dadurch, besonders in der Dichtung, die Wirkung erhöhen.

31 Gleichlautende Wörter

Daß man vom Ausdruck nicht direkt auf den Inhalt schließen kann, ergibt sich auch daraus, daß viele Ausdrücke sehr unterschiedliche Bedeutungen haben (bei den folgenden

Beispielen handelt es sich nicht um vollständige Bedeutungs-
beschreibungen):

[1]Bank	= Sitzgelegenheit
[2]Bank	= Geldinstitut
[1]Hahn	= männliches Haustier
[2]Hahn	= Vorrichtung zum Öffnen und Schließen
[1]Kapelle	= kleine Kirche
[2]Kapelle	= Gruppe von Musikern
[1]mangeln	= nicht oder unzureichend vorhanden sein
[2]mangeln	= Wäsche glätten
[1]löschen	= machen, daß etwas zu brennen aufhört
[2]löschen	= die Fracht eines Schiffes ausladen

Solche Wörter mit gleicher Ausdrucksseite und unterschiedlicher
Bedeutung nennt man gleichlautende Wörter oder Homonyme. Gelegentlich werden sie gleich ausgesprochen, aber unterschiedlich geschrieben:

Mohr – Moor, Lied – Lid, Seite – Saite, Wal – Wahl, Rad – Rat,
malen – mahlen, seit – (ihr) seid.

32 Bedeutungsähnliche Wörter

Umgekehrt gibt es Wörter, deren Bedeutung gleich oder
ähnlich ist, die sich aber auf der Ausdrucksseite unterscheiden:

Metzger – Fleischer, Schuhmacher – Schuster, Samstag – Sonnabend, Krankenhaus – Hospital – Klinik, Fahrstuhl – Aufzug –
Lift.

Solche Wörter heißen sinnverwandte Wörter oder
Synonyme.

Wörter, die völlig bedeutungsgleich und damit austauschbar
sind, gibt es nur sehr wenige; es handelt sich hierbei häufig um
unterschiedliche Ausdrücke, die in verschiedenen Gegenden des
deutschen Sprachgebiets verwandt werden, wie *Schuster – Schuhmacher* oder *Samstag – Sonnabend.* Synonyme Wörter haben
meist nur eine ähnliche Bedeutung. So sind etwa *Kopf* und
Haupt nicht bedeutungsgleich, denn man kann beispielsweise
nicht sagen *Er wurde am Haupt operiert.*

Wörter mit entgegengesetzter Bedeutung werden Antonyme genannt:

> Tag – Nacht, heiß – kalt, stehen – liegen, immer – niemals.

33 Deutsche Wörter – Fremdwörter – Lehnwörter

Was die Herkunft des deutschen Wortschatzes angeht, so unterscheidet man drei Arten von Wörtern:

1. ursprünglich deutsche Wörter, die seit frühester Zeit zur deutschen Sprache gehören und auch Erbwörter genannt werden:

   > Mann, Frau, essen, fahren, jung, weiß.

2. Wörter aus anderen Sprachen, die ihre vom Deutschen abweichende Ausdrucksseite zumindest teilweise bewahrt haben, sich also in Lautung, Betonung oder Schreibung von deutschen Wörtern unterscheiden (Fremdwörter):

   > Akademie, Definition, Teint, Fondue, fair, Lady.

3. Wörter aus anderen Sprachen, denen man aber ihre fremde Herkunft heute nicht mehr anmerkt (Lehnwörter):

   > Fenster, preisen, opfern, Streik.

Diese Dreiteilung bezieht sich also auf die Etymologie, die Herkunft und Geschichte der Wörter, und ist daher für denjenigen wichtig, der sich mit der Geschichte der deutschen Sprache befaßt (↑ 10 ff.).

Dem Sprachbenutzer fällt lediglich der Unterschied zwischen deutschen Wörtern (einschließlich Lehnwörtern) einerseits und Fremdwörtern andererseits auf, da ihm die Fremdwörter besondere Schwierigkeiten bei der Aussprache und in der Schreibung bereiten können.

Die Unterscheidung von deutschen Wörtern und Fremdwörtern bezieht sich also nur auf die Ausdrucks-, nicht auf die Inhaltsseite. Daß häufig auch der Inhalt (die Bedeutung) der Fremdwörter nicht oder schwer verständlich ist, hängt damit zusammen, daß die Fremdwörter oft besonderen Sprachschichten, insbesondere den Fachsprachen, angehören. Zum Verhältnis von Fremdwort und Fachwort ↑ 25.

34 | Metaphern

Häufig werden Wörter nicht in ihrer eigentlichen, sondern in einer übertragenen Bedeutung verwandt:

> Die Preise *steigen*. Der Spieler *jagt* über das Feld und *feuert* den
> Ball ins Tor. Diesen Trainer sollte man *abschießen*. Herr Meyer
> ist ein *Fuchs*; bei ihm muß man aufpassen. Wir standen am *Fuß*
> des Berges. Über ihre *spitze* Bemerkung habe ich mich sehr ge
> ärgert.

Solche Wörter, die außerhalb ihres ursprünglichen Geltungsbereichs gebraucht werden, nennt man Metaphern. (Das Wort kommt aus dem Griechischen und bedeutet „Übertragung".)

Metaphern sind häufig verkürzte Vergleiche: Gegenstände (im weitesten Sinne) oder Begriffe werden miteinander verglichen, ohne daß der Vergleich direkt ausgedrückt wird:

> Die Preise *steigen*. (Sie steigen wie z. B. ein Flugzeug steigt.)
> Herr Meyer ist ein *Fuchs*. (Er ist so schlau wie ein Fuchs.) Wir
> standen am *Fuß* des Berges. (Der unterste Teil des Berges ist
> wie der unterste Teil des menschlichen Körpers.)

Die Beispiele verdeutlichen, daß bei solchen Vergleichen Gegenstände oder Begriffe nicht in allen Einzelheiten, sondern nur im Hinblick auf ein bestimmtes Merkmal verglichen werden:

> Wenn man vom *Fuß* des Berges spricht, denkt man nicht daran,
> daß Füße Zehen haben oder zum Laufen bestimmt sind, son
> dern nur daran, daß sie unten sind.
>
> Wenn man einen Menschen einen *Fuchs* nennt, denkt man nicht
> daran, daß Füchse einen Schwanz haben, daß ihr Fell rötlich ist
> und daß sie bellen, sondern nur daran, daß sie als schlau, listig,
> gerissen gelten.

Schematisch kann man diesen Zusammenhang so darstellen:

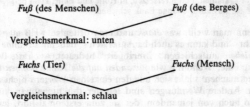

Fuß (des Menschen)   *Fuß* (des Berges)

Vergleichsmerkmal: unten

Fuchs (Tier)   *Fuchs* (Mensch)

Vergleichsmerkmal: schlau

Dasselbe Wort kann in unterschiedlicher Weise als Metapher wirken: In dem Satz *Mein Radiergummi hat Füße bekommen* (= Er ist verschwunden, von jemandem mitgenommen worden.) ist das Vergleichsmerkmal nicht, wie im obigen Beispiel, „unten", sondern „Laufen", „Bewegung".

Ein großer Teil des Wortschatzes besteht aus Metaphern, aber bei vielen Metaphern ist der Bezug zu ihrem ursprünglichen Geltungsbereich beim alltäglichen Sprechen nicht oder kaum noch bewußt; man spricht dann von „verblaßten" Metaphern:

> Lebens*abend*, Geistes*blitz*, *Dach*verband, Stuhl*bein*, Fluß*arm*, Tal*sohle*, Glüh*birne*, Rede*fluß*, Staatsoberhaupt, *Haupt*sache.

Außerdem gibt es Wörter, die zu einer bestimmten Zeit als Metaphern entstanden sind, denen man das aber heute nicht mehr ansehen kann: So bedeutet das Wort *Kopf* ursprünglich „Schale", „Trinkschale", „Becher". (Das englische Wort *cup* „Tasse" ist mit *Kopf* verwandt.) Da die Schädeldecke die Form einer Schale hat („Hirnschale"), wurde das Wort auf den Körperteil übertragen und verdrängte im Laufe der letzten Jahrhunderte mehr und mehr das Wort *Haupt*.

35 Feste Wendungen

Bisher wurde in diesem Kapitel von einzelnen Wörtern als Einheiten von Ausdruck und Inhalt gesprochen. Daneben aber gibt es feste Wortverbindungen, die im Gegensatz zu Wortgruppen (↑ 74) oder Sätzen eine einheitliche, feste Bedeutung haben, deren Bedeutung also nicht aus ihren einzelnen Teilen abgeleitet werden kann:

> sich den Bauch vollschlagen, Augen machen, keine Miene verziehen, etwas unter die Lupe nehmen, Bahn brechen, Farbe bekennen, Berge versetzen, in Hülle und Fülle, klein beigeben, etwas auf die lange Bank schieben.

Wenn man weiß, was *Bank* und *lang* bedeutet, weiß man noch nicht – und kann es auch kaum erraten –, daß *auf die lange Bank schieben* „aufschieben", „verzögern" bedeutet. Auch die Bedeutung einer Wendung wie *jemanden auf die Palme bringen* („wütend machen") läßt sich aus den einzelnen Wörtern nicht ableiten. Andere Wendungen sind leichter durchschaubar, können also auch von jemandem, der sie zum erstenmal hört, leichter verstanden werden: *sich den Bauch vollschlagen, unter die Lupe nehmen, keine Miene verziehen.*

Wortverbindungen dieser Art nennt man f e s t e W e n d u n g e n, R e d e w e n d u n g e n oder i d i o m a t i s c h e W e n d u n g e n (vom griechischen Wort *idioma*, das „Eigentümlichkeit", „Besonderheit" bedeutet). Sie bestehen aus mehreren Ausdrücken, haben aber – wie einzelne Wörter – eine einheitliche, feste Bedeutung:

Um solche festen Wendungen gebrauchen oder verstehen zu können, muß man ihre Herkunft nicht kennen. *Auf die lange Bank schieben* stammt aus dem Gerichtswesen: Die Bank war früher der Ablageplatz für Gerichtsakten, und die Akten lagen dort häufig lange, bis sie bearbeitet wurden. Die meisten Deutschsprechenden werden das nicht wissen, können die Wendung aber dennoch richtig verwenden und verstehen, da sich die Bedeutung nicht aus den einzelnen Bestandteilen der Wendung ergibt.

In der deutschen Sprache der Gegenwart finden sich sehr viele feste Wendungen. Wie die Metaphern vergrößern sie die Ausdrucksmöglichkeit der Sprache und erlauben es dem Sprecher und Schreiber, zwischen unterschiedlichen Sprachstilen zu wählen. Feste Wendungen ermöglichen es etwa, sich gehoben-feierlich oder umgangssprachlich-salopp auszudrücken. So gibt es beispielsweise für „sterben" neben Wörtern wie *ableben, entschlafen, heimgehen, verrecken* auch Wendungen wie

> sein Leben lassen, die letzten Atemzüge tun, zu seinen Vätern versammelt werden, das Zeitliche segnen, es nicht mehr lange machen, daran glauben müssen, in den letzten Zügen liegen, in die Grube fahren, ins Gras beißen, über den Bach springen, sich die Radieschen von unten ansehen, den Löffel aus der Hand legen.

5.2 Wortfelder

36 Die Bedeutung eines einzelnen Wortes ergibt sich oft nur, wenn man es im Zusammenhang mit anderen Wörtern sieht. Diese Tatsache kann man sich etwa anhand der Leistungsbewertung in Schulen verdeutlichen: Die Note *mangelhaft* beispielsweise bedeutet nicht, daß eine Arbeit Mängel aufweist, denn auch eine mit *gut*, *befriedigend* oder *ausreichend* bewertete Arbeit hat irgendwelche Mängel, sonst wäre sie mit *sehr gut* benotet worden. Die Bedeutung der Noten kann man nur verstehen, wenn man weiß, daß sie im Rahmen einer sechsstufigen Zensurenskala verwandt werden *(sehr gut, gut, befriedigend, ausreichend, mangelhaft, ungenügend)*. Erst dann sieht man, daß *mangelhaft* eine sehr negative Beurteilung bedeutet. Auch *sehr gut* muß nicht immer die beste Note sein: An Universitäten gibt es eine Zensurenreihe, an deren Spitze *mit Auszeichnung* steht; erst dann folgen *sehr gut* und *gut*. Man muß also die Zensurenskala kennen, um die Bedeutung einer Note zu verstehen. Oder anders ausgedrückt: Die Bedeutung der einzelnen Note ergibt sich aus dem Stellenwert, den sie in der jeweiligen Skala einnimmt.

Ein anderes Beispiel: Was beim Militär ein *Major* ist, läßt sich an dem Wort alleine nicht erkennen. Auch die Herkunft des Wortes – von lateinisch *maior* „größer" – weist lediglich darauf hin, daß es sich vermutlich um einen höheren Dienstgrad handelt. Erst wenn man weiß, welchen Stellenwert die Bezeichnung auf der Skala der Dienstgrade im Heer und bei der Luftwaffe hat (... *Oberleutnant, Hauptmann, Major, Oberstleutnant, Oberst* ...), kennt man die Bedeutung des Wortes.

Auch die Bedeutung anderer Berufsbezeichnungen oder Titel ergibt sich aus ihrer Stellung im Rahmen der übrigen Bezeichnungen und Titel. Daß beispielsweise in einem Ministerium ein *Ministerialdirektor* über einem *Ministerialdirigenten* steht und daß ein *Staatssekretär* eine noch höhere Position einnimmt, ist von den einzelnen Wörtern her nicht zu verstehen.

Wörter, die inhaltlich (bedeutungsmäßig) zusammengehören, bilden ein Wortfeld. Die Wörter eines Feldes gehören der gleichen Wortart an, sind also z. B. Substantive oder Verben.

Bei den obigen Beispielen handelt es sich um künstliche, leicht
überschaubare Wortfelder, die von Menschen bewußt gebildet
wurden und die sich deshalb auch verhältnismäßig leicht ändern
lassen. So können etwa Zensurenskalen durch die zuständigen
Behörden verändert werden, und dies ist in den letzten Jahrzehnten in der Bundesrepublik Deutschland auch geschehen.

Auch in der alltäglichen Sprache, deren Wortbedeutungen nicht
bewußt geschaffen wurden, sondern sich im Laufe der Sprachgeschichte gebildet haben, sind die Wörter meist Glieder umfassen-
derer Wortfelder. Bei den folgenden Beispielen handelt es sich
lediglich um die Aufzählung einiger Wörter, die zu bestimmten
Feldern gehören:

> Stuhl, Hocker, Sessel, Bank, Sofa, Couch
> Frau, Weib, Mädchen, Jungfrau, Gattin, Gemahlin, Dame
> laufen, gehen, rennen, rasen, schlendern, stapfen
> weinen, jammern, wimmern, flennen, heulen
> warm, heiß, lau, kühl
> rot, gelb, grün, blau, violett
> vielleicht, eventuell, wahrscheinlich, bestimmt, sicher.

37 Bedeutungsmerkmale

Die zuletzt genannten Wortreihen enthalten die zu einem
Feld gehörenden Wörter nicht vollständig; vor allem wird aus
diesen Reihen nicht erkennbar, wie die einzelnen Wörter inhaltlich (bedeutungsmäßig, semantisch) zusammengehören, wie sich
das Feld semantisch gliedert. Diese Frage soll im folgenden an
einem Beispiel erörtert werden:

Was haben die Wörter *Stuhl, Hocker, Sessel, Bank, Sofa, Couch*
gemeinsam? Sie sind Bezeichnungen für Möbel, und zwar Möbel, auf denen man sitzen, zum Teil auch liegen kann. Das Merkmal „Sitzmöbel" gilt für alle diese Wörter, es ist das für dieses
Wortfeld kennzeichnende Bedeutungsmerkmal.

Besondere Bedeutungsmerkmale geben an, wie sich die Wörter
innerhalb des Wortfeldes unterscheiden:

So unterscheiden sich beispielsweise *Stuhl* und *Hocker* dadurch,
daß Hocker im Gegensatz zu Stühlen keine Rückenlehne haben,
und *Stuhl* und *Bank* dadurch, daß Stühle für eine Person, Bänke

dagegen für mehrere Personen bestimmt sind. Bildlich läßt sich dieser Zusammenhang so darstellen:

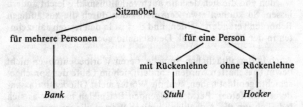

Dieses Bild stellt nur einen kleinen Ausschnitt aus dem Wortfeld „Sitzmöbel" dar. Auch für die übrigen Wörter des Feldes lassen sich unterscheidende Bedeutungsmerkmale angeben.

Das Wortfeld „Sitzmöbel" ist Teilfeld des übergeordneten Feldes „Möbel", dessen Gliederung sich grob so darstellen läßt:

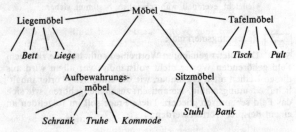

Allgemein gilt: Die Wörter eines Feldes sind durch ein gemeinsames Bedeutungsmerkmal (einen Oberbegriff) gekennzeichnet. Innerhalb eines Feldes geben unterscheidende Bedeutungsmerkmale (Unterbegriffe) den Stellenwert der einzelnen Wörter an.

5.3 Wortfamilien

38 Bei Wortfeldern handelt es sich um die Bedeutungsverwandtschaft von Wörtern; in ihrer Ausdrucksseite sind

die Wörter eines Wortfeldes ganz verschieden. Wörter können
aber auch im Hinblick auf die Ausdrucksseite verwandt sein:

> binden, anbinden, verbinden, Binde, Band, Verband, bändigen,
> Bund, Bündel, Verbündete ...

Solche Gruppen von Wörtern, denen ein gemeinsames Stamm-
wort zugrunde liegt (in diesem Fall *binden*) und die vor allem
durch Ableitung oder Zusammensetzung entstanden sind, nennt
man Wortfamilien. Sie haben sich im Laufe der Sprachgeschichte herausgebildet, und dabei haben sich häufig einzelne
„Angehörige" solcher „Familien" so weit von ihren „Verwandten" entfernt, daß die Zusammengehörigkeit heute nicht mehr
empfunden wird; nur die Etymologie, die sich mit der Herkunft
und Geschichte der Wörter befaßt, kann dann die Verwandtschaft noch erkennen:

Während beim obigen Beispiel (*binden, anbinden* ...) wohl alle
Deutschsprechenden nach ihrem Sprachgefühl entscheiden wür-
den, daß die Wörter lautlich und bedeutungsmäßig zusammengehören, gilt das nicht für die folgenden Beispiele:

hassen – häßlich: Die Wörter werden zwar lautlich als zusammengehörig empfunden, nicht aber bedeutungsmäßig (Wer etwas als häßlich empfindet, muß es deshalb nicht hassen).

ziehen – Zügel: Die Wörter werden wohl kaum noch lautlich als
zusammengehörig empfunden, allenfalls noch bedeutungsmäßig
(Am Zügel kann man ziehen).

ziehen – Zeuge: Die Wörter werden weder lautlich noch bedeutungsmäßig als zusammengehörig empfunden.

Unter „Wortfamilie" kann man also zweierlei verstehen:

1. Wörter, die etymologisch, d. h. im Hinblick auf ihre Herkunft,
   zusammengehören;

2. Wörter, die etymologisch zusammengehören und die von der
   heutigen Sprachgemeinschaft noch als zusammengehörig
   empfunden werden.

6 Was ist Grammatik, und wozu braucht man Grammatikkenntnisse?

39 Wörter, die im vorigen Kapitel behandelt wurden, bilden die „Bausteine" von Sprache und Kommunikation. Aber Sprechen und Schreiben besteht, wie jeder weiß, nicht in einer willkürlichen Aneinanderreihung von Wörtern. Man vergleiche folgende Wortfolgen:

1. Haus der mit sprechen das Besitzer der gestern Mieter
2. Der Besitzer das Haus sprechen gestern mit der Mieter
3. Der Besitzer des Hauses sprechen gestern mit der Mieter
4. Der Besitzer des Hauses sprechte gestern mit der Mieter
5. Der Besitzer des Hauses sprach gestern mit den Mieter
6. Der Besitzer des Hauses sprach gestern mit dem Mieter
7. Der Hausbesitzer sprach gestern mit dem Mieter.

In der ersten Folge stehen neun Wörter beziehungslos nebeneinander; sie ergeben zusammen keinen Sinn.

In Folge 2 sind die Wörter in eine Wortfolge (Wortstellung) gebracht, wie sie im Deutschen möglich ist; man kann jetzt erraten, was der Satz bedeuten soll.

In Folge 3 wird die Beifügung (das Attribut) zu *Besitzer* in den richtigen Fall, nämlich den Genitiv *(des Hauses)*, gesetzt.

In Folge 4 steht eine falsche Form für das Präteritum. Die Endung *-te* ist zwar für die meisten Verben möglich *(fragte, sagte, siegte, lebte)*, nicht aber bei unregelmäßigen Verben wie *sprechen (sprach), rufen (rief), tun (tat)* oder *laden (lud)*.

In Folge 5 steht nach der Präposition *mit* der Akkusativ statt des im Deutschen notwendigen Dativs *(mit dem Mieter)*.

Folge 6 schließlich enthält einen grammatisch richtigen deutschen Satz.

Auch Folge 7 stellt einen korrekten Satz dar, in dem zwei Wörter zu einem neuen Wort zusammengesetzt sind *(der Besitzer des Hauses – der Hausbesitzer)*.

Aus dem „Wortsalat" der 1. Folge können noch weitere grammatisch richtige Sätze gebildet werden, etwa:

Der Mieter des Hauses sprach gestern mit dem Besitzer.
Mit dem Besitzer des Hauses sprach gestern der Mieter.
Gestern sprach der Besitzer des Hauses mit dem Mieter.
Sprach der Besitzer des Hauses gestern mit dem Mieter?

Die Wörter müssen also in bestimmter Weise geformt und ange-
ordnet werden, damit richtige Sätze entstehen, und dies geschieht nach bestimmten Regeln. Die Gesamtheit dieser Regeln
nennt man Grammatik.

40 Nun ist die Beschäftigung mit Grammatik aber keineswegs die Voraussetzung dafür, daß man richtige Sätze
bilden kann. Von einem bestimmten Alter an weiß jeder
Deutschsprechende, daß der Satz *Gestern sprechte er mit ihm* einen Fehler enthält, und er weiß auch, daß es *der Besitzer des
Hauses* heißt und daß man nicht sagen kann *er sprach mit ihn*.

Im großen und ganzen beherrschen die Deutschsprechenden
also die grammatischen Regeln ihrer Sprache, die sie nach und
nach unbewußt gelernt haben. Vor allem als Kinder haben sie
Fehler gemacht, man hat sie verbessert, und sie haben mehr und
mehr gemerkt, welche Regeln in ihrer Muttersprache gelten.
Wenn beispielsweise ein Kind sagt *er sprechte* oder *er gehte*, so
kann man daraus ersehen, daß es eine Regel gelernt hat, nämlich
die, daß häufig *-te* an den Stamm des Verbs gehängt wird, wenn
man über Vergangenes spricht. Allerdings gibt es von dieser Regel Ausnahmen, und die hat das Kind noch nicht gelernt.

Die Tatsache, daß man beim Sprechen die grammatischen Regeln seiner Muttersprache im großen und ganzen beherrscht, bedeutet jedoch nicht, daß man über diese Regeln Bescheid weiß.
Man kann beispielsweise die Formen des Präteritums *(er sagte,
sprach, lief)* richtig gebrauchen, ohne zu wissen, daß es sich um
das Präteritum handelt, ohne überhaupt über die Zeitformen des
Deutschen (Präsens, Präteritum, Futur usw.) Bescheid zu wissen
und ohne sich klargemacht zu haben, welche Möglichkeiten es
im Deutschen gibt, Vergangenes auszudrücken. Die Beschäftigung mit Grammatik führt also dazu, daß man sich Regeln bewußt macht, die man unbewußt weitgehend beherrscht.

41 Welchen Sinn hat es nun, sich solche Regeln bewußt zu
machen? Oder anders ausgedrückt: Wozu braucht man
grammatische Kenntnisse?

Es lassen sich folgende Gründe für die Beschäftigung mit Grammatik angeben:

Grammatische Kenntnisse fördern die Kommunikationsfähig-
keit; das soll heißen, daß jemand, der über grammatisches Wis-

sen verfügt, besser sprechen, schreiben und verstehen kann. Gegen diese Begründung könnte man anführen, daß von den vielen, die sprechen und schreiben, hören und lesen, nur wenige solide Grammatikkenntnisse besitzen. An diesem Einwand ist richtig, daß man, wie bereits zuvor gesagt, im großen und ganzen richtig sprechen kann, ohne sich intensiver mit Grammatik befaßt zu haben, da man die grammatischen Regeln unbewußt zum großen Teil beherrscht. Dies gilt aber schon nicht mehr für das Schreiben: Wer die Regeln der geltenden Orthographie richtig anwenden will, braucht grammatische Kenntnisse. Wer beispielsweise Substantive groß schreibt, wer zwischen *seid* und *seit* und *das* und *daß* unterscheiden kann, wer zwischen Haupt- und Nebensätzen Kommas setzt, muß zumindest ungefähr wissen, was man unter „Substantiv", „Verb", „Konjunktion", „Präposition", „Hauptsatz" und „Nebensatz" versteht.

Grammatisches Wissen ist aber nicht nur für die Rechtschreibung notwendig, sondern auch immer dann, wenn man im Zweifel über den richtigen Sprachgebrauch ist – und solche Fälle treten im Deutschen sehr oft auf: Heißt es *Wenn er Geld bräuchte, würde er mich fragen* oder muß man *brauchte* sagen? Heißt es *Er sagte, sie sei zu Hause* oder ..., *sie wäre zu Hause* oder ..., *sie ist zu Hause*? Sagt man *wir Deutsche* oder *wir Deutschen, am Ersten dieses Monats* oder *am Ersten diesen Monats, wir gingen spazieren, trotzdem es regnete,* oder ..., *obwohl es regnete*?

Außerdem erleichtern Grammatikkenntnisse das Verstehen komplizierter Sätze, etwa in Fachsprachen:

> Der die das Recht auf Steuererhöhungen betreffenden Fragen bearbeitenden Kommission steht die alleinige Entscheidung zu.

Dieser Satz wird verständlich, wenn man sich seinen Aufbau im einzelnen Schritt für Schritt klarmacht:

Der Kommission steht die alleinige Entscheidung zu

  die Fragen bearbeitenden (Attribut zu *Kommission*)

  das Recht auf Steuererhöhungen betreffenden (Attribut zu *Fragen*)

Allgemein gilt: Wer über grammatisches Wissen verfügt, kennt damit die unterschiedlichen Ausdrucksmöglichkeiten der Sprache. Er muß Sprechen und Schreiben nicht dem augenblicklichen Einfall überlassen, sondern kann auswählen, kann bewußt entscheiden, welche sprachlichen Mittel er in einem bestimmten Zusammenhang gebrauchen will, kann sich genau, aber auch abwechslungsreich ausdrücken, kann gezielt seinen Stil verbessern und kann die Sprache anderer bewußter aufnehmen und damit besser verstehen. Und wer die geschriebene oder gesprochene Sprache anderer beurteilen muß oder will, also beispielsweise etwas aussagen will über die Sprache eines Zeitungsartikels, eines Geschäftsbriefs, eines Protokolls, eines Fachbuchs, eines Schriftstellers, eines Politikers oder eines Bekannten, der braucht dazu grammatische Kenntnisse.

Auch beim Fremdsprachenlernen – etwa in der Schule, in Kursen der Erwachsenenbildung oder im Selbststudium – kann auf Grammatik nicht verzichtet werden, denn hierbei wird eine Sprache bewußt und systematisch gelernt. Der Lehrende oder ein Lehrbuch machen dem Lernenden den grammatischen Bau der fremden Sprache bewußt, auch indem sie die Unterschiede zur Muttersprache erläutern.

42 Daß es notwendig ist, sich mit Grammatik zu beschäftigen, leuchtet den meisten Menschen ein. Für viele gilt jedoch Grammatik als langweilig und schwierig. Die Meinung, Grammatik sei langweilig, bildet sich meist in der Schulzeit, und zwar vor allem deshalb, weil Grammatik besonders in den unteren Schulklassen behandelt wird und Schüler in diesem Alter meist andere Interessen haben. Dazu kommt, daß oft Einzelheiten gelernt werden und den Schülern häufig die grammatischen Zusammenhänge und der Sinn des Grammatikunterrichts nicht klar wird. Wenn man sich jedoch von dem Vorurteil, die Beschäftigung mit Grammatik müsse langweilig sein, frei macht, erkennt man schnell, daß es sehr interessant ist, sich mit dem Bau und den Funktionen einer Sprache zu befassen.

Was die Schwierigkeiten der Grammatik angeht, so ist es sicher richtig, daß grammatische Zusammenhänge nicht ganz leicht zu durchschauen sind. Andererseits ist Grammatik auch nicht schwerer zu verstehen als andere Gebiete, mit denen man sich in der Schule oder im Beruf befassen muß. Im übrigen bedeutet die Beschäftigung mit Grammatik nicht, daß man sich alle Einzelheiten merkt, sondern daß man die wichtigen Zusammenhänge versteht. Es ist daher sinnvoll, dieses Buch zunächst einmal ganz oder in Teilen durchzuarbeiten und es dann als Nachschlagewerk zu verwenden.

AUSSPRACHE UND SCHREIBUNG

1 Die Aussprache

1.1 Der Laut

43 Allgemeines

Laute sind die kleinsten Einheiten der gesprochenen Sprache. Die Art, wie sie gebildet werden, kann man sich an Hand einer schematischen Darstellung des menschlichen Kopfes leicht klarmachen:

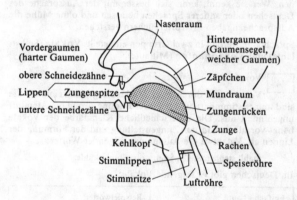

Nasenraum

Hintergaumen (Gaumensegel, weicher Gaumen)

Vordergaumen (harter Gaumen)

obere Schneidezähne

Zäpfchen

Lippen Zungenspitze

Mundraum

untere Schneidezähne

Zungenrücken

Zunge

Kehlkopf

Rachen

Stimmlippen

Speiseröhre

Stimmritze Luftröhre

Die für das Sprechen notwendige Luft kommt aus der Lunge und dringt durch die Luftröhre, den Kehlkopf, den Rachen, den Mund oder die Nase nach außen. Durch ein kompliziertes Zusammenspiel verschiedener Organe entstehen die Sprachlaute.

Im Kehlkopf befinden sich die Stimmlippen, die man mit den Saiten eines Musikinstruments vergleichen kann. Werden sie durch den Luftstrom in Schwingungen versetzt, so entstehen stimmhafte Laute, schwingen sie bei der Lautbildung nicht, so werden stimmlose Laute gebildet. So unterscheiden sich etwa *b* und *p*, *d* und *t*, *g* und *k* dadurch, daß der jeweils erste Laut stimmhaft, der zweite stimmlos ist:

stimmhaft	<u>b</u>acken, <u>d</u>anken, <u>G</u>abel
stimmlos	<u>p</u>acken, <u>t</u>anken, <u>K</u>abel

Da die Rechtschreibung die Laute nicht eindeutig wiedergibt (↑ 56 ff.), hat man eine **Lautschrift** entwickelt, deren Zeichen – im Gegensatz zu Buchstaben – in eckige Klammern gesetzt werden:

kurz [kurts], Kind [kint].

Die Lautschrift (↑ 44 ff.) unterscheidet sich nur in wenigen Zeichen von der Schreibschrift und kann daher leicht erlernt werden. Wer sie kennt, kann sich besser mit der Aussprache des Deutschen oder anderer Sprachen befassen und ohne Mühe die Ausspracheangaben in Wörterbüchern verstehen.

Sprachlaute werden in zwei Gruppen eingeteilt: **Vokale** (Selbstlaute) und **Konsonanten** (Mitlaute).

44 Vokale

Vokale sind durch zwei Merkmale gekennzeichnet: Sie sind immer stimmhaft, und bei ihrer Bildung strömt die Atemluft ungehindert aus. Die unterschiedliche Klangfarbe der Vokale hängt vor allem von der Zungenstellung und der Formung der Lippen ab. Vgl. etwa die Aussprache folgender Wörter:

St<u>a</u>hl, st<u>e</u>hlen, St<u>e</u>lle, St<u>ie</u>l, st<u>o</u>lz, St<u>u</u>hl, St<u>ü</u>hle.

Im Deutschen gibt es folgende Vokale:

Einfache Laute	Beispielwörter
[a]	W<u>a</u>sser
[ɐ] abgeschwächtes [a]	Wass<u>er</u>
[e]	L<u>e</u>ben
[ɛ] offenes [e]	St<u>ä</u>tte, <u>E</u>ltern
[ə] Murmelvokal	fahr<u>e</u>n
[i]	B<u>i</u>tte
[o]	r<u>o</u>t
[ɔ] offenes [o]	R<u>o</u>st
[œ]	L<u>ö</u>ffel
[u]	K<u>u</u>chen
[y]	H<u>ü</u>tte

Doppellaute	Beispielwörter
[ai]	Reise, Laib
[au]	Tau
[ɔY]	Leute, Geräusch

Außerdem finden sich in Fremdwörtern Vokale, die in ursprünglich deutschen Wörtern nicht vorkommen. Sie stammen meist aus dem Französischen oder Englischen:

Laute	Beispielwörter
[ã] ⎫	Rendezvous
[ɛ̃] ⎬ nasale Vokale, aus	Teint
[õ] ⎭ dem Französischen	Fondue
[œ̃]	Parfum
[ei] ⎫ Doppelvokale, aus	Lady
[ou] ⎭ dem Englischen	Show

Vokale können lang oder kurz sein. In der Lautschrift wird Länge mit [:] wiedergegeben:

lang	Rate [ra:tə],	Miete [mi:tə]
kurz	Ratte [ratə],	Mitte [mitə]

Sie können offen oder geschlossen sein:

offen	offen [ɔfən],	Bären [bɛ:rən]
geschlossen	Ofen [o:fən],	Beeren [be:rən]

45 Konsonanten

Konsonanten werden dadurch gebildet, daß die ausströmende Luft beim Sprechen zeitweise gestoppt oder behindert wird. Im Deutschen gibt es folgende Konsonanten:

Laute	Beispielwörter
[b]	Ball
[d]	Dorf
[f]	fallen, Vater
[g]	gehen

Laute		Beispielwörter
[h]		Haus
[j]		Jahr
[k]		Küche, Berg
[l]		lachen
[m]		Meer
[n]		Nase
[p]		Paket
[r]		Rose
[s]		aus, Schloß
[t]		Turm, Tod
[v]	stimmhaftes [f]	Wasser, Vase
[z]	stimmhaftes [s]	Rose
[ʃ]	sch-Laut	Schiff
[ç]	Ich-Laut	ich, fertig
[x]	Ach-Laut	Bach
[ŋ]	ng-Laut	lang

 Im Vergleich zu den entsprechenden Buchstaben können drei Zeichen der Lautschrift zu Verwechslungen führen:

[v] gibt die Aussprache des Buchstabens w *(Wasser)* und gelegentlich des Buchstabens v *(Vase)* wieder. Das Zeichen [w] steht für den englischen w-Laut (z. B. in *water*).

[z] steht nicht für [ts] (z. B. in *Zimmer*), sondern für das stimmhafte [s] *(Rose)*.

[x] steht nicht für [ks] (z. B. in *Max*), sondern für einen stimmlosen Reibelaut, der hinten am Gaumen gebildet wird *(Bach)*.

Die wichtigsten fremdsprachigen Konsonanten bzw. Konsonantenverbindungen sind:

Laute		Beispielwörter
[ʒ]	stimmhaftes [ʃ]	Garage
[dʒ]		Gin
[θ]	stimmloser Lispellaut	Thriller

46 Man unterscheidet zwischen der Artikulationsart (Wie wird ein Konsonant gebildet?) und dem Artikulationsort (Wo wird ein Konsonant gebildet?). Die Tabelle auf der folgenden Seite gibt für alle oben aufgeführten Konsonanten die Artikulationsart und den Artikulationsort an.

Artikulationsart \ Artikulationsort	Lippenlaute		Lippenzahnlaute		Zahnlaute		Vordergaumenlaute		Hintergaumenlaute		Zäpfchenlaute	Stimmritzenlaute
	stimmlos	stimmhaft	stimmlos	stimmhaft	stimmlos	stimmhaft	stimmlos	stimmhaft	stimmlos	stimmhaft	stimmhaft	stimmlos
Verschlußlaute	p	b			t	d			k	g		
Reibelaute			f	v	s ʃ θ	z ʒ	ç	j	x		r	h
Nasenlaute		m				n		ŋ				
Seitenlaute						l						
Gerollte Laute						r					r	
Geschlagene Laute						r					r	

Erläuterungen zur Tabelle:

Verschlußlaute entstehen, wenn ein Verschluß gebildet und dadurch die Luft zeitweilig am Ausströmen gehindert wird. Bei [p] und [b] etwa sind die Lippen zunächst geschlossen und öffnen sich dann.

Reibelaute entstehen, wenn die Luft beim Ausströmen eingeengt und dadurch ein Reibegeräusch erzeugt wird. Bei [s] beispielsweise wird die Luft zwischen den Zähnen „gerieben".

Nasenlaute entstehen, wenn die Luft nicht durch den Mund, sondern durch die Nase ausströmt.

Ein Seitenlaut ist das [l]: Die Luft entweicht auf beiden Seiten der Zunge.

Das [r] kann entweder gerollt oder kurz angeschlagen werden, und zwar entweder mit der Zungenspitze (an den Oberzähnen) oder mit dem Zäpfchen; außerdem kann es am Zäpfchen gerieben werden, so daß es im Deutschen fünf verschiedene Möglichkeiten der Aussprache gibt.

[h] wird in der Stimmritze, dem Spalt zwischen den Stimmlippen, gebildet.

47 Laute und Phoneme

Die Aussprache der einzelnen Menschen weist zum Teil erhebliche Unterschiede auf, was durch verschiedene Faktoren bedingt ist (Stimmlage, Einfluß von Dialekten u. a.). Aber obwohl jeder anders spricht, kann man sich gegenseitig verstehen: Ob jemand ein [r] mit der Zungenspitze oder mit dem Zäpfchen rollt, ist für das Verständnis unwichtig; die Hörer wissen, daß es „derselbe" Laut ist, obwohl die beiden Laute ganz unterschiedlich gebildet werden. Die beim Sprechen gebildeten Laute, die Phone, werden auf einheitliche Lauttypen, die Phoneme, bezogen.

Phoneme sind die für eine Sprache wichtigen Lauttypen, weil durch sie Bedeutungsunterschiede von Wörtern zum Ausdruck kommen. So sind [b] und [p] im Deutschen unterschiedliche Phoneme, da durch sie beispielsweise die Wörter *backen* und *packen* unterschieden werden. Dagegen ist der Lispellaut [θ] kein Phonem des Deutschen; das wissen alle Deutschsprechenden, und

wenn jemand lispelt, so versteht man seinen Lispellaut als besondere Aussprache von [s]. Im Englischen dagegen gibt es das Phonem [θ], so daß es hier wichtig ist, zwischen [s] und [θ] zu unterscheiden:

> sing [siŋ] „singen", thing [θiŋ] „Ding".

Wenn man also von den Lauten einer Sprache spricht, meint
man meistens nicht die von einzelnen Menschen in einer bestimmten Situation gebildeten Laute, sondern die für die Sprache typischen Phoneme.

1.2 Die Silbe

48 Die Silbe ist die kleinste Lautfolge, die sich bei der Untergliederung des Redestroms ergibt; gelegentlich bildet
auch ein Einzellaut eine Silbe. In der Silbe kommt ein Vokal
bzw. ein Doppelvokal als Silbenträger vor; außerdem enthält sie
meist einen oder mehrere Konsonanten:

> ah [a:], da [da:], ab [ap], Schmutz [ʃmuts].

Gelegentlich kommen auch Konsonanten als Silbenträger vor;
so kann beispielsweise in unbetonten Silben bei schnellem Sprechen das [ə] wegfallen:

> laufen [laufən] oder [laufn].

(Das [n] ist Silbenträger der zweiten Silbe.)

1.3 Die Betonung

49 Der Redestrom verläuft beim Sprechen nicht gleichmä-
ßig, sondern einzelne Teile werden besonders hervorgehoben. Eine solche Hervorhebung nennt man Betonung oder
Akzent. Sie kann durch Veränderung der Tonhöhe oder durch
Steigerung der Lautstärke – durch größeren Atemdruck – bewirkt werden; beide Betonungsarten kommen meist gemischt
vor, allerdings ist eine vorherrschend. Im Japanischen beispielsweise geschieht die Betonung überwiegend durch Tonhö-
henveränderungen – man spricht vom musikalischen Akzent –,
im Deutschen überwiegend durch Steigerung der Lautstärke –
man spricht vom dynamischen Akzent.

Die Betonung im Satz

50 Je nach der Absicht des Sprechers können in einem Satz einzelne Wörter oder Wortgruppen besonders betont werden. In dem Satz *Gestern habe ich den ganzen Tag gearbeitet* gibt es verschiedene Betonungsmöglichkeiten:

> *Gestern* habe ich den ganzen Tag gearbeitet (und heute ruhe ich mich aus).
> Gestern habe *ich* den ganzen Tag gearbeitet (während du nur geschlafen hast).
> Gestern habe ich *den ganzen Tag* gearbeitet (und nicht nur ein paar Stunden).
> Gestern habe ich den ganzen Tag *gearbeitet* (und hatte keine Freizeit).

51 Während die Hervorhebung einzelner Wörter oder Wortgruppen Sache des jeweiligen Sprechers ist, liegt die Satzmelodie, die Intonation, der Sätze in einer Sprache weitgehend fest.

Insbesondere Aussagen, Fragen und Aufforderungen (↑ 492) sind durch eine charakteristische Intonation gekennzeichnet:

Aussage: Du gehst jetzt nach Hause
                (und ich muß noch hier bleiben).

Frage: Du gehst jetzt nach Hause?

Aufforderung: Du gehst jetzt nach Hause!

Auch Pausen spielen für die Satzmelodie eine wichtige Rolle. Ihre Veränderung kann eine Veränderung der Satzbedeutung bewirken:

> Herr Schmidt, glaubte Herr Müller, kenne den Weg.
> Herr Schmidt glaubte, Herr Müller kenne den Weg.
>
> Er will sie nicht.
> Er will, sie nicht.

Die jeweilige Bedeutung ergibt sich in der gesprochenen Sprache durch die Pausen, in der Schrift durch die Satzzeichen.

Die Betonung im Wort

52 Bei mehrsilbigen Wörtern ist eine Silbe besonders betont. In der Lautschrift wird die Betonung durch einen hochgestellten Strich vor der betonten Silbe gekennzeichnet:

Leben ['le:bən], vergessen [fɛr'gɛsən].

In manchen Sprachen, etwa im Russischen, können unterschiedliche Silben im Wort betont werden, in anderen liegt die Betonung auf einer bestimmten Silbe: So wird etwa im Tschechischen in der Regel die erste Silbe betont und im Polnischen die zweitletzte.

Im Deutschen liegt der Hauptton im allgemeinen auf der ersten Silbe:

Árbeit, géhen, Léute, rósa, Schwíerigkeit, Schréibmaschine.

Die wichtigsten Ausnahmen von dieser Regel:

Die Vorsilben *be-*, *ent-*, *er-*, *ge-*, *ver-*, *zer-* sind immer unbetont:

bedéuten, entférnen, Ergébnis, gewóhnlich, Verlúst, Zerfáll.

Bestimmte Vorsilben kommen betont und unbetont vor:

übersetzen – übersétzen, úmfahren – umfáhren.

Die Ableitungssilben *-ei* und *-ieren* werden betont:

Partéi, Polizéi, Bücheréi, gefríeren, halbíeren, políeren.

Abkürzungen, die buchstabiert werden, sind meist auf der letzten Silbe betont:

LKẂ, BGẞ, ABÍ.

Abweichungen von den allgemeinen Betonungsregeln ergeben sich vor allem dann, wenn der Sprecher einen Gegensatz betonen will:

Ich war érgriffen, obwohl ich nichts bégriffen hatte.
Er ist ein Menschenfréund (und kein Menschenféind).

53 Für Namen und Fremdwörter lassen sich keine allgemeinen Betonungsregeln aufstellen. Da im Deutschen die Betonung meist auf der ersten Silbe liegt, wird gelegentlich auch bei Fremdwörtern, die ursprünglich nicht auf der ersten Silbe betont wurden, die Betonung auf die erste Silbe verlegt. Das gilt vor allem für die Umgangssprache:

> Telefón – Télefon, positív – pósitiv, internationál – ínternational;
> Tabák (frühere Betonung) – Tábak (heutige Betonung);
> Büró (standardsprachlich) – Büro (umgangssprachlich, besonders in Süddeutschland).

Gelegentlich kommen auch unterschiedliche Bedeutungen durch unterschiedliche Betonungen zum Ausdruck:

> Café [ka'fe:] (Gaststätte, die in erster Linie Kaffee und Kuchen anbietet) – Kaffee ['kafe:] (Getränk) (bei „vornehmem" Sprechen wird allerdings auch hier die zweite Silbe betont).
> Kónsum (Verkaufsstelle eines Konsumvereins) – Konsúm (Verbrauch).

1.4 Standard- und Umgangslautung

54 Im Gegensatz zur Rechtschreibung (↑ 64) wurde die Aussprache bisher nicht amtlich festgelegt. Man hat aber seit dem Ende des vorigen Jahrhunderts die Aussprache der Deutschsprechenden, besonders der Bühnenschauspieler, genau beobachtet und auf dieser Grundlage Aussprecheregeln erarbeitet, an die sich berufsmäßige Sprecher (Schauspieler, Hörfunk- und Fernsehsprecher) meist halten und die über Schule, Theater, Hörfunk und Fernsehen auf die Aussprache der gesamten Bevölkerung einwirken.

Man nennt diese Aussprecheregeln, die sich auch in den meisten Wörterbüchern finden, Standardlautung und grenzt sie von der Umgangslautung ab, die im alltäglichen Leben verwandt wird.

Die Umgangslautung ist nicht einheitlich, sondern hauptsächlich durch folgende Faktoren bestimmt:

– durch Dialekteinfluß: Norddeutsche beispielsweise unterscheiden häufig nicht zwischen geschlossenem [e:] und offenem [ɛ:]:

> *Mädchen* sprechen sie dann ['me:tçən] und nicht ['mɛ:tçən] aus.

- durch unterschiedliche sprachliche Bildung: Wer beispielsweise nicht Französisch gelernt hat, kann möglicherweise die Nasale in Fremdwörtern nicht richtig aussprechen:

   Teint spricht er dann [tɛŋ] und nicht [tɛ̃] aus.

- durch die jeweilige Sprechsituation: Wer schnell spricht, gleicht benachbarte Laute einander an:

   Ausschank spricht er dann ['auʃʃaŋk] und nicht ['ausʃaŋk] aus.

- durch Ausspracheeigenheiten jedes einzelnen Sprechers.

2 Schrift und Rechtschreibung

2.1 Die Schrift

55 Allgemeines

Man muß zwei Arten von Schrift unterscheiden:

Bestimmte Schriftzeichen beziehen sich auf die Inhaltsseite der Sprache, d. h., sie suchen die Bedeutung der Wörter wiederzugeben. Die folgenden Zeichen der chinesischen Schrift machen diesen Zusammenhang deutlich:

木 „Holz" (Baum),   林 „Wald".

Auch moderne Bildzeichen (Piktogramme), wie man sie z. B. auf Bahnhöfen oder Flughäfen findet, geben den Inhalt eines Wortes bzw. einer Aussage oder Aufforderung wieder:

Information   Rauchverbot   Zollkontrolle   Geldwechsel

Die Schrift, die heute für die meisten Sprachen verwandt wird, bezieht sich hauptsächlich auf die Ausdrucksseite (die Lautung) der Sprache, d. h., sie sucht nicht die Bedeutung der Wörter, sondern die gesprochenen Laute durch Buchstaben wiederzugeben:

gesprochen [haus]
geschrieben *Haus.*

56 Laute und Buchstaben

In der heutigen Rechtschreibung gibt es 59 Buchstaben, und zwar

30 kleine Buchstaben: a, b, c ... z, ß und die Umlaute ä, ö, ü
29 große Buchstaben: A, B, C ... Z und die Umlaute Ä, Ö, Ü.

Man muß zwischen den gesprochenen Lauten und den geschriebenen Buchstaben unterscheiden. Einem Laut entspricht nicht immer ein Buchstabe:

Schreibt man beispielsweise *ck* (etwa in *Backe*), so schreibt man zwei Buchstaben für einen Laut.

Auch entspricht einem Laut nicht immer derselbe Buchstabe bzw. dieselbe Buchstabenverbindung:

Faß [fas], Waffe ['vafə], Vater ['fa:tɐ], Phase ['fa:zə].

Der Laut [f] kann also durch die Buchstaben *f, ff, v* und *ph* wiedergegeben werden. Berücksichtigt man, daß die Buchstaben groß oder klein geschrieben werden können, so gibt es acht verschiedene Möglichkeiten, den Laut [f] in der Schrift auszudrükken.

Noch mehr Möglichkeiten bestehen beispielsweise, um den Laut [t] wiederzugeben (die Unterscheidung von großen und kleinen Buchstaben bleibt im folgenden unberücksichtigt):

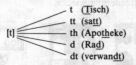

[t]
t (Tisch)
tt (satt)
th (Apotheke)
d (Rad)
dt (verwandt)

Auch bei der Schreibung der Vokale herrscht kein Eins-zu-eins-Verhältnis:

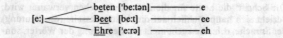

[e:]
beten ['be:tən] — e
Beet [be:t] — ee
Ehre ['e:rə] — eh

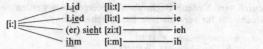

Die Beziehung zwischen Lauten und Buchstaben, die hier nur beispielhaft erläutert wird, kann man auch umgekehrt darstellen, indem man von den Buchstaben ausgeht:

$$
\begin{array}{lll}
& \text{beten} & ['\text{be:tən}] & [\text{e:}] \\
e & \text{fahren} & ['\text{fa:rən}] & [\text{ə}] \\
& \text{Ernte} & ['\text{ɛrntə}] & [\text{ɛ}] \\[1ex]
v & \text{Vater} & ['\text{fa:tɐ}] & [\text{f}] \\
& \text{Vase} & ['\text{va:zə}] & [\text{v}]
\end{array}
$$

Von der Aussprache kann man also nicht mit Sicherheit auf die Schreibung schließen, und die Schreibung läßt nicht immer erkennen, wie ein Wort ausgesprochen wird. Die Aufforderung „Schreibe, wie du sprichst!" ist also nicht uneingeschränkt angebracht.

2.2 Die Rechtschreibung

57 Gäbe es eine Eins-zu-eins-Beziehung zwischen Lauten und Buchstaben und bezöge sich die Rechtschreibung ausschließlich auf die Aussprache, so würde jeder, der die richtige Aussprache beherrscht, ohne Schwierigkeiten fehlerfrei schreiben können. Daß aber neben der Aussprache auch andere Gesichtspunkte die Rechtschreibung (Orthographie) bestimmen, erkennt man etwa daran, daß es zwar große und kleine Buchstaben gibt, nicht aber große und kleine Laute.

Im folgenden sollen nicht die Rechtschreibregeln im einzelnen behandelt, sondern nur die wichtigsten Prinzipien erörtert werden, denen die heutige Rechtschreibung folgt.

58 Das Ausspracheprinzip

Dies ist das wichtigste Prinzip, da sich die Rechtschreibung vor allem an der Aussprache orientiert: Die Buchstaben sollen die Laute wiedergeben. Wie vorher (↑ 56) dargelegt wurde, entstehen Probleme dadurch, daß es kein Eins-zu-eins-Verhältnis zwischen Lauten und Buchstaben gibt, daß also ein Laut

durch verschiedene Buchstaben wiedergegeben werden und ein
Buchstabe für verschiedene Laute stehen kann:

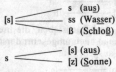

Weitere Beispiele ↑ 56.

Auch bei der Silbentrennung am Zeilenende orientiert man sich
meist an der Aussprache: Man trennt nach den Silben (↑ 48), die
sich bei langsamem Sprechen ergeben:

re-den, han-deln, freund-lich, freu-dig.

Von dieser Regel gibt es allerdings Ausnahmen (↑ 60).

<table>
<tr><td>59</td><td>Das Wortprinzip</td></tr>
</table>

Das Wort *Berg* wird [bɛrk] ausgesprochen, die Mehrzahl
(Berge) lautet [ˈbɛrgə]. Würde man sich in der Schrift streng an
die Aussprache halten, so müßte im ersten Fall ein *k*, im zweiten
ein *g* geschrieben werden. Da es sich aber in beiden Fällen um
dasselbe Wort handelt und dies auch optisch deutlich werden
soll, wird in der Rechtschreibung nur ein Buchstabe – das *g* –
verwendet.

Solche Fälle treten im Deutschen sehr oft auf:

der Tag [k], des Tages [g], die Tage [g]
das Rad [t], des Rades [d], die Räder [d]
der Leib [p], des Leibes [b], die Leiber [b].

 Bei Unklarheiten über die Schreibung eines Wortes hilft
es oft, wenn man die Beugungsformen (Flexionsformen)
miteinander vergleicht:

rund [t] – ein runder Tisch [d] – runde Fenster [d]
bunt [t] – ein bunter Strauß [t] – bunte Blumen [t]
lieben [b] – er liebt [p]
piepen [p] – er piept [p].

Häufig gibt auch der Vergleich mit Wörtern derselben
Wortfamilie (↑ 38) Hinweise auf die Schreibung:

> Nachname (einer Person) – Name,
> Nachnahme (bei der Post) – nehmen;
> gräulich –, grau, greulich – Greuel;
> Weisheit – weise, Weißmacher – weiß.

60 Auch bei den Trennungsregeln geht es oft darum, Wörter und Wortteile, die inhaltlich zusammengehören, nicht auseinanderzureißen:

> her-ab (gesprochen [hɛ-'rap]), dar-auf (gesprochen [da-'rauf]),
> ein-ander (gesprochen [ai-'nandɐ]).

In solchen Fällen wird also nicht nach S p r e c h s i l b e n, sondern nach kleinsten bedeutungstragenden Einheiten (Morphemen; ↑ 29) getrennt.

Dies gilt besonders auch für die Trennung vieler Fremdwörter:

> in-ter-es-sie-ren [in-tə-'rɛ-si:-rən] (von den lateinischen Wörtern *inter* und *esse*, die „dazwischen sein", „teilnehmen" bedeuten);
> Päd-ago-ge [pɛ-da:-'go-gə] (von den griechischen Wörtern *pais* und *agogos*, die „Kind" und „führend" bedeuten);
> Chir-urg [çi-'rurk] (von den griechischen Wörtern *cheir* und *ergon*, die „Hand" und „Tätigkeit" bedeuten).

⚠ Bei der Trennung von Fremdwörtern sollte man stets in einem Wörterbuch nachsehen.

61 Im Deutschen gibt es viele Wörter, die sich nicht in der Aussprache, wohl aber in der Bedeutung unterscheiden. Man nennt sie gleichlautende Wörter oder Homonyme (↑ 31). Sie werden meist gleich geschrieben:

> Strauß (Vogel) – Strauß (Blumen), Bank (Sitzgelegenheit) – Bank (Geldinstitut).

Gelegentlich aber kommt der Bedeutungsunterschied in einer unterschiedlichen Schreibung zum Ausdruck, ohne daß sich dafür Regeln angeben lassen:

> Mohr – Moor, Seite – Saite, Miene – Mine, Lied – Lid, leeren – lehren, mahlen – malen.

62 Das grammatische Prinzip

Einige Regeln der deutschen Rechtschreibung ergeben sich aus grammatischen Gesichtspunkten. Hierzu gehört vor allem die Großschreibung der Substantive (Hauptwörter).

Das Deutsche ist die einzige Sprache, in der Substantive groß geschrieben werden. Probleme entstehen dadurch, daß für einen Schreiber oft nicht klar ist, ob es sich um ein Substantiv handelt, da einerseits Substantive in eine andere Wortart überwechseln können (*trotz, dank, kraft, abends, mangels*), andererseits Wörter anderer Wortarten substantiviert werden können. (*Dein Singen geht mir auf die Nerven. Das Gute siegt immer.*)

Zu den Rechtschreibregeln, die sich aus grammatischen Gesichtspunkten ergeben, gehören auch

– die Großschreibung des Satzanfangs und
– die Zeichensetzungsregeln, die die Art des Satzes (durch Punkt, Ausrufezeichen, Fragezeichen) oder die grammatische Gliederung der Sätze (z.B. durch Komma, Gedankenstrich) wiedergeben.

63 Das Höflichkeitsprinzip

Aus Höflichkeit gegenüber angesprochenen Personen wird das Anredepronomen *Sie* und das entsprechende besitzanzeigende Fürwort (Possessivpronomen) in Briefen und bei der schriftlichen Wiedergabe einer wörtlichen Rede groß geschrieben:

> Ich habe *Sie* gestern vermißt. – Wie geht es *Ihnen?* – Grüßen *Sie* bitte *Ihre* Frau. – Er sagte: „Ich würde *Sie* gerne wiedersehen."

Du, ihr und die entsprechenden besitzanzeigenden Fürwörter werden nur dann groß geschrieben, wenn eine Person oder Gruppe in einem Brief unmittelbar angesprochen wird, nicht dagegen bei der Wiedergabe einer wörtlichen Rede:

> Ich habe *Dich* gestern vermißt. – Wie geht es *Dir?* – Grüß bitte *Deine* Frau. – Er sagte: „Ich würde *dich* gerne wiedersehen."

Aus demselben Grunde werden Titel, Rang- und Ehrenbezeichnungen groß geschrieben:

> Seine Majestät, Seine Heiligkeit, der Regierende Bürgermeister.

64 Zur Entwicklung der Rechtschreibung

Die heutige Rechtschreibung ist das Ergebnis einer langen geschichtlichen Entwicklung. Bis zum Beginn dieses Jahrhunderts gab es keine einheitliche Regelung für den gesamten

deutschen Sprachraum, wohl aber Rechtschreibgewohnheiten.
Seit 1901 ist die Schreibung amtlich festgelegt, und 1955 haben
die Kultusminister der Bundesrepublik Deutschland beschlos-
sen, daß diese Regelung auch heute noch gültig ist und daß in
Zweifelsfällen die Regeln und Schreibweisen des Rechtschreib-
Dudens verbindlich sind.

chied im Sprachgebrauch, wohl, daß Rechtsvereinbarungen
seit 1945 in die Schedlung mittel... gelangt sind und 1955 haben
ein... mittel ... die Bundesrepublik Deutschland geschlos...
auf die also Rechtsnachfolge... nicht angewiesen sind, daß in
Zweifelsfällen die Regeln und Schlußweisen des Rechtsschemb...
Bedens publiziert sind.

WÖRTER UND WORTGRUPPEN

1 Grundbegriffe der Wortlehre

1.1 Überblick

65 Das Wetter: leicht unbeständig, mild

Wetterlage: Eine Tiefdruckrinne erstreckt sich über die Nordsee und Frankreich zum westlichen Mittelmeer. Ein darin eingelagerter Tiefausläufer kommt langsam ostwärts voran und greift im Laufe des Tages in abgeschwächter Form auf Westdeutschland über. Auf seiner Vorderseite fließt vorerst noch sehr milde Meeresluft nach Mitteleuropa. Sie wird erst morgen wieder von frischer Meeresluft verdrängt.

Vorhersage: Heute zunächst aufgelockerte, im Tagesverlauf zunehmende Bewölkung und nachfolgend etwas Regen. Tageshöchsttemperaturen 14 bis 17 Grad, Tiefstwerte bei 10 Grad. Schwacher bis mäßiger, zeitweise böig auffrischender Wind aus südöstlichen Richtungen.

Weitere Aussichten: Morgen gebietsweise Regen. Etwas kühler.

Wörter sind in einem schriftlichen Text, wie z. B. diesem Wetterbericht, alle Buchstabenfolgen, die durch Zwischenräume voneinander getrennt sind.

In der gesprochenen Sprache sind die Grenzen der Wörter meist nicht so leicht zu erkennen. Aber auch hier gibt es Merkmale zur Abgrenzung: Zwischen den einzelnen Wörtern können Pausen gemacht werden, und jedes Wort hat einen bestimmten Akzent (eine Betonung). Vor allem aber gliedert man eine mündliche oder schriftliche Äußerung in Wörter, weil man bestimmten Laut- bzw. Buchstabenfolgen eine Bedeutung zuordnen kann: Ein Wort ist eine Verbindung von Lauten bzw. Buchstaben, der eine selbständige Bedeutung zukommt.

Zur Bedeutung von Wörtern und zu inhaltlichen Beziehungen zwischen Wörtern ↑ 29 ff.

66 Viele Wörter kommen in verschiedenen Formen vor (↑ 67 f.):

der *Tag*, im Laufe des *Tages*, am *Tage*; *schwacher* Wind, der *schwache* Wind; *kommen*, ich *komme*, er *kommt*.

Die meisten Wörter lassen sich in kleinere Bestandteile zerlegen (↑ 69 f.):

>Aus-sicht-en, kühl-er, west-lich-en, ost-wärts, bö-ig.

Aus Wörtern und Wortteilen können neue Wörter gebildet werden (↑ 71 ff.):

>Tief, Tief-druck, Tief-ausläufer; Mittel-europa, Mittel-meer, Meeres-luft; Wind, West-wind, wind-ig.

Wörter sind Bausteine größerer sprachlicher Einheiten; sie verbinden sich zu Wortgruppen und Sätzen (↑ 74 f.):

>ein darin eingelagerter Tiefausläufer, kommt voran, aus südöstlichen Richtungen, etwas kühler. Ein darin eingelagerter Tiefausläufer kommt langsam ostwärts voran.

Wörter können nach bestimmten Merkmalen in Klassen oder Arten eingeteilt werden (↑ 76 ff.); z. B.:

>Verben: kommen, übergreifen, fließen
>Substantive: Wetter, Vorderseite, Bewölkung
>Adjektive: langsam, mild, böig.

1.2 Die Formen der Wörter

67 Neben unveränderlichen Wörtern wie z. B.

>und, auf, über, noch, bis, sehr, darin, vorerst

gibt es eine große Anzahl von Wörtern, die sich in ihrer Form verändern können:

>das *Meer* – des *Meeres* – die *Meere* – auf den *Meeren; seine* Vorderseite – auf *seiner* Vorderseite – in *seinem* Verlauf; *kommen* – ich *komme* – du *kommst* – wir *kamen; kühl* – *kühler* – am *kühlsten.*

Eine solche Formveränderung von Wörtern heißt Flexion (Beugung). Die Flexion wird unterteilt in Deklination, Konjugation und Steigerung (Komparation).

68 Von Deklination spricht man bei Wörtern, die sich nach Geschlecht (Genus), Zahl (Numerus) und Fall (Kasus) verändern lassen.

Dekliniert werden Substantive, Adjektive, Artikel und Pronomen.

Es gibt im Deutschen drei Geschlechter, zwei Zahlen und vier
Fälle:

Geschlecht	
männlich / maskulin	der Regen, der Wind
weiblich / feminin	die Luft, die See
sächlich / neutral	das Wetter, das Meer
Zahl	
Einzahl / Singular	die Richtung
Mehrzahl / Plural	die Richtungen
Fall	
1. Fall / Nominativ	der Tag
(„wer oder was?")	
2. Fall / Genitiv	des Tages
(„wessen?")	
3. Fall / Dativ	dem Tag(e)
(„wem?")	
4. Fall / Akkusativ	den Tag
(„wen oder was?")	

Konjugation heißt die Formveränderung bei einer bestimmten
Wortart, dem Verb.
Verben werden konjugiert nach Person, Zahl, Zeit, Aussageweise
und Handlungsart (Aktiv/Passiv). Näheres ↑ 82.

Die Steigerung ist eine besondere Art der Formveränderung
bei Adjektiven (und einigen Adverbien); es gibt drei Steigerungsformen:

Grundstufe	kühl, viel
Höherstufe	kühler, mehr
Höchststufe	der kühlste, am meisten

1.3 Der Bau der Wörter

  Die meisten Wörter lassen sich in kleinere Teile zerlegen,
die sich auch in anderen Wörtern wiederfinden, z. B.:

Bewölkung: Be - wölk - ung
be-: *be*stehen, un*be*ständig, *Be*kleidung
-wölk-: *Wolke*, *wolk*ig, sich be*wölk*en
-ung: Richt*ung*en, Veränder*ung*, ordn*ung*sgemäß

Solche Wortteile (Morpheme, ↑ 29) kommen in der Regel nicht für sich allein vor; sie haben aber doch eine eigene Bedeutung, mit der sie zur Gesamtbedeutung eines Wortes beitragen.

Man unterscheidet drei Hauptarten von Wortteilen:

Stamm	-richt- -sicht-	*richt*en, *Richt*erin, *richt*ig Aus*sicht*, Ab*sicht*, un*sicht*bar
Vorsilbe (Präfix)	un- ver-	*un*beständig, *un*klug, *Un*glück *ver*drängen, *ver*rückt, *Ver*stoß
Endung Nachsilbe (Suffix)	-lich -ung	west*lich*, täg*lich*, voraussicht*lich* Bewölk*ung*, Eintrüb*ung*, Wohn*ung*
Flexions- endung	-en -t	Richtung*en*, Aussicht*en*, Wohnung*en* (er) greif*t*, fließ*t*, geh*t*

Diese Wortbausteine dürfen nicht mit Silben verwechselt werden, die reine Sprecheinheiten sind (↑ 48). Deshalb ist auch die Bezeichnung „Nachsilbe" nur zum Teil richtig; so ist zwar z.B. *-lich* eine Silbe, *-ung* dagegen nicht. Die Zerlegung eines Wortes nach Silben und nach Wortteilen kann ganz unterschiedlich aussehen; vgl. z.B.:

(Silben:)   Woh-nung, Rich-te-rin, rich-tig
(Wortteile:) Wohn-ung, Richt-er-in, richt-ig

70 Der Bau der Wörter in Übersicht

Vorsilbe(n)	Stamm	Endung(en)	
		Nachsilbe	Flexionsendung
un-be	ständ	ig	
er	streck		t
	west	lich	en
Aus	läuf	er	
ver	dräng		t
Be	wölk	ung	
nach	folg		end
	zeit	weise	
	Richt	ung	en
Aus	sicht		en

1.4 Wortbildung

71 Wörter und Wortteile können nach bestimmten Regeln zu neuen Wörtern verbunden werden. Dieses Verfahren heißt Wortbildung.

Die Wortbildung ist kein abgeschlossener Vorgang, sondern findet zu jeder Zeit von neuem statt. Immer wieder werden neue Wörter gebraucht, etwa um neue wissenschaftliche Erkenntnisse, neue technische Verfahren, Geräte u. ä. zu benennen (vgl. z. B. *Flugzeug, Raumfahrt, Fernsehen, Geschirrspüler, sandstrahlen, Fließband*).

Bei solchen Neubildungen greift man in der Regel auf schon vorhandene Wörter und Wortteile zurück und setzt sie nach bestimmten Mustern zusammen, die es in der Sprache bereits gibt. So ist es zu erklären, daß man auch Wörter verstehen kann, die man in dieser Form noch nie gehört hat.

Die Wortbildung beruht also darauf, daß aus einem Grundbestand von Wörtern und einer begrenzten Anzahl von Bildungsmustern praktisch unendlich viele neue Wörter gebildet werden können. Auf der anderen Seite kann mit den Mitteln der Wortbildung vieles knapper dargestellt werden, was man sonst nur sehr umständlich ausdrücken könnte. Wenn es nur einfache Wörter gäbe, müßte man z. B. für das Wort *Fußballweltmeister* sagen: *Meister (Bester) der Welt in dem Spiel, bei dem der Ball mit dem Fuß getreten wird.*

Die Wortbildung spielt vor allem bei den drei Hauptwortarten (Verben, Substantiven und Adjektiven) eine wichtige Rolle. Die häufigsten Bildungsmuster und -typen werden bei den jeweiligen Wortarten im einzelnen beschrieben (↑ 99 ff. für das Verb, ↑ 210 ff. für das Substantiv, ↑ 327 ff. für das Adjektiv).

Man unterscheidet zwei Hauptarten der Wortbildung:

Zusammensetzung	Glück + Wunsch → Glückwunsch
Ableitung	un + Glück → Unglück Glück + lich → glücklich

72 Die Zusammensetzung

Bei der Zusammensetzung werden zwei oder mehr selbständig vorkommende Wörter zu einem neuen Wort zusammengefügt. (Man spricht mit einem Fachausdruck auch von „Komposition"; ein zusammengesetztes Wort heißt Kompositum, Plural: Komposita.)

Ein zusammengesetztes Wort besteht gewöhnlich aus dem Grundwort und einem vorangehenden Bestimmungswort:

Bestimmungswort	Grundwort
Tief	druck
Regen	wetter
wetter	leuchten
Regen	mantel
regen	dicht

Auch Zusammensetzungen aus mehr als zwei Wörtern lassen sich auf diese zweigliedrige Struktur zurückführen; ↑ 213.

Das Grundwort, also der letzte Teil der Zusammensetzung, legt die Wortart des neuen Wortes fest:

> Regen*mantel*: Substantiv; regen*dicht*: Adjektiv; wetter*leuchten*: Verb.

Durch das vorangehende Bestimmungswort wird das Grundwort näher bestimmt:

> (was für ein Mantel?): Regenmantel, Wintermantel, Bademantel, Herrenmantel, Ledermantel, Pelzmantel;
> (wogegen dicht?): regendicht, wasserdicht, luftdicht, schalldicht.

Dabei kann die inhaltliche Beziehung zwischen Bestimmungswort und Grundwort ganz unterschiedlicher Art sein. So gibt z. B. das Bestimmungswort in *Regenmantel* den Zweck an („Mantel gegen Regen"), in *Ledermantel* dagegen das Material („Mantel aus Leder"); *regendicht* bedeutet „dicht gegen Regen", *regennaß* dagegen „naß von/durch Regen".

| 73 | Die Ableitung |

Von Ableitung spricht man gewöhnlich, wenn ein selbständig vorkommendes Wort (bzw. sein Stamm) mit unselbständigen Wortteilen zu einem neuen Wort verbunden wird.

Man unterscheidet zwei Bildungsweisen:

Ableitung mit Hilfe von Vorsilben (Präfixbildung)	ver- + drängen un- + Glück ur- + alt	→ verdrängen → Unglück → uralt
Ableitung mit Hilfe von Nachsilben (Suffixbildung)	-richt- + -ung West + -lich Bö + -ig	→ Richtung → westlich → böig

Vor- und Nachsilben können auch zusammen in einer Ableitung auftreten:

> un-be-ständ-ig, Be-wölk-ung, Aus-läuf-er.

Mit der (letzten) Nachsilbe wird die Wortart des abgeleiteten Wortes festgelegt. So sind z. B. Wörter auf *-ig* und *-lich* immer Adjektive und Ableitungen mit *-ung* und *-er* immer Substantive. Vorsilben haben dagegen keinen Einfluß auf die Wortart des abgeleiteten Wortes.

Die Bedeutung von Ableitungssilben ist in einigen Fällen relativ leicht bestimmbar. Die Vorsilbe *un-* etwa drückt Verneinung aus *(beständig – unbeständig, Glück – Unglück)*, mit der Nachsilbe *-chen* bzw. *-lein* werden Verkleinerungs- oder Koseformen gebildet *(Haus – Häuschen, Kind – Kindlein)*. Für andere Ableitungssilben, wie z. B. *be-, ver-, -ig, -lich*, ist dagegen keine einheitliche Bedeutung angebbar; hier gibt es jeweils verschiedene Bedeutungsgruppen.

1.5 Wortgruppen

74 In einer mündlichen oder schriftlichen Äußerung stehen Wörter nicht isoliert nebeneinander, sondern treten in unterschiedliche Beziehungen zueinander. Manche Wörter verbinden sich enger miteinander als andere; sie bilden Wortgruppen. In einer Wortgruppe ist ein Wort das bestimmende („regierende") Element, das Kern- oder Bezugswort; es legt fest, welche anderen Wörter in der Gruppe vorkommen können und in welcher Form sie auftreten.

So kann z. B. ein Substantiv einen Artikel, ein Adjektiv und andere Bestimmungen zu sich nehmen:

> das *Wetter*, das *Wetter* von morgen, die weiteren *Aussichten*, sehr milde *Meeresluft*, ein darin eingelagerter *Tiefausläufer*.

Bildlich kann man den Bau solcher Wortgruppen so darstellen:

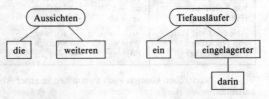

Eine Präposition bildet immer mit anderen Wörtern zusammen eine Wortgruppe; sie kommt nie allein im Satz vor. Kern der Gruppe ist die Präposition, weil sie den Fall der übrigen Wörter bestimmt:

> *über* die Nordsee, *zum* westlichen Mittelmeer, *im* Laufe (des Tages), *auf* seiner Vorderseite.

Man kann also verschiedene Arten von Wortgruppen unterscheiden; sie werden nach dem jeweiligen Kernwort benannt:

Substantivgruppe	das Wetter, milde Meeresluft
Präpositionalgruppe	im Laufe, auf seiner Vorderseite
Adjektivgruppe	leicht unbeständig, sehr mild
Verbgruppe	wird verdrängt, kann verdrängt werden

75 Das Verb spielt unter allen Wörtern eine besondere Rolle: Es ist nicht nur Kern einer Verbgruppe, sondern bestimmt darüber hinaus auch, welche Glieder überhaupt vorkommen müssen, damit ein vollständiger Satz entsteht. Wenn man z. B. das Verb *sich erstrecken* gebraucht, muß man sagen, wohin sich etwas erstreckt; neben dem Subjekt verlangt also *sich erstrecken* eine Richtungsbestimmung:

> Eine Tiefdruckrinne erstreckt sich zum westlichen Mittelmeer.

Das Verb ist also zugleich das oberste regierende Element, das Kernwort des gesamten Satzes.

1.6 Die Einteilung der Wörter in Wortarten

76 Wörter lassen sich anhand bestimmter Merkmale in Klassen einteilen, die man Wortarten nennt.

Es gibt keine allgemein gültige Wortarteinteilung, weil man die Wörter nach verschiedenen Gesichtspunkten untergliedern kann: nach Merkmalen ihrer Form, nach ihrer Bedeutung und nach ihrer Verwendung im Satz. Gewöhnlich geht man bei der Einteilung zunächst von Merkmalen der Form aus und zieht dann zur weiteren Untergliederung auch ihre Verwendung und Bedeutung heran.

Im Hinblick auf die Form lassen sich in einem ersten Schritt die beiden großen Gruppen der veränderlichen und der unveränderlichen Wörter unterscheiden. Die veränderlichen Wörter werden weiter unterteilt in konjugierbare (das sind die Verben) und in deklinierbare. In dieser Gruppe der deklinierbaren Wörter unterscheidet man nach weiteren Merkmalen Substantive, Adjektive, Artikel und Pronomen. Die unveränderlichen Wörter, auch „Partikeln" genannt, werden hauptsächlich nach ihrer unterschiedlichen Verwendung weiter unterteilt in Adverbien, Präpositionen, Konjunktionen und Interjektionen:

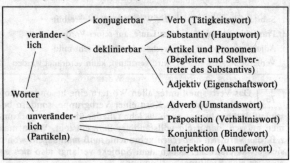

77 Überblick über die Wortarten

Verben sind Wörter wie

kommen, geben, fließen, werden, verdrängen, sich erstrecken.

Sie können ihre Form vor allem nach Person und Zahl verändern und verschiedene Zeitformen bilden.

Substantive sind Wörter wie

Meer, Tag, Luft, Richtung, Wetterlage.

Sie haben in der Regel ein festes Geschlecht, verändern ihre Form aber nach Zahl und Fall.

Artikel und Pronomen sind Wörter wie

der, das, ein, diese, jeder, er, mein, wer.

Sie verändern ihre Form meist nach Geschlecht, Zahl und Fall, teilweise auch nach der Person. Manche treten zusammen mit einem Substantiv auf (Begleiter: *das* Wetter, *ein* Tief), andere stehen anstelle eines Substantivs (Stellvertreter: *er*, *wer*). Einige der Wörter kommen in beiden Verwendungen vor.

Adjektive sind Wörter wie

groß, schwach, mild, kühl, windig, westlich.

Sie verändern ihre Form nach Geschlecht, Zahl und Fall. Außerdem können sie in der Regel Steigerungsformen bilden.

Adverbien sind Wörter wie

> heute, morgen, zunächst, dort, ostwärts, noch, sehr.

Sie geben die näheren Umstände des Geschehens an.

Präpositionen sind Wörter wie

> auf, aus, in, nach, über, von, zu.

Sie kommen nicht allein vor, sondern verbinden sich mit einem Substantiv (oder Pronomen) zu einer Wortgruppe; dabei bestimmen sie den Fall des Substantivs.

Konjunktionen sind Wörter wie

> und, oder, aber, weil, als, daß, ob.

Sie kommen nicht selbständig vor, sondern verbinden Wörter, Wortgruppen oder Sätze miteinander.

Interjektionen sind Wörter wie

> ja, ach, oh, hm, hurra, hallo, pst.

Sie stehen außerhalb des Satzzusammenhangs und geben meist Empfindungen des Sprechers u. ä. wieder.

78 Die Grenzen zwischen den Wortarten sind nicht starr. So kann z. B. fast jedes Wort mit einem Artikel verbunden und dann als Substantiv gebraucht werden:

> das *Leuchten* ihrer Augen, das *Blau* des Meeres, jemandem das *Du* anbieten, das *Für* und *Wider* abwägen.

Auch gelten die Merkmale, durch die eine Wortart bestimmt ist, nicht immer für alle Wörter der betreffenden Klasse. So gibt es z. B. Substantive, die keine Mehrzahl bilden können (z. B. *Regen*, *Obst*, *Ruhe*, *Kälte*), und Adjektive, die nicht steigerbar sind (z. B. *rund*, *tot*, *europäisch*).

Andererseits gibt es Wörter, die nicht nur einer Wortart zuzurechnen sind, z. B. *seit*:

> (Präposition:) Er ist *seit* einer Stunde weg. (Konjunktion:) *Seit* er wieder da ist, gibt es nur Ärger.

79 Der Anteil der Wortarten am Gesamtwortschatz

Der deutsche Wortschatz wird auf etwa 300000 bis 400000 Wörter geschätzt. Die Substantive machen davon rund die Hälfte aus, die Adjektive ein knappes Viertel und die Verben etwa ein Fünftel. Man bezeichnet diese drei Wortarten deshalb auch als die Hauptwortarten. Alle übrigen Wortarten machen zusammen nur rund 10% des Gesamtwortschatzes aus:

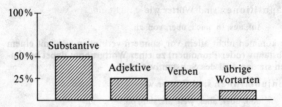

2 Das Verb

2.1 Überblick

80 Bei einem Unfall in M. *wurden* gestern gegen 11 Uhr drei Personen schwer und eine leicht *verletzt.* Wie ein Augenzeuge *berichtet, wollte* ein Fahrer mit seinem Wagen von der Landesstraße 3127 nach links in die Friedrich-Ebert-Straße *abbiegen.* Dabei *übersah* er einen *entgegenkommenden* Personenwagen, und es *kam* zum Zusammenstoß. Die Verletzten *wurden* in die Klinik nach G. *gebracht.* Der Sachschaden *beträgt* nach Polizeiangaben 14000 Mark.

An der gleichen Stelle *hatte* sich erst vor zwei Tagen ein ähnlicher schwerer Unfall *ereignet,* der zwei Verletzte und 13000 Mark Sachschaden *forderte* (wir *berichteten* darüber). Die Polizei *ist* der Meinung, daß beide Unfälle *hätten vermieden werden können,* wenn die Fahrer die im Kreuzungsbereich *geltende* Geschwindigkeitsbegrenzung *beachtet hätten.*

Die im Text hervorgehobenen Wörter gehören zur Wortart Verb (von lateinisch *verbum* = das Wort). Die Verben bilden zwar nicht die größte Wortart; sie spielen aber beim Bau von Sätzen die zentrale Rolle (↑ 96).

81 Übliche deutsche Bezeichnungen für „Verb" sind „Tätigkeitswort", „Tuwort", „Tunwort", „Zeitwort".

Mit den Bezeichnungen „Tätigkeitswort", „Tu(n)wort" wird hervorgehoben, daß Verben Tätigkeiten ausdrücken können, so z. B.:

> berichten, abbiegen, bringen.

Es gibt aber auch viele Verben, die nicht ein Tun oder Handeln bezeichnen, etwa:

> sich ereignen, betragen, sein.

„Zeitwörter" werden die Verben genannt, weil mit ihren Formen zeitliche Verhältnisse ausgedrückt werden können, z. B.:

> *er berichtet:* Gegenwart – *er berichtete:* Vergangenheit.

82 Verben verändern ihre Form aber noch nach weiteren Merkmalen. Im einzelnen zeigen die Verbformen an:

die Person (↑ 115)	
1. Person	ich berichte
2. Person	du berichtest
3. Person	er berichtet
die Zahl (↑ 115)	
Singular (Einzahl)	er berichtet
Plural (Mehrzahl)	sie berichten
die Aussageweise (↑ 137ff.)	
Indikativ (Wirklichkeitsform)	sie haben berichtet
Konjunktiv (Möglichkeitsform)	sie hätten berichtet
Imperativ (Befehlsform)	berichte!
die Zeit (↑ 125ff.)	
Präsens (Gegenwart)	ich berichte
Präteritum (Vergangenheit)	ich berichtete
Perfekt (vollendete Gegenwart)	ich habe berichtet
Plusquamperfekt	ich hatte berichtet
(vollendete Vergangenheit)	
Futur I (Zukunft)	ich werde berichten
Futur II (vollendete Zukunft)	ich werde berichtet haben
die Handlungsart (↑ 155ff.)	
Aktiv (Tatform)	er berichtete
Passiv (Leideform)	es wurde berichtet

Die Formveränderung des Verbs nach diesen Merkmalen heißt Konjugation: Verben sind Wörter, die konjugiert werden können.

Neben Verbformen, die nach allen Merkmalen konjugiert sind (Personalformen, ↑ 115), gibt es Verbformen, die nicht alle Merkmale der Konjugation, insbesondere nicht die der Person und Zahl, tragen. Solche Verbformen sind

der Infinitiv (die Grundform, ↑ 116ff.)	berichten
das Partizip (Mittelwort, ↑ 119ff.)	
Partizip I	berichtend
Partizip II	berichtet

Man kann Verben nach verschiedenen Gesichtspunkten in Gruppen einteilen:

- nach ihrer Bedeutung (↑ 83),
- nach ihrem Vorkommen mit anderen Wörtern (↑ 84ff.),
- nach ihrer Bildungsweise (↑ 99ff.),
- nach ihrer Konjugationsart (↑ 109ff.).

2.2 Untergliederung der Verben

83 | Bedeutungsgruppen

Mit Verben sagt der Sprecher etwas darüber aus, was ist, was geschieht oder was jemand tut. Man teilt entsprechend die Verben nach ihrer Grundbedeutung in drei Gruppen ein und unterscheidet Zustands-, Vorgangs- und Tätigkeitsverben.

Zustandsverben bezeichnen etwas, was sich nicht verändert: den Zustand, die Eigenschaft oder die Lage von Personen oder Gegenständen:

> Claudia *ist* krank und muß zu Hause *bleiben*. Sie *schläft* viel. Der Schaden *beträgt* 14000 DM. Wir *wohnen* im 3. Stock. Das Haus *steht* in einem Neubaugebiet. Die Stadt *liegt* sehr schön.

Vorgangsverben bezeichnen ein Geschehen, also die Veränderung eines Zustands. So bedeutet z. B. *einschlafen* den Übergang vom Wachsein zum Schlafen. Beispiele für Vorgangsverben:

> Ich konnte gestern lange nicht *einschlafen*. Deshalb *bin* ich heute erst spät *aufgewacht*. Der Unfall *ereignete* sich gegen 11 Uhr. Es *wird* Herbst. Die Sonne *geht* früher *unter*. Die Blumen *verblühen*. Die Blätter *fallen* von den Bäumen.

Tätigkeitsverben bezeichnen ein menschliches Tun oder Handeln:

> Der Fahrer wollte nach links *abbiegen*. Man *brachte* die Verletzten in eine Klinik. Thomas *macht* den Führerschein. Er *geht* zweimal in der Woche zum Unterricht. Abends *lernt* er.

84 Vollverben

Verben, die allein im Satz vorkommen können (weil sie eine „volle" Bedeutung haben), heißen Vollverben:

> Der Fahrer *übersah* einen entgegenkommenden Personenwagen. Der Unfall *forderte* zwei Verletzte. Der Arzt *untersucht* den Patienten. Er *verschreibt* ihm ein Medikament.

Hilfsverben

85

Hilfsverben sind die Verben *haben, sein, werden*, wenn sie zusammen mit Vollverben vorkommen. Sie „helfen", bestimmte Zeitformen und das Passiv zu bilden.

Mit *haben* und *sein* wird das Perfekt (↑ 130ff.) und das Plusquamperfekt (↑ 134) gebildet:

> (Perfekt): Die Fahrer *haben* die Geschwindigkeitsbegrenzung nicht *beachtet*. Beide Wagen *sind* zu schnell *gefahren*. (Plusquamperfekt:) Die Fahrer *hatten* die Geschwindigkeitsbegrenzung nicht *beachtet*. Beide Wagen *waren* zu schnell *gefahren*.

werden dient zur Bildung des Futurs (↑ 135f.) und des Passivs (↑ 157):

> (Futur:) Wir *werden* ausführlich darüber *berichten*. (Passiv:) Die Verletzten *werden/wurden* in eine Klinik *gebracht*.

86

Nicht in allen Verwendungen sind *haben, sein* und *werden* Hilfsverben. Sie können auch selbständig, als Vollverben, auftreten:

> Ich *habe* keine Zeit. Das Stück *hatte* großen Erfolg. Zwei mal zwei *ist* vier. Gestern *waren* wir im Kino. Er *wird* Ingenieur. *Werde* bald wieder gesund!

werden als Hilfsverb unterscheidet sich von *werden* als Vollverb im Partizip II (Mittelwort II): Das Partizip II des Hilfsverbs lautet *worden*, das des Vollverbs *geworden*:

> (*werden* als Hilfsverb:) Er ist untersucht *worden*.
> (*werden* als Vollverb:) Er ist krank *geworden*.

Modalverben

87 Modalverben (von lateinisch *modus* = Art und Weise) sind die Verben *dürfen*, *können*, *mögen*, *müssen*, *sollen* und *wollen*, wenn sie sich mit einem Vollverb im Infinitiv verbinden. Sie verändern, „modifizieren" den Inhalt des Vollverbs:

> Diesen Pullover *dürfen* Sie nicht in der Maschine waschen. Ich *kann* mich nicht daran erinnern. Ihr *sollt* zum Chef kommen. Der Fahrer *wollte* links abbiegen. Was *möchtest* du trinken? Wir *müssen* uns beeilen.

88 Den Modalverben sehr ähnlich ist das Verb *brauchen*, wenn es in verneinten oder einschränkenden Sätzen mit dem Infinitiv eines Vollverbs verbunden ist. Der Infinitiv wird heute mit und – wie bei den „echten" Modalverben – häufig ohne *zu* angeschlossen:

> Sie *brauchen* sich nicht *zu entschuldigen*. / Sie *brauchen* sich nicht *entschuldigen*. (Wie: Sie *müssen* sich nicht *entschuldigen*.)

 Das *zu* bei *brauchen* wird besonders in der gesprochenen Sprache weggelassen. In der geschriebenen Sprache wird aber immer noch der Infinitiv mit *zu* vorgezogen.

89 Das Partizip II wird bei den Modalverben (einschließlich *brauchen*) durch den Infinitiv ersetzt. So heißt etwa das Perfekt von *Er muß gehen*:

> Er hat gehen *müssen* (nicht: er hat gehen *gemußt*).

Ebenso:

> Das hätte sie nicht sagen *dürfen*. Die Unfälle hätten vermieden werden *können*. Du hättest nicht auf mich zu warten *brauchen*. Er hatte immer schon Lokführer werden *wollen*. Das hätte ich wissen *sollen*.

Nur wenn Modalverben selbständig (als Vollverben) gebraucht werden, steht die „reguläre" Form, das Partizip II:

> Ich hätte das nicht so gut *gekonnt*. Sie hat nicht in die Disco *gedurft*. Er hatte den Typ nie *gemocht*. Das habe ich nicht *gewollt*.

90 Die Modalverben haben verschiedene Gebrauchsweisen. Sie können zum einen ausdrücken, daß etwas möglich, notwendig, gewollt, erlaubt oder gefordert ist:

(Möglichkeit:) *Können* wir uns morgen um 10 Uhr treffen?
(Notwendigkeit:) Leider *muß* ich den Termin absagen. (Wille,
Wunsch:) Wir *möchten/wollen* die Angelegenheit zunächst im
kleinen Kreis besprechen. (Erlaubnis:) *Darf* man hier rauchen?
(Forderung:) Wir *sollen* uns noch etwas gedulden.

 Modalverben sind überflüssig, wenn das, was sie ausdrücken, bereits in anderer Weise in dem Satz enthalten
ist. So heißt es z. B.:

Sie verlangte, daß er das Geld sofort *zurückzahl(t)e* (nicht: zu-
rückzahlen sollte). Gestatten Sie, daß ich mich zu Ihnen *setze*
(nicht: setzen darf)?

Mit bestimmten Modalverben kann der Sprecher aber auch eine
Vermutung zum Ausdruck bringen oder deutlich machen, daß er
nur wiedergibt, was ein anderer gesagt hat:

Er *dürfte* inzwischen zu Hause sein. (=Ich vermute, daß er inzwischen zu Hause ist.) Sie *muß* eine schwere Kindheit gehabt
haben. (=Ich glaube, daß sie eine schwere Kindheit gehabt
hat.) Das Wetter *soll* wieder besser werden. (=Es heißt/man
sagt, daß das Wetter wieder besser wird.) Er *will* das ganz allein
gemacht haben. (=Er behauptet, das ganz allein gemacht zu
haben.)

91 Neben den Modalverben gibt es ein paar weitere Verben,
die dazu verwendet werden können, den Inhalt eines anderen Verbs zu modifizieren. Anders als die Modalverben, die
mit dem reinen Infinitiv (Infinitiv ohne *zu*) verbunden werden,
stehen diese modifizierenden Verben mit einem Infinitiv mit *zu*.
Vgl. z. B.:

Zunächst *ist zu klären*, ... – Zunächst *muß geklärt werden*, ...
Auf dem Foto *war* nichts *zu erkennen*. – Auf dem Foto *konnte*
man nichts *erkennen*. Ich *habe* noch *zu arbeiten*. – Ich *muß* noch
arbeiten.

 In einer anderen Verwendung steht *haben* + Infinitiv
ohne *zu*:

Er hat viele alte Möbel auf dem Speicher *stehen* (nicht: zu stehen).

Weitere modifizierende Verben sind *scheinen*, *pflegen*, *drohen*
(„in Gefahr sein") und *versprechen* („den Anschein haben"):

Sie *schien* uns nicht zu erkennen. Er *pflegt* jeden Tag einen Mit-
tagsschlaf zu halten. Das alte Gemäuer *drohte* jeden Moment
einzustürzen. Es *versprach* ein lustiger Abend zu werden.

drohen in der Bedeutung „eine Drohung aussprechen" und *versprechen* in der Bedeutung „ein Versprechen abgeben" sind Vollverben. Nur bei dieser Verwendung steht nach *drohen* bzw. *versprechen* ein Komma:

> Der Entführer *drohte*, die Maschine in die Luft zu sprengen. Er *versprach*, morgen wiederzukommen.

Funktionsverben

92 Eine Sondergruppe bilden Verben wie *bringen, kommen, gelangen, nehmen, ziehen* u. a., wenn sie z. B. in folgenden Verbindungen auftreten:

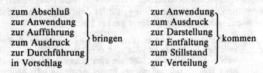

zum Abschluß			zur Anwendung		
zur Anwendung			zum Ausdruck		
zur Aufführung			zur Darstellung		
zum Ausdruck	bringen		zur Entfaltung	kommen	
zur Durchführung			zum Stillstand		
in Vorschlag			zur Verteilung		

Die Besonderheit dieser Ausdrücke wird deutlich, wenn man sie mit anderen, scheinbar ähnlichen Fügungen vergleicht, etwa:

> Er *bringt* sein Gepäck *zum Bahnhof*.
> Er *bringt* sein Erstaunen *zum Ausdruck*.

So kann man z. B. fragen:

> Wohin bringt er sein Gepäck? – Zum Bahnhof.

Dagegen ist nicht möglich:

> Wohin bringt er sein Erstaunen? – Zum Ausdruck.

Das Verb hat hier seine ursprüngliche, volle Bedeutung weitgehend verloren; es ist verblaßt und hat eigentlich nur noch eine grammatische Funktion (es ist notwendig, damit ein Satz zustande kommt). Man nennt deshalb Verben in solcher Verwendung „Funktionsverben"; die gesamte Fügung *(zum Ausdruck bringen)* heißt „Funktionsverbgefüge".

93 Eine andere Bezeichnung ist „Streckverben" bzw. „Streckformen"; damit wird ausgedrückt, daß Funktionsverbgefüge „Streckungen" von einfachen Verben sind; vgl. z. B.:

zum Ausdruck bringen – ausdrücken, in Vorschlag bringen – vorschlagen, zur Entfaltung kommen – sich entfalten, in Erwägung ziehen – erwägen, in Zweifel ziehen – bezweifeln.

Funktionsverbgefüge und die entsprechenden einfachen Verben sind nicht immer gegeneinander austauschbar. Es gibt z.B. Unterschiede in der Bedeutung und im Gebrauch: etwas *in Ordnung bringen* ist nicht dasselbe wie etwas *ordnen*, und *in Erwägung ziehen* ist nachdrücklicher als *erwägen*. In einigen Bereichen, vor allem im Rechtswesen und in der Verwaltung, haben Funktionsverbgefüge – im Unterschied zu den allgemeinsprachlichen einfachen Verben – eine genau festgelegte Bedeutung; so z.B.:

> Anklage erheben, Widerspruch einlegen, einen Beweis führen, zu Protokoll nehmen, einen Vermerk machen.

 Funktionsverbgefüge, die nicht mehr ausdrücken als die entsprechenden einfachen Verben, sollten vermieden werden. Man sagt also z.B. besser:

> Die Zeitung *wird* an alle Haushalte *verteilt* (nicht: die Zeitung *kommt* in allen Haushalten *zur Verteilung*). Da dieser Grund *wegfällt*, ... (nicht: ... *in Wegfall kommt*).

94 | Unpersönliche Verben

Unpersönliche Verben sind Verben, die nur mit *es* verbunden werden. Sie bezeichnen meist Naturvorgänge:

> Es regnet / nieselt / schneit / hagelt / donnert / blitzt.

Nur wenn solche „Witterungsverben" in übertragener Bedeutung gebraucht werden, können sie ein anderes Pronomen oder ein Substantiv bei sich haben:

> Der Zug donnerte über die Brücke. Seine Augen blitzten vor Zorn.

95 | Reflexive Verben

Reflexive Verben sind Verben, die ein Reflexivpronomen (↑ 263 ff.) bei sich haben. Reflexiv bedeutet „rückbezüglich": das Pronomen bezieht sich auf das Subjekt des Satzes zurück:

> Ich schäme *mich*.   Schämst du *dich* nicht?   Er schämt *sich*.

Ebenso:

> Ich habe es *mir* anders überlegt. Wir haben *uns* schrecklich ge-
> langweilt. Habt ihr *euch* gut amüsiert? Die Leute gerieten außer
> *sich* vor Begeisterung.

Man unterscheidet echte und unechte reflexive Verben. Echte
reflexive Verben können nur zusammen mit dem Reflexivpronomen auftreten, d. h. das Reflexivpronomen kann nicht weggelassen und nicht gegen ein anderes Pronomen oder ein Substantiv
ausgetauscht werden; vgl. z. B.:

> Er bedankte *sich.* – Nicht möglich: Er bedankte. Er bedankte
> den Freund.

Echte reflexive Verben sind beispielsweise:

> sich beeilen, sich entschließen, sich ereignen, sich nähern, sich
> schämen, sich sehnen, sich verirren.

Bei den unechten reflexiven Verben kann an der Stelle des Reflexivpronomens auch eine entsprechende andere Ergänzung stehen:

> (Reflexiv:) Sie wäscht *sich.* – (Nicht reflexiv:) Sie wäscht *das
> Kind.* (Reflexiv:) Hilf *dir* selbst – (nicht reflexiv:) dann hilft *dir*
> Gott.

Verben und ihre Ergänzungen

96 Das Verb (genauer: das Vollverb) spielt beim Bau des
Satzes die zentrale Rolle. Es legt fest, welche anderen
Glieder vorkommen müssen oder können, damit ein korrekter
Satz entsteht. So kann man z. B. nicht sagen *Er beantragte.*, sondern man muß das, was jemand beantragt (etwa einen Paß, Ar-
beitslosengeld usw.), mit nennen. Man kann auch z. B. nicht sagen *Er beantragte auf einen Paß.*, sondern die beantragte Sache
muß im Akkusativ stehen: *Er beantragte einen Paß.* (Daß das
nicht selbstverständlich ist und in anderen Sprachen anders sein
kann, zeigt beispielsweise das Englische; dort steht das entsprechende Verb mit einer Präposition: *He applied for a passport.*)

Die notwendig mit einem Verb vorkommenden Satzglieder heißen Ergänzungen. Jedes Verb fordert, „regiert" eine bestimmte
Anzahl und Art von Ergänzungen (*beantragen* z. B. verlangt ein
Subjekt und eine Akkusativergänzung). Diesen Sachverhalt bezeichnet man als Wertigkeit (Valenz) des Verbs.

97 Man kann die Verben danach einteilen, wie viele Ergänzungen sie haben; dann unterscheidet man einwertige, zweiwertige, dreiwertige Verben usw. Sinnvoller ist jedoch eine Einteilung, die auch die Art der Ergänzungen berücksichtigt. Man unterscheidet z. B.

Verben, die nur ein Subjekt haben:

> Das Baby *schläft.* Die Sonne *scheint.* Die Blumen *blühen.* Erst *stirbt* der Wald, dann *stirbt* der Mensch.

Verben mit Subjekt und Akkusativergänzung:

> Er *repariert* sein Auto selbst. Der Hagel hat die gesamte Ernte *vernichtet.* Der Fahrer *übersah* den entgegenkommenden PKW. Die Feuerwehr *löschte* den Brand.

Verben mit Subjekt und Dativergänzung:

> Sie *dankte* den Rettern. Das Buch *gehört* mir. Er *vertraute* seinem Freund. Sie *half* den Armen und Kranken.

Verben mit Subjekt, Dativergänzung und Akkusativergänzung:

> Er *schenkte* ihr einen Strauß Rosen. Sie *gibt* dem Ober ein Trinkgeld. Die Polizei *nahm* ihm den Führerschein *ab.* Wir *senden* Ihnen gern weiteres Informationsmaterial *zu.*

Zu den Ergänzungen im einzelnen ↑ 419ff.

98 Verben, die eine Akkusativergänzung haben und von denen ein Passiv gebildet werden kann, nennt man transitive („zielende") Verben:

> Die Feuerwehr *löschte* den Brand. (Passiv: Der Brand *wurde* von der Feuerwehr *gelöscht.*)

Alle anderen Verben bilden die Gruppe der intransitiven („nichtzielenden") Verben.

2.3 Die Wortbildung des Verbs

99 Neben einfachen (ursprünglichen) Verben wie *trinken*, *denken*, *sprechen*, *gehen*, *kommen*, *bringen* gibt es eine Vielzahl von Verben, die durch Ableitung oder Zusammensetzung entstanden sind, z. B.:

abgeleitete Verben	be-kommen, ver-bringen, trauer-n, film-en, ver-gleich-en, er-wach-en
zusammengesetzte Verben	spazieren-gehen, teil-nehmen, übrig-bleiben, aus-trinken, weg-bringen

Anders als bei Substantiven und Adjektiven ist bei Verben die Bildung mit Hilfe von Vorsilben (Präfixen) weitaus am häufigsten. Sie wird deshalb im folgenden ausführlicher beschrieben als die übrigen Bildungsweisen. Dabei wird nicht streng unterschieden zwischen Vorsilben, die echte Ableitungssilben sind, also nicht als selbständige Wörter vorkommen (wie z. B. *be-, er-, ver-*), und Vorsilben, die auch selbständig vorkommen und deshalb Verbzusammensetzungen bilden (z. B. *aus-, vor-, weg-*).

Verben mit Vorsilben

 Viele Verbvorsilben haben die Besonderheit, daß sie sich vom Verb trennen lassen:

> an-kommen: Der Zug *kommt* um 12.30 Uhr in Stuttgart *an*.
> ab-holen: Wir *holen* euch mit dem Auto vom Bahnhof *ab*.

Solche „unfesten" Vorsilben (auch „Verbzusatz" genannt) stehen im Präsens und Präteritum, jedoch nur in Hauptsätzen, vom Verb getrennt am Ende des Satzes.

Andere Vorsilben bleiben dagegen immer fest mit dem Verb verbunden:

> be-kommen: Sie *bekam* vor drei Wochen ein Kind.
> er-holen: Er *erholt* sich nur langsam von den Strapazen.

Nach diesem Merkmal unterteilt man die Verben mit Vorsilben in trennbare und untrennbare Verben. Die Unterschiede sind in der folgenden Tabelle zusammengefaßt:

trennbare Verben	untrennbare Verben
Die Vorsilbe ist betont: Wir müssen diese Mängel *ábstellen*.	Die Vorsilbe ist unbetont: Wir müssen neue Ware *bestéllen*. (Ausnahme: *miß-verstehen*)

trennbare Verben	untrennbare Verben

Das Partizip II wird mit *ge-* gebildet; *ge-* tritt zwischen die Vorsilbe und den Stamm:
    Wir haben die Mängel *ab-gestellt.*
(*ge-* entfällt, wenn das Verb eine weitere Vorsilbe hat:
    Wir haben die Zeitung *ab-bestellt.*)
	Das Partizip II wird ohne *ge-* gebildet:
	
	    Wir haben neue Ware *be-stellt.*

Beim Infinitiv mit *zu* tritt *zu* zwischen Vorsilbe und Stamm:
    Er forderte uns auf, die Mängel *abzustellen.*
	Beim Infinitiv mit *zu* steht *zu* getrennt vor dem gesamten Verb:
	    Er bat uns, neue Ware *zu bestellen.*

101 Die wichtigsten Vorsilben:

abtrennbar		nicht abtrennbar	
ab-:	abfahren, abbeißen	be-:	beladen, bekleiden
an-:	ankommen, anbinden	ent-:	entladen, entreißen
auf-:	aufbauen, aufessen	er-:	erfrieren, erstellen
aus-:	ausladen, ausreisen	miß-:	mißachten, mißverste-hen
ein-:	einladen, einschlafen		
her-	(auch in weiteren For-men wie heran-, her-aus-, herbei-): herkommen, heraus-bringen	ver-:	verarbeiten, verglasen
		zer-:	zerbrechen, zerlegen
		fremdsprachige Vorsilben:	
hin-	(auch in weiteren Formen wie hinab-, hinauf-, hinein-): hinlegen, hinaufgehen	de-	(„ent-", „weg"): dekodieren, dezentrali-sieren
los-:	losfahren, losbinden	re-	(„zurück", „wieder"): rekonstruieren, reso-zialisieren
mit-:	mitmachen, mitnehmen		
nach-:	nachlaufen, nachmessen		
vor-:	vorlaufen, vormachen		
weg-:	wegnehmen, wegfahren		
zu-:	zugreifen, zuflüstern		

102 Einige Vorsilben, vor allem *durch-*, *über-*, *um-*, *unter-*, bilden sowohl trennbare wie untrennbare Verben:

> dúrchsetzen: Er *setzt* immer seinen Kopf *durch*.
> durchsúchen: Die Polizei *durchsuchte* das ganze Haus.

Manche Verben unterscheiden sich nur darin, daß die Vorsilbe einmal betont und einmal unbetont ist:

> úbersetzen – übersétzen, úmfahren – umfáhren.

In solchen Fällen haben die Verben in der Regel auch unterschiedliche Bedeutungen:

	trennbar	untrennbar
durch-	Er *bricht* eine Tafel Schokolade *durch*. (dúrchbrechen = entzweibrechen)	Das Flugzeug *durchbricht* die Schallmauer. (durchbréchen = überwinden)
über-	Sie ist zum Katholizismus *übergetreten*. (úbertreten = sich einer anderen Gemeinschaft anschließen)	Er hat das Gesetz *übertreten*. (übertréten = gegen etwas verstoßen)
	úbersiedeln wird in gleicher Bedeutung trennbar und untrennbar gebraucht:	
	Sie *siedelten* nach Bonn *über*.	Sie *übersiedelten* nach Bonn.
um-	Der Betrieb wurde *umgestellt*. (úmstellen = neu organisieren)	Das Haus ist *umstellt*. (umstéllen = umzingeln)
unter-	Er *gräbt* den Dünger *unter*. (úntergraben = daruntergraben)	Diese Leute *untergraben* die staatliche Ordnung. (untergráben = langsam zerstören)

Manche trennbaren Verben werden gelegentlich wie untrennbare behandelt. So findet man z. B.:

> Ich *anerkenne* das – statt üblicherweise: Ich *erkenne* das *an*.

Vorzuziehen sind im allgemeinen die getrennten Formen. Es heißt also beispielsweise besser:

Das Gericht *erkannte* ihm die bürgerlichen Ehrenrechte *ab* (nicht: Das Gericht *aberkannte* ihm ...). Ich *vertraue* dir hiermit ein Geheimnis *an* (nicht: Ich *anvertraue* dir ...). Der Vorstand *beraumte* die Sitzung auf den 9. 9. *an* (nicht: Der Vorstand *anberaumte* die Sitzung ...). Die Regierung *enthält* uns wichtige Informationen *vor* (nicht: Die Regierung *vorenthält* uns ...).

Im Telegrammstil ist es üblich, abtrennbare Vorsilben beim Verb zu lassen:

Ankomme morgen 10.15.

103 Vorsilben verändern die Bedeutung eines einfachen Verbs in unterschiedlicher Weise. Bei Vorsilben wie *ab-*, *an-*, *aus-* u. ä. steht die räumliche Bedeutung, die sie als selbständige Wörter haben, meist noch deutlich im Vordergrund; so etwa in

abspringen, abfliegen, abführen (*ab* = von etwas weg)
aussteigen, ausreisen, ausschrauben (*aus* = nach außen)
hingehen, hinlegen, hinwerfen (*hin* = auf etwas zu).

Allerdings lassen sich nicht alle Verbzusammensetzungen dieser Art so aus den einzelnen Teilen erklären.

Die Bedeutung der Ableitungssilben (*be-, er-* usw.) ist schwieriger zu erfassen; für die meisten ist eine einheitliche Bedeutung nicht angebbar. *ver-* und *be-*, die beiden häufigsten Vorsilben, drücken beispielsweise aus:

ver-:	
bis zum Abschluß, zu Ende, vollständig	blühen – verblühen, sinken – versinken, heilen – verheilen, bluten – verbluten
falsch	schreiben – sich verschreiben, legen – verlegen, sprechen – sich versprechen
machen/werden zu	vergrößern (= größer machen), verbeamten (= zum Beamten machen), versteinern (= zu Stein werden)
versehen mit	vergolden, verchromen, verglasen
be-:	
„zielgerichtet": *be-* macht aus einem intransitiven Verb ein transitives (↑ 98)	in einem Haus wohnen – ein Haus bewohnen, auf eine Frage antworten – eine Frage beantworten, jemandem drohen – jemanden bedrohen
versehen mit	bekleiden, besohlen, beschriften, bezuschussen, beschulen

104 Nicht immer werden Vorsilben sinnvoll gebraucht. Vor allem in der Behörden- und Verwaltungssprache besteht die Neigung, Verbzusammensetzungen zu bilden, die nichts anderes besagen als das entsprechende einfache Verb, in denen die Vorsilbe also überflüssig ist.

 Man sagt z. B. besser:

Unterlagen *kopieren* – nicht: *abkopieren*; jemandem ein Vorgehen *empfehlen* – nicht: *anempfehlen*.

Auch Vorsilben bei fremdsprachigen Verben sind überflüssig, wenn sie den Verbinhalt gleichsam nur verdoppeln, wie etwa in:

zusammenaddieren, zurückreduzieren, herauseliminieren, aufapplizieren.

Anders zu beurteilen sind Vorsilben, die die Bedeutung des einfachen Verbs verdeutlichen, verstärken oder in anderer Weise verändern, wie etwa in

abändern, aufoktroyieren, ausdrucken, durchdiskutieren.

So kann z. B. *durchdiskutieren* mehr ausdrücken als das einfache *diskutieren*, nämlich „bis zu Ende, mit einem bestimmten Ergebnis diskutieren".

In vielen neu gebildeten Verben wie *anschreiben*, *antelefonieren*, *anmahnen*, *anfliegen* hat die Vorsilbe vor allem die Aufgabe, das Verb transitiv zu machen:

jemandem schreiben – jemanden anschreiben
wegen etwas mahnen – etwas anmahnen.

Die Verben können damit vielseitiger im Satz verwendet werden; z. B. ist es möglich, ein Passiv zu bilden:

Djakarta *wird* auf dieser Route nicht *angeflogen*. Der *angemahnte* Betrag ist immer noch nicht eingegangen.

Schreiben/anschreiben wird inzwischen auch inhaltlich verschieden gebraucht:

Sabine hat mir zum Geburtstag *geschrieben* (persönliches Schreiben) – Die Firma hat alle Kunden *angeschrieben* (dienstliches Schreiben).

105 **Verben mit Nachsilben**

Mit Hilfe von Nachsilben (Suffixen) werden Verben vor allem aus Substantiven und Adjektiven abgeleitet.

Die einfachste Art der Ableitung besteht darin, daß die Verben-
dungen (im Infinitiv also *-(e)n*) direkt an den Stamm des Substantivs oder Adjektivs treten. So entstehen Verben wie

> trauer-n, zweifel-n, film-en, schlaf-en, zelt-en, wach-en, gleich-
> en, reif-en
> (mit Umlaut:) träum-en, kämpf-en, bräun-en, schärf-en.

Sehr häufig ist die fremdsprachige Verbnachsilbe *-ieren* mit ihrer
Erweiterung *-isieren*. *-ieren* kommt auch in einigen deutschen
Wörtern vor; *-isieren* tritt nur an fremdsprachige Stämme:

> -ieren: halbieren, buchstabieren, lackieren, telefonieren, for-
>   mulieren, notieren, trainieren, interessieren, identifi-
>   zieren, ratifizieren
> -isieren: rationalisieren, automatisieren, sozialisieren, themati-
>   sieren, bagatellisieren.

Zusammengesetzte Verben

106   Wenn Verben mit selbständig vorkommenden Wörtern
verbunden werden, handelt es sich um Verbzusammensetzungen. Der erste Teil der Zusammensetzung kann aus verschiedenen Wortarten kommen:

Verb + Verb	spazieren-gehen, kennen-lernen, sitzen-bleiben
Substantiv + Verb	teil-nehmen, acht-geben, dank-sagen, pro-be-fahren
Adjektiv + Verb	fest-schrauben, gut-schreiben, tot-schwei-gen, voll-tanken, kurz-arbeiten
Partikel + Verb	ab-fahren, an-kommen, heraus-fallen, weg-gehen, zusammen-schreiben, zurück-holen (Diese Zusammensetzungen sind bei den Verben mit Vorsilben mitbehandelt; ↑ 101)

Neue Verbzusammensetzungen entstehen vor allem in den technischen Fachsprachen; vgl. z. B.:

> sandstrahlen, schälfräsen, punktschweißen, spritzlöten, trenn-
> schleifen, diffusionsglühen.

107   Die Verbzusammensetzungen gehören in der Regel zu
den trennbaren Verben, d. h.:

Die Teile treten im Präsens und Präteritum (im Hauptsatz) auseinander:

> Wir *schreiben* Ihnen den Betrag *gut*. Ich *nehme* an der Veranstaltung nicht *teil*. Er *lernte* sie im Betrieb *kennen*.

ge- und *zu* treten zwischen die Teile der Zusammensetzung:

> Der Vorfall wurde *totgeschwiegen*. Das Flugzeug ist in der Wüste *notgelandet* (nicht: *genotlandet*). Sie verbietet den Kindern *fernzusehen*.

Viele der neuen Verbzusammensetzungen wie *probefahren*, *bausparen*, *sandstrahlen* werden nur im Infinitiv (und z.T. im Partizip II) gebraucht; für die anderen Formen muß man Umschreibungen wählen, etwa:

> Er machte mit dem Wagen eine Probefahrt (nicht möglich: Er fuhr den Wagen probe). Wir haben seit 3 Jahren einen Bausparvertrag (nicht möglich: Wir sparen seit 3 Jahren bau / Wir bausparen seit 3 Jahren).

108 Zusammen- oder Getrenntschreibung

Wenn sich Verben mit anderen Wörtern verbinden, ist es oft schwierig zu entscheiden, ob es sich dabei um Zusammensetzungen oder um andere Fügungen handelt. Das hat Auswirkungen auf die Rechtschreibung: Verbzusammensetzungen werden in bestimmten Formen zusammengeschrieben, Fügungen mit Verben werden getrennt geschrieben.
Die Hauptregel lautet: Wenn durch die Verbindung eines Verbs mit einem anderen Wort ein neuer, einheitlicher Begriff entsteht, handelt es sich um eine Zusammensetzung; die Teile werden also zusammengeschrieben. Wenn die beiden Wörter dagegen ihre eigene Bedeutung behalten, werden sie getrennt geschrieben. So ist z.B. zu schreiben:

> Sie ist schon in der ersten Klasse *sitzengeblieben*. – Aber: Trotz mehrfacher Aufforderung aufzustehen ist der Angeklagte *sitzen geblieben*. Der zuviel gezahlte Betrag wird *gutgeschrieben*. – Aber: Der Beitrag ist *gut geschrieben*. Sie wollen die Stelle für ihn *freihalten*. – Aber: Er wird seine Rede *frei halten*. Wir sind *zusammengekommen*, um über folgende Frage zu sprechen. – Aber: (Bist du allein gekommen?) Nein, ich bin mit den Meiers *zusammen gekommen*.

Es bleiben jedoch viele Zweifelsfälle, in denen diese Regel nicht weiterhilft, in denen die Rechtschreibung widersprüchlich ist oder schwankt. So schreibt man z. B.:

> radfahren – aber: Auto fahren, Ski fahren; zusammenschreiben – aber: getrennt schreiben, groß schreiben, klein schreiben; saubermachen – aber: warm machen; staubsaugen – oder: Staub saugen.

2.4 Regelmäßige und unregelmäßige Konjugation

109 Bei der Konjugation verändern die Verben ihre Form in verschiedener Weise:

An den Verbstamm werden Endungen angefügt (↑ 115):

> ich sag-e, du sag-st, er sag-t.

Bestimmte Verbformen werden mit den Hilfsverben *haben*, *sein*, *werden* gebildet:

> ich habe gesagt (Perfekt), sie werden sagen (Futur), es wird gesagt (Passiv).

Schließlich kann der Verbstamm selbst verändert werden:

> ich spreche – du sprichst – er sprach – er hat gesprochen; ich denke – ich dachte.

Die wichtigsten Unterschiede in der Konjugation der Verben bestehen in den Formen des Präteritums und des Partizips II. Deshalb unterscheidet man nach der Bildungsweise dieser beiden Formen zwei Hauptarten der Konjugation:

regelmäßige Konjugation (↑ 111)	sagen – sagte – gesagt lieben – liebte – geliebt
unregelmäßige Konjugation (↑ 112)	sprechen – sprach – gesprochen binden – band – gebunden

Die drei Verbformen (Infinitiv, 1. Person Singular Präteritum, Partizip II), die sozusagen stellvertretend das Konjugationsmuster für alle übrigen Formen anzeigen, nennt man die Stammformen des Verbs.

110 Eine andere – vor allem früher übliche – Einteilung gliedert die Verben nach ihrer Konjugationsart in „schwache" und „starke" Verben (zu denen dann noch eine dritte Gruppe von „unregelmäßigen" Verben kommt). „Schwach" entspricht „regelmäßig"; der Begriff „stark" ist enger als „unregelmäßig".

Die weitaus meisten Verben des Deutschen werden regelmäßig konjugiert, und ihr Anteil nimmt ständig zu: Immer häufiger treten alte „starke" Verben in die regelmäßige Konjugation über (vgl. etwa *backte* gegenüber dem alten *buk*); vor allem aber werden Neubildungen und Verben, die aus anderen Sprachen ins Deutsche übernommen wurden, ausschließlich regelmäßig konjugiert (z. B. *tanken, filmen, rationalisieren, telefonieren, sich qualifizieren*).

Die unregelmäßigen Verben stellen dagegen zahlenmäßig nur eine kleine Gruppe dar (es gibt heute noch rund 200 unregelmäßige Verben). Allerdings gehören zu ihnen die am häufigsten gebrauchten Verben (wie z. B. die Hilfsverben *haben, sein, werden*), ohne die man in der gesprochenen und in der geschriebenen Sprache nicht auskommt.

111 Regelmäßige Verben

Bei den regelmäßigen („schwachen") Verben bleibt der Stammvokal in allen Formen gleich:

> sagen – sagte – gesagt
> lieben – liebte – geliebt
> kochen – kochte – gekocht.

Das Präteritum wird mit *-t-* zwischen dem Stamm und den Endungen gebildet:

> ich sag-t-e, du sag-t-est, er sag-t-e.

Das Partizip II hat die Vorsilbe *ge-* und die Endung *-t*:

> ge-sag-t, ge-lieb-t, ge-koch-t.

Bei bestimmten Verben entfällt das *ge-* (↑ 120).

Konjugationsmuster ↑ 166, lautliche Besonderheiten ↑ 168 ff.

112 Unregelmäßige Verben

Die Hauptgruppe der unregelmäßigen Verben stellen die sogenannten „starken" Verben. Ihr Hauptkennzeichen ist der Ablaut, d. h. der Wechsel des Stammvokals:

> sprechen – sprach – gesprochen
> binden – band – gebunden
> fahren – fuhr – gefahren.

Das Partizip II wird mit der Vorsilbe *ge-* (wie bei den regelmäßigen Verben), aber mit der Endung *-en* gebildet:

> ge-sproch-en, ge-bund-en, ge-fahr-en.

Bei bestimmten Verben entfällt die Vorsilbe *ge-* (↑ 120).

Bei einigen Verben verändert sich außer dem Stammvokal auch der Konsonant, auf den der Stamm endet:

> ziehen – zog – gezogen
> schneiden – schnitt – geschnitten
> stehen – stand – gestanden.

Eine zweite Gruppe der unregelmäßigen Verben hat im Präteritum und Partizip II Vokal- (und Konsonanten)wechsel, wird aber in den Endungen regelmäßig konjugiert:

> brennen – brannte – gebrannt
> (ebenso: kennen, nennen, rennen, senden, wenden; zu *senden* und *wenden* ↑ auch 113)
> denken – dachte – gedacht
> bringen – brachte – gebracht.

In verschiedener Hinsicht unregelmäßig ist auch die Konjugation der Verben

> haben, sein, werden (Konjugationstabellen ↑ 175 ff.),

der Modalverben

> dürfen, können, mögen, müssen, sollen, wollen

und des Verbs *wissen* (Konjugationstabelle ↑ 178).

Einige Verben werden „gemischt", d. h. teils regelmäßig, teils unregelmäßig, konjugiert:

> backen – backte – gebacken
> mahlen – mahlte – gemahlen.

Konjugationsmuster der unregelmäßigen Verben ↑ 167, lautliche Besonderheiten ↑ 168 ff., Liste der gebräuchlichsten unregelmäßigen Verben ↑ 179.

113   Doppelformen

Eine Reihe von Verben kann sowohl regelmäßig wie unregelmäßig konjugiert werden. Meist sind mit den unterschiedlichen Konjugationsformen auch unterschiedliche Bedeutungen verbunden; vgl. z. B.:

bewegen $\Big\langle$ 1. *bewegte – bewegt*
2. *bewog – bewogen*

1. „die Lage verändern; rühren":

> Sie *bewegte* sich im Schlaf. Die Geschichte hat mich sehr *bewegt*.

2. „jemanden zu etwas veranlassen":

> Sie *bewog* ihn zum Nachgeben. Die Ereignisse der letzten Wochen hatten ihn *bewogen*, die Stadt zu verlassen.

erschrecken $\Big\langle$ 1. *erschreckte – erschreckt*
2. *erschrak – erschrocken*

1. „jemanden in Schrecken versetzen":

> Er *erschreckte* sie mit einer Spielzeugpistole. Sein Aussehen hat mich *erschreckt*.

2. „in Schrecken geraten":

> Sie *erschrak* bei seinem Anblick. Ich bin über sein Aussehen *erschrocken*.

gären $\Big\langle$ 1. *gärte – gegärt*
2. *gor – gegoren*

1. in übertragener Bedeutung

> Es *gärte* in der Menge. Das hatte schon lange in ihm *gegärt*.

2. in konkreter Bedeutung:

> Der Wein *gor* in alten Eichenfässern. Der Saft ist *gegoren*.

glimmen $\Big\langle$ *glimmte – geglimmt*
glomm – geglommen

glimmen ist ursprünglich ein unregelmäßiges Verb; es wird heute aber auch regelmäßig konjugiert:

> Das Ende der Zündschnur *glimmte* bereits. Hatte dort nicht eine Zigarette in der Dunkelheit *geglimmt*?

Bei übertragenem Gebrauch steht meist noch die unregelmäßige Form:

> In seinen Augen *glomm* ein gefährlicher Funken.

hängen — 1. *hängte – gehängt*
— 2. *hing – gehangen*

1. transitiv, d. h. mit Akkusativergänzung:

> Sie *hängte* (nicht: *hing*) das neue Bild an die Wand. Hast du die Wäsche *aufgehängt* (nicht: *aufgehangen*)?

2. intransitiv:

> Das Bild *hing* schief an der Wand. Der Anzug hat lange im Schrank *gehangen* (nicht: *gehängt*).

hauen < *haute* — *gehauen*
hieb

Die unregelmäßige Präteritumform *hieb* wird fast nur noch verwendet, wenn das Schlagen mit einer Waffe oder das Verwunden im Kampf gemeint ist:

> Die Kämpfer *hieben* mit den Schwertern aufeinander ein. Er *hieb* ihm tiefe Wunden.

Sonst heißt es im Präteritum im allgemeinen nur noch *haute*:

> Er *haute* mit der Faust auf den Tisch. Der Junge *haute* das kleine Mädchen. Sie *haute* mit dem Knie gegen den Stuhl.

In festen Wendungen wie

> auf die Pauke hauen, jemanden übers Ohr hauen, sich hinhauen, jemandem eine runterhauen, etwas haut einen um

ist auch nur *haute* möglich.

In allen Verwendungen ist die Form des Partizips II *gehauen*:

> Er hat zwei Stunden lang Holz *gehauen*. Ihr habt wohl gestern mächtig auf die Pauke *gehauen*.

schaffen — 1. *schaffte – geschafft*
— 2. *schuf – geschaffen*

1. „erreichen, vollbringen":

> Er *schaffte* die Abschlußprüfung spielend. Mit diesem Tor hat die Mannschaft den Ausgleich *geschafft*.

2. „hervorbringen, entstehen lassen":

> Am Anfang *schuf* Gott Himmel und Erde. Die Maßnahmen haben kaum neue Arbeitsplätze *geschaffen*.

In einigen Verbindungen sind beide Formen möglich:

> Hier muß Abhilfe (Ersatz, Klarheit, Ordnung, Platz) *geschafft/ geschaffen* werden.

schleifen ⟨ 1. *schleifte – geschleift*
2. *schliff – geschliffen*

1. „ziehen, sich bewegen":

> Ihr Kleid *schleifte* über den Boden. Sie haben mich durch die halbe Stadt *geschleift*.

2. „schärfen":

> Er *schliff* sein Messer an einem Stein. Hier werden Edelsteine *geschliffen*.

senden ⟨ *sendete – gesendet*
sandte – gesandt

Bei *senden* im technischen Sinne (Funkwesen, Radio, Fernsehen) sind nur die Formen mit *e* möglich:

> Wir *sendeten* Nachrichten. Der Beitrag wird zu einem späteren Zeitpunkt *gesendet*.

In der Bedeutung „schicken" sind beide Formen gebräuchlich; häufiger sind jedoch die Formen mit *a*:

> Wir *sandten/sendeten* Ihnen vor vier Wochen unsere Angebotsliste. Die Ware ist ordnungsgemäß verpackt und *versandt/versendet* worden.

triefen ⟨ *triefte – getrieft*
troff – getroffen

triefen wird heute im allgemeinen regelmäßig konjugiert:

> Die Bratkartoffeln *trieften* vor Fett. Ihr Mantel hat vor Nässe *getrieft*.

Nur in gewählter Sprache kommen noch die unregelmäßigen Präteritumformen vor:

> Aus der Wunde *troff* unentwegt Blut.

weben ⟨ 1. *webte – gewebt*
       ⟨ 2. *wob – gewoben*

1. in konkreter Bedeutung:

> Sie *webte* ein Muster in den Teppich. Das ist *handgewebtes* Leinen.

2. in übertragener Bedeutung; dichterisch:

> Um ihre Gestalt *woben* sich viele Legenden. Tief im Wald liegt ein *sagenumwobenes* Schloß.

wenden ⟨ *wendete – gewendet*
        ⟨ *wandte – gewandt*

In den meisten Verwendungen sind beide Formen gebräuchlich, wobei die Formen mit *a* überwiegen:

> Sie *wandte/wendete* kein Auge von ihm. Haben Sie sich an die zuständige Stelle *gewandt/gewendet?*

So auch bei Verbindungen von *wenden* mit Vorsilben (außer bei *entwenden*):

> Sie *verwandte/verwendete* viel Mühe auf ihr Make-up. Dieses Verfahren wird jetzt immer mehr *angewandt/angewendet*. – Aber nur: Die Diebe *entwendeten* sämtlichen Schmuck der Hotelgäste.

wenden in der Bedeutung „die Richtung ändern" und „auf die andere Seite drehen" hat nur die Formen *wendete, gewendet:*

> Er *wendete* den Wagen in einer Hofeinfahrt. Nach fünf Minuten müssen die Schnitzel *gewendet* werden. Jetzt hat sich das Blatt *gewendet*.

2.5 Personalform, Infinitiv, Partizip

114 Bei der Verwendung im Satz zeigt das Verb (– bei mehrteiligen Verbformen: eine der Verbformen –) an, von welcher Person oder Sache die Rede ist, z. B.:

ich komm-*e*.

Wenn statt *ich* ein anderes Pronomen oder ein Substantiv gebraucht wird, ändert sich auch die Verbform:

du komm-*st*; er/der Winter komm-*t*; sie/die Leute komm-*en*.

Solche Verbformen, die in der Person und in der Zahl mit dem Subjekt übereinstimmen, heißen Personalformen des Verbs oder bestimmte (finite) Verbformen.

Die Verbformen, die nicht nach Person und Zahl bestimmt sind, faßt man als unbestimmte (infinite) Verbformen zusammen. Unbestimmte Verbformen sind der Infinitiv (die Grundform) und das Partizip (Mittelwort).

115 **Die Personalformen**

Person und Zahl werden im Deutschen durch Endungen (die sogenannten Personalendungen) angezeigt, die an den Verbstamm angefügt werden. Sie kennzeichnen drei Personen, die jeweils im Singular (in der Einzahl) und im Plural (in der Mehrzahl) stehen können.

Die folgende Übersicht zeigt die Personalendungen für das Präsens:

	Singular	Plural
1. Person (Person, die spricht)	ich komm-e	wir komm-en
2. Person (Person, die angesprochen wird)	du komm-st	ihr komm-t
3. Person (Person/Sache, von der gesprochen wird)	er sie } komm-t es	sie komm-en

Die sogenannte Höflichkeitsform stimmt in der Form mit der 3. Person Plural überein. Sie ist für eine und mehrere Personen gleich:

> Herr Minister, *Sie kommen* gerade von dem Gipfeltreffen in Genf zurück. Meine Damen und Herren, auf der linken Seite *sehen Sie* das Rathaus.

Der Infinitiv

116 Der Infinitiv (die Grund- oder Nennform) ist die Form, in der man ein Verb gewöhnlich nennt und in der es auch in Wörterbüchern angeführt wird.
Er besteht aus dem Verbstamm und der Endung *-en* oder (bei Verben auf *-el, -er*) *-n*:

> komm-en, fahr-en, les-en, dunkel-n, kletter-n

Der Infinitiv wird hauptsächlich in Verbindung mit anderen Verben (vor allem dem Hilfsverb *werden* und Modalverben) verwendet:

> Wann werden wir uns *wiedersehen*? Ich kann heute nicht *kommen*. Sie brauchen nur hier *zu unterschreiben*. Du scheinst noch nicht ganz wach *zu sein*.

Außerdem kommt der Infinitiv als Satzglied und als Attribut (Beifügung) zu einem Substantiv vor:

> (Satzglied:) *Rauchen* gefährdet Ihre Gesundheit. *Lesen* macht Spaß. *Schimpfen* nutzt hier gar nichts. Wir entschlossen uns *abzureisen*.
> (Attribut:) Unser Entschluß *abzureisen* stand fest. Die Angst *zu versagen* machte ihn nervös. Ich habe nicht die Absicht *zu gehen*. Ihr Wunsch *zu schlafen* wurde immer stärker.

117 Wenn von einem Infinitiv andere Wörter oder Wortgruppen abhängen, liegt eine Infinitivgruppe (ein erweiterter Infinitiv) vor:

> *Ein Buch dieses Autors zu lesen* ist immer ein Gewinn. Er nahm sich vor, *im neuen Jahr ein besserer Mensch zu werden*. Der Entschluß, *die Reise abzusagen*, ist uns nicht leichtgefallen.

Die Infinitivgruppe hat in diesen Fällen fast den Charakter eines Nebensatzes. Man spricht deshalb auch von einem Infinitivsatz (↑ 467).

Manchmal bestehen Zweifel, ob eine Infinitivgruppe mit oder ohne *zu* anzuschließen ist und ob sie durch ein Komma abgetrennt werden muß oder nicht. Als Grundregel gilt: Je umfangreicher die Infinitivgruppe ist, desto eher steht sie mit *zu* und wird durch ein Komma abgetrennt; vgl. z. B.:

helfen + Infinitiv(gruppe):

Sie half ihm *packen*.
Sie half ihm *den Koffer packen*.
Sie half ihm, *den Koffer zu packen*.
Sie half ihm, *seine Sachen in den Koffer zu packen*.

lernen + Infinitiv(gruppe):

Das Kind lernt *laufen*.
Er lernt *die neue Maschine bedienen*.
Er lernt, *die neue Maschine zu bedienen*.
Die Menschen müssen lernen, *ihre Freizeit sinnvoll zu gestalten*.

Eine Infinitivgruppe, die das Subjekt des Satzes bildet, wird nie durch ein Komma abgetrennt, wenn sie am Anfang steht:

Alles verstehen heißt alles verzeihen. *Im Garten arbeiten* ist seine liebste Freizeitbeschäftigung. *Im Garten zu arbeiten* ist seine liebste Freizeitbeschäftigung. (Aber mit Komma: Seine liebste Freizeitbeschäftigung ist es, *im Garten zu arbeiten*.) *Im Winter morgens früh aufzustehen* fällt mir schwer. (Aber mit Komma: Es fällt mir schwer, *im Winter morgens früh aufzustehen*.)

118 Manche Verben, die mit einem anderen Verb im Infinitiv verbunden werden, ersetzen die Form des Partizips II (z. B. im Perfekt) durch den Infinitiv. Das ist immer bei den Modalverben und *brauchen* der Fall (↑ 89):

Das hättest du mir gleich sagen *können* (nicht: *gekonnt*). Sie hätten sich besser informieren *sollen*. Wir haben nicht lange zu warten *brauchen*.

Bei manchen Verben besteht Unsicherheit, ob der Infinitiv oder das Partizip II steht. Bei einigen dieser Verben sind beide Formen möglich; bei anderen ist nur der Infinitiv oder nur das Partizip II korrekt:

Infinitiv	Partizip II
Das habe ich kommen *sehen*.	
Er hat mich rufen *lassen*.	
Sie hat das Buch *liegenlassen*.	Sie hat das Buch *liegengelassen*.
Er hat sein Ende kommen *fühlen*.	Er hat sein Ende kommen *gefühlt*.
Er hat mir den Koffer tragen *helfen*.	Er hat mir den Koffer tragen *geholfen*.
Hat ihn jemand weggehen *hören*?	Hat ihn jemand weggehen *gehört*?
	Ich habe warten *gelernt*.
	Sie hat viel von sich reden *gemacht*.

Das Partizip

119 Das Partizip I (Mittelwort I, früher auch: Mittelwort der Gegenwart) wird gebildet, indem man *-d* an den Infinitiv anfügt:

> kommen-d, weinen-d, blühen-d, lächeln-d.

Im Deutschen kommt das Partizip I nicht in Verbindung mit anderen Verben vor (im Unterschied zu der entsprechenden „Verlaufsform" auf *-ing* im Englischen; vgl. z. B.: *I am reading.* – Im Deutschen nicht möglich: *Ich bin lesend*). Es wird nur als Attribut (Beifügung) zu einem Substantiv und als Artangabe (↑ 447) gebraucht:

> (Attribut:) ein *entgegenkommender* Personenwagen; die im Kreuzungsbereich *geltende* Geschwindigkeitsbegrenzung.
> (Artangabe:) Das Kind lief *weinend* zu seiner Mutter. Er kam *lächelnd* auf sie zu.

120 Das Partizip II (Mittelwort II, früher auch: Mittelwort der Vergangenheit) wird mit verschiedenen Mitteln gebildet. In der Regel erhält es die Vorsilbe *ge-*:

> stellen – ge-stellt, arbeiten – ge-arbeitet, brechen – ge-brochen.

ge- entfällt bei allen Verben, die nicht auf der ersten Silbe betont werden, also

bei untrennbaren Verben:

> bestéllen – bestellt, verárbeiten – verarbeitet, zerbréchen – zerbrochen, übersétzen – übersetzt,

bei Verben auf *-ieren* und einigen anderen:

> studíeren – studiert, trainíeren – trainiert, kassíeren – kassiert, posáunen – posaunt, prophezéien – prophezeit.

ge- entfällt auch bei allen Zusammensetzungen mit Verben dieser beiden Gruppen (auch wenn dann die erste Silbe betont ist):

> vorbestellen – vorbestellt, zurückübersetzen – zurückübersetzt, einstudieren – einstudiert, abkassieren – abkassiert, auspousaunen – auspousaunt.

Bei trennbaren Verben tritt *ge-* zwischen die Vorsilbe und den Verbstamm:

> vorstellen – vorgestellt, anbinden – angebunden, absprechen – abgesprochen, teilnehmen – teilgenommen.

---

121   Die Endung des Partizips II lautet bei den regelmäßigen Verben *-t* (lautliche Besonderheiten ↑ 168), bei den meisten unregelmäßigen Verben *-en*. Bei diesen Verben ändert sich zudem in der Regel der Stammvokal:

> (regelmäßig:) stellen – gestell-t, besetzen – besetz-t
> (unregelmäßig:) brechen – gebroch-en, binden – gebund-en.

 Das Partizip II von *winken* heißt korrekt *gewinkt*:

> Hast du gesehen, wie sie mir *zugewinkt* hat (nicht: *zugewunken* hat)?

Von einigen Verben gibt es sowohl regelmäßige als auch unregelmäßige Partizip-II-Formen. Sie werden meist wie Adjektive gebraucht und haben dann unterschiedliche Bedeutungen oder Gebrauchsweisen:

verwirrt – verworren

verwirrt wird in bezug auf Personen gebraucht und bedeutet „durcheinandergebracht; nicht fähig, klar zu denken":

> Sie waren ganz *verwirrt* von den vielen neuen Eindrücken. Er fuhr hoch und schaute *verwirrt* um sich.

verworren wird in bezug auf eine Sache gebraucht und bedeutet „undurchsichtig, unverständlich":

> Sie lebte in ziemlich *verworrenen* Verhältnissen. Das ist ja völlig *verworren*, was du da erzählst.

gesinnt – gesonnen

gesinnt bedeutet „von einer bestimmten Gesinnung":

> Seine Anhänger sind ihm treu *gesinnt* (nicht: *gesonnen*). Er verkehrt nur unter *Gleichgesinnten* (nicht: *Gleichgesonnenen*).

gesonnen bedeutet „willens, entschlossen":

> Ich bin nicht *gesonnen*, diese Bedingungen zu akzeptieren. Sie war nicht *gesonnen*, ihm nachzugeben.

gespaltet – gespalten

In konkreter Bedeutung sind beide Formen gebräuchlich, wobei *gespalten* häufiger verwendet wird:

> Ihr Haar ist an den Spitzen *gespalten/gespaltet.*

In übertragener Bedeutung ist nur *gespalten* möglich:

> Ich bin in dieser Frage *gespalten*. Die Partei ist in zwei Lager *gespalten.*

Weitere Doppelformen ↑ 113.

122 Das Partizip II wird hauptsächlich in Verbindung mit Hilfsverben verwendet. Es bildet mit diesen Verben zusammen bestimmte Zeitformen und das Passiv:

> er hat *gesagt* (Perfekt), er hatte *gesagt* (Plusquamperfekt), er wird *gesagt* haben (Futur II), es wird *gesagt* (Passiv).

Das Partizip II kann auch wie ein Adjektiv gebraucht werden, und zwar als Attribut (Beifügung) zu einem Substantiv und als Artangabe (↑ 447):

> (Attribut:) ein *geprügelter* Hund, *gebratene* Hähnchen.
> (Artangabe:) Sie dachte *angestrengt* nach. Wir gingen *gestärkt* an die Arbeit.

Nicht alle Partizip-II-Formen können wie ein Adjektiv gebraucht werden. Nicht möglich ist z. B.:

> die gestern *stattgefundene* Versammlung; der 20 Jahre *bestandene* Verein; die bisher *gegoltenen* Bestimmungen; die *zugenommene* Unzufriedenheit.

Das Partizip II kann also in der Regel dann nicht wie ein Adjektiv verwendet werden, wenn das Verb intransitiv ist (d. h. keine Akkusativergänzung haben kann) und das Perfekt mit *haben* bildet:

> (die stattgefundene Versammlung =) die Versammlung, die stattgefunden *hat*. – Dagegen möglich: der übergelaufene Agent = der Agent, der übergelaufen *ist*.

Die Partizip-II-Formen von transitiven Verben können uneingeschränkt wie Adjektive gebraucht werden:

> der *vereinbarte* Termin, die *gelieferte* Ware, die *betroffenen* Personen, ein *angenommenes* Kind.

123 Der Fachausdruck „Partizip" und die deutsche Bezeichnung „Mittelwort" weisen darauf hin, daß Partizipien eine Zwischenstellung zwischen den beiden Wortarten Verb und Adjektiv einnehmen. Einerseits können sie wie ein Verb Ergänzungen und andere Satzglieder bei sich haben (Partizipialgruppe, ↑ 124), andererseits können sie wie ein Adjektiv als Beifügung zu einem Substantiv verwendet und damit dekliniert werden.

Manche Partizipien haben sich so sehr verselbständigt und von der ursprünglichen Verbbedeutung entfernt, daß sie nur noch als Adjektive empfunden werden. Solche Partizipformen können auch Steigerungsformen bilden und in Verbindung mit *sein*, *werden* u. ä. als Artergänzung (↑ 441) verwendet werden:

> (Partizip I:) Die Reise war *anstrengender*, als ich gedacht hatte. Das ist das *spannendste* Buch, das ich kenne. Er wird immer gleich *ausfallend*. Dieser Schluß ist nicht *zwingend*.
> (Partizip II:) Er ist *gewandter* geworden. Du hast immer die *verrücktesten* Ideen. Sie wirkte sehr *gefaßt*. Ich bin *verschwiegen* wie ein Grab.

| 124 | Wenn von einem Partizip andere Wörter oder Wortgruppen abhängen, liegt eine Partizipialgruppe (ein erweitertes Partizip) vor. Die abhängigen Glieder stehen dabei in dem gleichen Fall wie bei dem zugrundeliegenden Verb:

> das *dem Partizip* (Dativ) *zugrundeliegende* Verb = das Verb, das dem Partizip (Dativ) zugrunde liegt; die *des Überfalls* (Genitiv) *verdächtigten* Männer = die Männer, die des Überfalls (Genitiv) verdächtigt werden.

Partizipalgruppen als Artangaben haben fast den Charakter eines Nebensatzes; man spricht deshalb auch von einem Partizipialsatz (↑ 467):

> *Den neuesten Schlager vor sich hinpfeifend*, ging er an die Arbeit (= Er ging an die Arbeit, indem er den neuesten Schlager vor sich hinpfiff). *Den Kopf in die Hand gestützt*, dachte er angestrengt nach (= Er dachte angestrengt nach, wobei er den Kopf in die Hand stützte).

2.6 Die Zeitformen und ihr Gebrauch

| 125 | Man muß unterscheiden zwischen grammatischen Zeitformen des Verbs und inhaltlich bestimmten Zeitstufen.

Für die Zeitformen (der Fachausdruck heißt Tempora, Singular: das Tempus = „die Zeit") verwendet man die lateinischen Bezeichnungen Präsens, Präteritum, Futur usw.

Zeitstufen sind: Gegenwart, Vergangenheit, Zukunft. Was „Gegenwart", „Vergangenheit", „Zukunft" jeweils ist, bestimmt sich vom Sprechzeitpunkt her: Alles Geschehen, das zu dem Zeitpunkt, in dem der Sprecher sich äußert, abgeschlossen ist, gehört der „Vergangenheit" an; was zu diesem Zeitpunkt bereits begonnen hat, ist „Gegenwart", und was im Sprechzeitpunkt noch nicht begonnen hat, gehört in die „Zukunft".

Die Zeitformen des Verbs und die Zeitstufen entsprechen sich nicht immer, d.h., eine Zeitform kann verschiedene Zeitstufen wiedergeben, und eine Zeitstufe kann durch verschiedene Zeitformen ausgedrückt werden; vgl. z. B.:

Zeitform	Zeitstufe	
Präsens	Gegenwart	Frau Schmidt *telefoniert* gerade.
	Zukunft	Bestimmt *kommt* er noch.
	Vergangenheit	Der Chef *sagt* doch gestern zu mir: ...
Präteritum Perfekt	Vergangenheit	Goethe *lebte* von 1749 bis 1832. Wir *sind umgezogen.*

Die Zeitformen des Verbs sind nur e i n – oft nicht ausreichendes – Mittel, mit dem zeitliche Verhältnisse wiedergegeben werden können. Eine wichtige Rolle spielen in diesem Zusammenhang vor allem die Zeitangaben (*gestern, jetzt, nächste Woche, bald* usw.).

126 Im Deutschen gibt es sechs Zeitformen:

Präsens	sie schreibt
Präteritum	sie schrieb
Perfekt	sie hat geschrieben
Plusquamperfekt	sie hatte geschrieben
Futur I	sie wird schreiben
Futur II	sie wird geschrieben haben

Nur das Präsens und das Präteritum sind einfache Verbformen, alle anderen Zeitformen sind mehrgliedrig (sie bilden eine Verbgruppe, ↑ 163). Präsens und Präteritum kommen auch weitaus am häufigsten vor; in der geschriebenen Sprache machen sie zusammen rund 90% aller Zeitformen aus (in der gesprochenen Sprache ist ihr Anteil allerdings geringer, da hier anstelle des Präteritums häufig das Perfekt verwendet wird). Am wenigsten werden die Futurformen, vor allem das Futur II, gebraucht; sie haben nur einen verschwindend geringen Anteil an allen Verbformen.

127 **Das Präsens**

Konjugationsmuster ↑ 166 f.; lautliche Besonderheiten ↑ 168 ff.

Das Präsens kann sich auf die unterschiedlichsten Zeitstufen beziehen. In allen Verwendungsweisen macht der Sprecher mit dem Präsens deutlich, daß das Geschehen für ihn verbindlich ist, ihn etwas angeht.

Im einzelnen kann das Präsens ausdrücken:

ein gegenwärtiges Geschehen:

> Was *machst* du da? Ich *suche* eine Rechnung. Sie *stellen* den Betrieb auf EDV *um*. Herr Meier *ist* zur Zeit in Urlaub.

allgemeine Gültigkeit:

> Drei mal drei *ist* neun. Wasser *kocht* bei 100°C. In der Kürze *liegt* die Würze. Wer einmal *lügt*, dem *glaubt* man nicht.

ein zukünftiges Geschehen:

> Morgen *beginne* ich ein neues Leben. Wir *fahren* nächstes Jahr wieder nach Spanien. Sie *kommt* schon noch. In ein paar Monaten *spricht* niemand mehr davon.

Der Zukunftsbezug wird meist durch entsprechende Zeitangaben (*morgen, nächstes Jahr* usw.) deutlich gemacht.

ein vergangenes Geschehen:

> Am 20. Juli 1969 *landen* die ersten Menschen auf dem Mond. Schalke 04 *schlägt* Werder Bremen 3:2. D-Zug *überfährt* Haltesignal: 3 Tote.
> Als ich heute morgen in die Stadt fuhr, *kommt* doch auf einmal einer von links aus einer Seitenstraße geschossen und *nimmt* mir die Vorfahrt; ich konnte gerade noch im letzten Moment bremsen.

Wenn das Präsens anstelle des Präteritums (oder Perfekts) gebraucht wird, spricht man von „historischem Präsens". Es wird verwendet, um ein bereits vergangenes Geschehen zu „vergegenwärtigen", es lebendiger und unmittelbarer darzustellen.

Das Präteritum

128 (Die früher gebräuchliche Bezeichnung „Imperfekt" wird heute nicht mehr verwendet.)

Die regelmäßigen Verben bilden das Präteritum mit *t* zwischen dem Stamm und den Endungen; die meisten unregelmäßigen

Verben wechseln im Präteritum den Stammvokal, die 1. und die 3. Person Singular sind endungslos:

> (regelmäßig:) ich frag-t-e, du frag-t-est, er frag-t-e, ...
> (unregelmäßig:) ich kam, du kam-st, er kam, ...

Konjugationsmuster ↑ 166 f.; lautliche Besonderheiten ↑ 168.

Manche Verben haben im Präteritum regelmäßige und unregelmäßige Formen; ↑ 113.

backen hat heute nur noch die regelmäßige Präteritumform *backte*; die ursprüngliche Form *buk* ist nicht mehr gebräuchlich:

> Sie *backte* drei Kuchen für den Geburtstag.

Das Präteritum von *fragen* heißt *fragte* (nicht: *frug*):

> Sie *fragte* mich nach dem Weg zur Post.

Das Präteritum von *schwören* lautet *schwor* (nicht: *schwörte*):

> Er *schwor* ihr ewige Treue. – Ebenso im Partizip II: Er hat tausend Eide *geschworen* (nicht: *geschwört*).

Die Nebenform *schwur* ist veraltet.

129 Das Präteritum schildert ein Geschehen als vergangen, in der Vergangenheit verlaufend. Es ist die typische Zeitform der Erzählung und des Berichts, vor allem in der geschriebenen Sprache:

> Es *war* einmal ein König, der *hatte* drei Töchter. Nach dem Hauptschulabschluß *begann* ich eine Lehre als Kfz-Mechaniker. Im Jahre 800 *wurde* Karl der Große zum Kaiser *gekrönt*. Der Präsident *besuchte* auf seiner Afrikareise vier Staaten.

In der gesprochenen Umgangssprache, besonders in Süddeutschland, wird anstelle des Präteritums sehr oft das Perfekt gebraucht.

Manchmal wird das Präteritum auch verwendet, um unausgesprochene Gedanken einer Person zu kennzeichnen (man spricht von „erlebter Rede"):

> Er ging unruhig im Zimmer auf und ab. Warum *kamen* sie denn nicht? Was *sollte* er jetzt bloß tun? *Sollte* er die Polizei anrufen, oder *war* es besser, noch zu warten? (= Er dachte: Warum kommen sie denn nicht? Was soll ich jetzt bloß tun? ...)

Das Perfekt

 Das Perfekt wird mit den Präsensformen des Hilfsverbs *haben* oder *sein* und dem Partizip II gebildet:

> ich habe gelacht, du hast gelacht, …
> ich bin gegangen, du bist gegangen, …

Es gibt auch einen Infinitiv Perfekt:

> gelacht haben; gegangen sein.

Konjugationsmuster ↑ 166 f.

 In der Umgangssprache und in Mundarten werden zuweilen Perfektformen mit zusätzlichem *gehabt* verwendet. Dieses „doppelte Perfekt", das meist als Ersatz für das Plusquamperfekt steht, ist nicht korrekt. Es heißt also z. B.:

> Er hat es wieder getan, obwohl ich ihn mehrmals *gewarnt hatte* (nicht: *gewarnt gehabt habe*).

131 Die meisten Verben bilden das Perfekt mit *haben*, so z. B. alle transitiven Verben (= Verben mit Akkusativergänzung):

> Er *hat* mich gestern *angerufen*. Sie *hat* endlich Arbeit *gefunden*. *Hast* du den Wagen in die Garage *gefahren*?

Intransitive Verben bilden das Perfekt teils mit *haben*, teils mit *sein*. Grundsätzlich gilt folgende Verteilung:

Perfekt mit *haben*	Perfekt mit *sein*
intransitive Verben, die einen Zustand oder ein Geschehen in seiner Dauer ausdrücken:	intransitive Verben, die eine Zustands- oder Ortsveränderung bezeichnen:
Wir *haben* früher in Bochum *gewohnt*.	Er *ist* nach Bochum *gefahren*.
Ich *habe* die ganze Nacht nicht *geschlafen*.	Erst gegen Morgen *bin* ich *eingeschlafen*.
Dort *hat* der Flieder noch *geblüht*.	Hier *ist* der Flieder schon *verblüht*.
Im Urlaub *haben* wir viel *geschwommen*.	Einmal *sind* wir bis zu der Insel *geschwommen*.

Es ist jedoch festzustellen, daß die Perfektbildung mit *sein* zunimmt. Sie kommt bei einigen Bewegungsverben auch dann vor, wenn gar keine Ortsveränderung ausgedrückt werden soll. So wird heute z. B. schon oft gesagt:

> Wir *sind* (statt: *haben*) den ganzen Nachmittag *geschwommen / gerudert / gesegelt / geritten.*

132 Bei *liegen, sitzen, stehen* ist die Perfektbildung landschaftlich verschieden. In Norddeutschland gelten die Formen mit *haben*:

> Ich *habe* schon im Bett *gelegen.* Er *hat* ganz traurig in der Ecke *gesessen.* Wir *haben* stundenlang im Regen *gestanden.*

In Süddeutschland sind die Formen mit *sein* üblich:

> Ich *bin* schon im Bett *gelegen.* Er *ist* ganz traurig in der Ecke *gesessen.* Wir *sind* stundenlang im Regen *gestanden.*

133 Das Perfekt wird verwendet, um ein abgeschlossenes Geschehen oder einen erreichten Zustand darzustellen. Ähnlich wie das Präsens und im Unterschied zum Präteritum zeigt das Perfekt an, daß der Sprecher an dem Geschehen Anteil nimmt. So sagt man z. B. nach einem siegreichen Spiel:

> Wir *haben gewonnen*! (und nicht: Wir *gewannen*!),

oder die Mutter fragt ihr Kind:

> *Hast* du dir die Zähne *geputzt*? (Nicht: *Putztest* du dir die Zähne?)

Das Perfekt ist deshalb vor allem in der gesprochenen Umgangssprache üblich, in der zumeist über Geschehnisse gesprochen wird, die den Sprechern gerade wichtig sind.

In den meisten Fällen gibt das Perfekt ein vergangenes Geschehen wieder:

> Ich *habe* ihn vor einem halben Jahr das letzte Mal *gesehen.* Er *ist* in eine andere Stadt *gezogen.* Wir *haben geheiratet.* Wie *ist* die Zeit *vergangen*!

Der Sprecher kann sich mit dem Perfekt aber auch auf ein Geschehen beziehen, das erst in der Zukunft vollendet sein wird:

> Wetten, daß er morgen alles wieder *vergessen hat*? Gleich *haben* wir es *geschafft.* Bis heute abend *haben* Sie die Sache in Ordnung *gebracht*!

134 Das Plusquamperfekt

Das Plusquamperfekt wird mit den Präteritumformen des
Hilfsverbs *haben* oder *sein* und dem Partizip II gebildet:

ich hatte gelacht, du hattest gelacht, ...
ich war gegangen, du warst gegangen, ...

Konjugationsmuster ↑ 166 f.
Für die Bildung mit *haben* oder *sein* gilt das gleiche wie beim
Perfekt (↑ 131 f.).

Das Plusquamperfekt wird verwendet, um ein in der Vergangenheit abgeschlossenes Geschehen darzustellen. Es wird sehr häufig in Verbindung mit dem Präteritum (oder Perfekt) gebraucht
und drückt dann aus, daß ein Geschehen zeitlich vor einem anderen liegt („Vorzeitigkeit", „Vorvergangenheit"):

Sie gab zu, daß sie sich *geirrt hatte*. Als er endlich kam, *waren*
seine Freunde schon *gegangen*. Ich *hatte* es mir zwar ganz anders *vorgestellt*, aber es hat mir trotzdem gefallen.

 Manchmal werden Plusquamperfektformen gebraucht,
die gar keine Vorzeitigkeit gegenüber einem anderen Geschehen ausdrücken, etwa:

(Was hast du gestern abend gemacht? –) Ich *war* im Kino *gewesen*.

Solche Mischformen aus Perfekt und Präteritum gelten
als nicht korrekt; es muß heißen:

Ich *war* im Kino. Oder: Ich *bin* im Kino *gewesen*.

135 Das Futur I

Das Futur I wird mit den Präsensformen des Hilfsverbs
werden und dem Infinitiv gebildet:

ich werde kommen, du wirst kommen, ...

Konjugationsmuster ↑ 166 f.

Das Futur hat insofern etwas mit „Zukunft" zu tun, als es eine
Erwartung des Sprechers zum Ausdruck bringt. Je nachdem,
worauf sich die Erwartung richtet, können die Formen des Futurs I ausdrücken:

eine Ankündigung, Voraussage (Erwartung eines künftigen Geschehens):

> Das Kabinett *wird* noch heute einen Beschluß *fassen*. Tagsüber *wird* es *regnen*, die Temperaturen *werden* zwischen 10° im Norden und 15° im Süden *liegen*.

eine Absicht, ein Versprechen (Erwartung an sich selbst):

> Ich *werde* pünktlich da *sein*. Das *wird* nicht wieder *vorkommen*.

eine nachdrückliche Aufforderung (Erwartung an die angesprochene Person):

> Du *wirst* dich sofort *entschuldigen*! Ihr *werdet* jetzt auf der Stelle ins Bett *gehen*!

Der Sprecher kann sich mit dem Futur I aber auch auf Gegenwärtiges beziehen. Er spricht dann eine Vermutung aus und zugleich die Erwartung, daß sich seine Annahme als richtig erweisen wird:

> Sie *wird* schon längst zu Hause *sein*. Ein paar Mark *wirst* du doch noch *haben*.

136 Das Futur II

Das Futur II wird mit den Präsensformen des Hilfsverbs *werden* und dem Infinitiv Perfekt gebildet:

> ich werde gekommen sein; du wirst gelacht haben.

Konjugationsmuster ↑ 166 f.

Das Futur II vereinigt in sich die Bedeutung des Perfekts (Vollzug, Vollendung) und des Futurs (Erwartung). Es kann also ein Geschehen ausdrücken, das zu einem künftigen Zeitpunkt vollendet sein wird („vollendete Zukunft"):

> Bis morgen *werde* ich mir die Sache *überlegt haben*. Bald *werden* wir es *geschafft haben*.

In dieser Verwendung ist das Futur II sehr selten; es wird meist durch das Perfekt (mit „futurischen" Zeitangaben) ersetzt (↑ 133):

> Bis morgen *habe* ich mir die Sache *überlegt*. Bald *haben* wir es *geschafft*.

Häufiger wird das Futur II verwendet, um eine Vermutung über vergangenes Geschehen auszudrücken:

> Es *wird* schon nicht so schlimm *gewesen sein*. Sie *werden* mich für verrückt *gehalten haben*.

2.7 Die Aussageweise
(Indikativ, Konjunktiv, Imperativ)

137

Bestimmte Verbformen zeigen an, wie der Sprecher seine Äußerung verstanden wissen will. Wenn er z. B. sagt *Hanna kommt gleich.*, geht er davon aus, daß Hanna wirklich kommen wird; wenn er dagegen äußert *Es wäre schön, wenn Hanna käme.*, drückt er u. a. aus, daß es nicht sicher, sondern nur möglich ist, daß sie kommt; und wenn er sagt *Hanna, komm mal her!*, spricht er eine Aufforderung aus.

Verbformen wie *(sie) kommt, (sie) käme, komm!* zeigen also die „Aussageweise" eines Satzes an (der lateinische Fachausdruck dafür heißt Modus = „Art und Weise", Plural: Modi).

Die Bezeichnungen für die drei Aussageweisen lauten:

Indikativ (Wirklichkeitsform)	er kommt, ich kam, wir sind gekommen
Konjunktiv (Möglichkeitsform)	er komme, ich käme, wir wären gekommen
Imperativ (Befehlsform)	komm!, kommt!

138

Der Indikativ
Konjugationsmuster ↑ 166 f.; lautliche Besonderheiten ↑ 168 ff.

Der Indikativ (die Wirklichkeitsform) ist die Grund- oder Normalform sprachlicher Äußerungen; er stellt einen Sachverhalt als gegeben dar. Das muß nicht bedeuten, daß es sich um ein reales, wirkliches Geschehen handelt. Vielmehr werden auch „unwirkliche" Begebenheiten (etwa in Träumen oder in Märchen) im Indikativ formuliert:

> Ich stürzte in ein tiefes, schwarzes Loch – und wachte auf. Und als der Bär bei ihnen war, fiel plötzlich die Bärenhaut ab, und er stand da als ein schöner Mann und war ganz in Gold gekleidet.

Wichtig ist, daß der Sprecher mit dem Indikativ etwas als gegeben hinstellt, daß er Geltung für seine Äußerung beansprucht.

Der Konjunktiv

139

Die allgemeine Bedeutung des Konjunktivs (der Möglichkeitsform) läßt sich grob so zusammenfassen: Der Sprecher behauptet nicht etwas, sondern stellt es als möglich oder nicht wirklich dar. Im einzelnen können die Konjunktivformen sehr Unterschiedliches ausdrücken; man unterscheidet drei Hauptgebrauchsweisen:

Der Konjunktiv dient zum Ausdruck von Wünschen, Anweisungen u. ä. (↑ 143):

> Das *wolle* Gott verhüten! Man *nehme* 200 g Butter, ...

Der Konjunktiv drückt aus, daß etwas nicht tatsächlich der Fall, sondern nur vorgestellt ist (↑ 144):

> Er lief, als ob der Teufel hinter ihm her *wäre*.

Der Konjunktiv zeigt an, daß eine fremde Äußerung wiedergegeben wird (indirekte Rede, ↑ 145ff.):

> Sie sagt, sie *habe/hätte* jetzt keine Zeit.

Die Konjunktivformen

140 Man unterscheidet nach der Bildung und Verwendung zwei Konjunktive: Konjunktiv I und Konjunktiv II.

Der Konjunktiv I wird vom Präsensstamm des Verbs gebildet:

> Indikativ Präsens: er geh-t
> Konjunktiv I: er geh-e

Der Konjunktiv II wird vom Präteritumstamm gebildet:

> Indikativ Präteritum: er ging
> Konjunktiv II: er ging-e

Die beiden Konjunktivformen *(er gehe, er ginge)* drücken jedoch nicht unterschiedliche zeitliche Verhältnisse aus (deshalb spricht man auch nicht mehr von „Konjunktiv der Gegenwart" und „Konjunktiv der Vergangenheit", sondern von „Konjunktiv I" und „Konjunktiv II"). Beide Konjunktive treten aber in verschiedenen Zeitformen auf:

	Konjunktiv I	Konjunktiv II
Präsens	er gehe	
Präteritum		er ginge
Perfekt	er sei gegangen	
Plusquamperfekt		er wäre gegangen
Futur I	er werde gehen	
Futur II	er werde gegangen sein	

Neben diesen beiden Konjunktiven gibt es den Konjunktiv mit *würde*. Die *würde*-Form ist aus den Konjunktiv-II-Formen von *werden* und dem Infinitiv Präsens bzw. Perfekt gebildet:

> er würde gehen, er würde gegangen sein.

Konjugationsmuster für den Konjunktiv ↑ 166 f.

141 Viele Konjunktivformen sind nicht eindeutig, d. h. sie unterscheiden sich nicht von den entsprechenden Indikativformen. Die folgende Tabelle zeigt in einem Ausschnitt, wo gleichlautende Formen besonders häufig vorkommen:

		Indikativ Präsens	Konjunktiv I	Indikativ Präteritum	Konjunktiv II
regelmäßiges Verb	ich	*frage*	*frage*	*fragte*	*fragte*
	du	fragst	fragest	*fragtest*	*fragtest*
	er sie es	fragt	frage	*fragte*	*fragte*
	wir	*fragen*	*fragen*	*fragten*	*fragten*
	ihr	fragt	fraget	*fragtet*	*fragtet*
	sie	*fragen*	*fragen*	*fragten*	*fragten*
unregelmäßiges Verb	ich	*trage*	*trage*	trug	trüge
	du	trägst	tragest	trugst	trügest
	er sie es	trägt	trage	trug	trüge
	wir	*tragen*	*tragen*	trugen	trügen
	ihr	tragt	traget	trugt	trüget
	sie	*tragen*	*tragen*	trugen	trügen

Für nicht eindeutige Konjunktivformen können in bestimmten Fällen Ersatzformen gebraucht werden (↑ 147, 150 f.).

142 Besonderheiten bei den Formen des Konjunktivs II

Bei den unregelmäßigen Verben, die im Präteritum den Stammvokal *a*, *o* oder *u* haben, wird der Vokal im Konjunktiv II zu *ä*, *ö*, *ü* umgelautet:

> nahm – nähme, verlor – verlöre, trug – trüge.

Der Konjunktiv II von *brauchen* lautet *brauchte* (nicht: *bräuchte*), da *brauchen* ein regelmäßiges Verb ist und regelmäßige Verben im Konjunktiv II keinen Umlaut haben. Es heißt also z. B.:

> Ich würde dich nicht um das Geld bitten, wenn ich es nicht dringend *brauchte*.

Bei einigen unregelmäßigen Verben wird im Konjunktiv II nicht der Vokal des Indikativs Präteritum umgelautet, sondern es steht ein anderer Umlaut:

> warf – würfe, starb – stürbe, half – hülfe.

Bei manchen dieser Verben sind zwei Konjunktivformen möglich, z. B.:

> ich half – ich hülfe / ich hälfe
> sie begannen – sie begönnen / sie begännen.

Im folgenden sind die wichtigsten Verben aufgelistet, die im Konjunktiv II einen anderen Umlaut oder Doppelformen aufweisen. Von den Doppelformen ist die jeweils erste Form gebräuchlicher als die zweite.

	Indikativ Präteritum	Konjunktiv II
befehlen	er befahl	er beföhle / befähle
beginnen	er begann	er begänne / begönne
empfehlen	er empfahl	er empföhle / empfähle
gelten	er galt	er gälte / gölte
gewinnen	er gewann	er gewänne / gewönne
helfen	er half	er hülfe / hälfe
rinnen	er rann	er ränne / rönne
schwimmen	er schwamm	er schwömme / schwämme
schwören	er schwor	er schwüre / schwöre
spinnen	er spann	er spönne / spänne
stehen	er stand	er stünde / stände
stehlen	er stahl	er stähle / stöhle
sterben	er starb	er stürbe
verderben	er verdarb	er verdürbe
werfen	er warf	er würfe

Allgemein ist zu sagen, daß viele dieser Formen sehr selten gebraucht werden; sie klingen für die meisten Sprecher des Deutschen altertümlich oder geziert und werden deshalb weitgehend durch die *würde*-Form ersetzt (↑ 150).

Der Gebrauch des Konjunktivs

| 143 | Der Konjunktiv I als Ausdruck des Wunsches und der Aufforderung |

Diese Verwendungsweise des Konjunktivs ist relativ selten. Sie findet sich noch am häufigsten in festen Formeln und Redewendungen:

> Gott *sei* Dank! Sie *lebe* hoch! Drum *prüfe*, wer sich ewig bindet, ... Das *sei* ferne von mir! Er *ruhe* in Frieden.

Kaum noch gebräuchlich ist der Konjunktiv I heute in Anweisungstexten wie z. B. Kochrezepten, Medikamentenbeilagen, Bau- und Bastelanleitungen u. ä. Die „Aufforderung" wird meist durch andere sprachliche Mittel, z. B. den Infinitiv oder den Imperativ (die Befehlsform) ausgedrückt:

> Man *vermische* alle Zutaten und knete sie zu einem glatten Teig (= Alle Zutaten vermischen und zu einem glatten Teig kneten). Man *schlucke* die Dragees unzerkaut mit Flüssigkeit (= Dragees unzerkaut mit Flüssigkeit schlucken). Man *bohre* an den vorgezeichneten Stellen Löcher und *schraube* die Teile zusammen (= Bohren Sie an den vorgezeichneten Stellen Löcher, und schrauben Sie die Teile zusammen).

| 144 | Der Konjunktiv II als Ausdruck der Nichtwirklichkeit |

Der Konjunktiv II wird vor allem verwendet, wenn der Sprecher ausdrücken will, daß er sich etwas nur vorstellt, daß etwas nicht wirklich der Fall („irreal") ist:

> (Kinder beim Spiel:) Du *wärst* der Vater, ich *wär'* die Mutter; wir *hätten* gerade ein Baby bekommen. Das *hätte* auch schiefgehen können! Heute *wäre* ich fast zu spät gekommen. Man *müßte* noch mal zwanzig sein. Du *hättest* mir wenigstens Bescheid sagen können.

Besonders häufig steht der Konjunktiv II in Sätzen der folgenden Art:

> Wenn ich Zeit gehabt *hätte*, *wäre* ich mitgekommen. Wenn ich Zeit *hätte*, *käme* ich mit (oder: *würde* ich mitkommen).

Solche „irrealen Bedingungssätze" drücken aus, daß etwas nur unter einer bestimmten Bedingung zutrifft, daß diese Bedingung aber nicht erfüllt ist und deshalb auch das Geschehen nicht eintritt:

> *Wenn ich Zeit hätte* – ich habe aber keine Zeit –, *käme ich mit* – ich komme aber nicht mit.

Auch in sogenannten „irrealen Vergleichssätzen" (↑ 478) wird der Konjunktiv II (seltener auch der Konjunktiv I) gebraucht:

> Er rannte, als wenn es um sein Leben *ginge*. Sie tat, als *hätte* sie nichts gemerkt. Mir war auf einmal, als ob sich alles um mich *drehte*.

Formen des Konjunktivs II finden sich außerdem oft in Äußerungen, die nicht eigentlich etwas Unwirkliches ausdrücken:

> *Hätten* Sie einen Moment Zeit für mich? *Könnte* ich Sie nachher kurz sprechen? *Würdest* du mir bitte mal das Salz geben? *Wären* Sie so nett, in einer halben Stunde noch mal anzurufen? Ich *würde* sagen / meinen / dafür plädieren, daß ...

Sätze dieser Art drücken eine höfliche Aufforderung (in Form einer Frage) oder eine vorsichtige Feststellung aus. Der Sprecher möchte nicht zu direkt werden; er läßt sozusagen dem Hörer die Möglichkeit, seine Bitte oder Meinung abzulehnen.

Der Konjunktiv in der indirekten Rede

145 Der Konjunktiv ist das Hauptkennzeichen der indirekten (berichteten) Rede. Im Unterschied zur direkten (wörtlichen) Rede wird in der indirekten Rede eine fremde (oder frühere eigene) Äußerung nicht wörtlich angeführt, d.h. so wie der ursprüngliche Sprecher sie gemacht hat, sondern sie wird vom Standpunkt des berichtenden Sprechers aus wiedergegeben:

> (indirekte Rede:) Der Zeuge sagte, er *könne* sich nicht mehr genau an die Uhrzeit erinnern.
> (direkte Rede:) Der Zeuge sagte: „Ich *kann* mich nicht mehr genau an die Uhrzeit erinnern."

Die indirekte Rede wird meist durch ein Verb des Sagens (auch Fragens) oder Denkens oder durch entsprechende Substantive eingeleitet, z. B.:

> (redeeinleitende Verben:) sagen, äußern, aussagen, behaupten, erklären, versichern, erzählen, berichten, fragen, antworten, denken, glauben, meinen:
>
> Er versicherte, daß er kein Geld dafür erhalten habe. Sie fragte, wer das gewesen sei. Sie glaubten immer, sie könnten alles besser.
>
> (redeeinleitende Substantive:) Äußerung, Aussage, Behauptung, Erklärung, Versicherung, Frage, Antwort, Glaube, Meinung:

> Ich halte seine Versicherung, daß er kein Geld dafür erhalten
> habe, für glaubhaft. Ihre Frage, wer das gewesen sei, blieb un-
> beantwortet. Laß sie doch in ihrem Glauben, sie könnten alles
> besser.

Die indirekte Rede kann aber auch als selbständiger Satz auftreten, vor allem wenn mehrere zusammenhängende Äußerungen
wiedergegeben werden:

> Der Zeuge sagte bei seiner Vernehmung aus, er *könne* sich nicht
> mehr genau an die Uhrzeit *erinnern*. Es *müsse* gegen Mitter-
> nacht gewesen sein. Er *habe* gerade schlafen gehen wollen.
> Plötzlich *seien* vor seinem Fenster drei Schüsse gefallen. Er
> *habe* ein Auto wegfahren hören, aber niemanden mehr gese-
> hen.

| 146 | Konjunktiv I in der indirekten Rede |

Als Grundregel gilt – zumindest für die geschriebene
Sprache –, daß die indirekte Rede im Konjunktiv I stehen sollte.
Dabei ist die Zeitform des Verbs in der indirekten Rede unab-
hängig von der Zeitform, in der das Verb des redeeinleitenden
Satzes steht. So heißt es beispielsweise

> Er *sagt*, er *könne* sich nicht erinnern,

und ebenso bei Präteritum in der Redeeinleitung:

> Er *sagte*, er *könne* sich nicht erinnern.

Die indirekte Rede steht immer in derselben Zeit wie die entsprechende direkte Rede:

Direkte Rede:	*„Kann* ich drei Tage Urlaub bekommen?"
Indirekte Rede:	
Sie fragt Sie fragte Sie hat gefragt Sie hatte gefragt Sie wird fragen Sie wird gefragt haben	, ob sie drei Tage Urlaub bekommen *könne*.

| Direkte Rede: | „Ich *habe* nichts davon *gewußt.*" / „Ich *wußte* nichts davon." |

Indirekte Rede:

| Er behauptet
Er behauptete
Er hat behauptet
Er hatte behauptet
Er wird behaupten
Er wird behauptet haben | }, er *habe* nichts davon *gewußt.* |

| Direkte Rede: | „Ich *werde* nicht *zurücktreten.*" |

Indirekte Rede:

| Er erklärt
Er erklärte
Er hat erklärt
Er hatte erklärt
Er wird erklären
Er wird erklärt haben | }, daß er nicht *zurücktreten werde.* |

147 Konjunktiv II in der indirekten Rede

Wenn der Konjunktiv I mit dem Indikativ gleichlautet, wird in der indirekten Rede der Konjunktiv II verwendet, um Unklarheiten oder Mißverständnisse zu vermeiden. Vgl. z. B.:

> Der Kanzler äußerte sich zufrieden über den Verlauf der Konferenz. Die Gespräche *haben* in einer freundschaftlichen Atmosphäre stattgefunden; die Verhandlungen *haben* gute Fortschritte gemacht.

Hier bleibt durch die *haben*-Formen, die sowohl Indikativ Perfekt wie Konjunktiv I Perfekt sein können, unklar, ob der Journalist eine Äußerung des Kanzlers wiedergibt oder ob er seine eigene Meinung zu dem Geschehen berichtet. Erst wenn es heißt

> ... Die Gespräche *hätten* in einer freundschaftlichen Atmosphäre stattgefunden; die Verhandlungen *hätten* gute Fortschritte gemacht,

ist eindeutig, daß indirekte Rede vorliegt.

Der Konjunktiv II wird aber auch, besonders in der gesprochenen Sprache, häufig dann verwendet, wenn an sich eindeutige Formen des Konjunktivs I zur Verfügung stehen:

> Er sagt, er *wüßte* (statt: *wisse*) den Weg. Sie behaupten, sie *wären* (statt: *seien*) schon mal dort gewesen. Sie meint immer, daß sie Recht *hätte* (statt: *habe*). Der Arzt hat gesagt, ich *dürfte* (statt: *dürfe*) aufstehen, aber ich *müßte* (statt: *müsse*) mich noch schonen.

In solchen Fällen kann der Gebrauch des Konjunktivs II bedeuten, daß der Sprecher die Wahrheit der berichteten Äußerung bezweifelt. Ein Satz wie

> Er sagt, er wüßte den Weg.

wäre also etwa zu umschreiben mit

> Er behauptet, den Weg zu wissen; aber das glaube ich nicht.

Meist werden jedoch Formen des Konjunktivs II in der indirekten Rede ohne besondere Absicht verwendet; sie sind zu reinen Ersatzformen für den Konjunktiv I geworden, der als Zeichen „gehobener Sprache" oder gar als geziert empfunden wird.

148 Indikativ in der indirekten Rede

Häufig wird, vor allem in der gesprochenen Sprache, auch ganz auf den Konjunktiv in der indirekten Rede verzichtet und statt dessen der Indikativ gesetzt:

> Er hat erklärt, daß er für niemanden zu sprechen *ist*. Sie konnten nicht sagen, wie lange die Sitzung noch dauern *wird*. Die Firma hat angefragt, wann sie die Ware liefern *soll*.

Dieser Gebrauch des Indikativs statt des Konjunktivs führt nicht zu Mißverständnissen. Wenn jedoch eine Einleitung mit *daß* oder einem Fragewort fehlt, muß der Konjunktiv stehen, da er hier das einzige Kennzeichen dafür ist, daß indirekte Rede vorliegt:

> Er hat erklärt, er *sei* (nicht: *ist*) für niemanden zu sprechen.

Zum Gebrauch der *würde*-Form

149 Die *würde*-Form hat sich weitgehend zu einer Art „Einheitskonjunktiv" entwickelt; viele Sprecher ersetzen damit praktisch alle Formen des Konjunktivs I und des Konjunktivs II. Hier sollte jedoch genauer unterschieden werden.

Der Gebrauch der *würde*-Form ist völlig korrekt in Sätzen, die etwas Nichtwirkliches und Zukünftiges ausdrücken:

> Wenn ich genug Geld hätte, *würde* ich mir ein Motorrad *kaufen*. Das *würde* ich an deiner Stelle nicht *tun*! Wenn wir um sechs Uhr *losfahren würden*, könnten wir es noch schaffen.

150 Darüber hinaus kann die *würde*-Form als Ersatz für den Konjunktiv II gebraucht werden, wenn die Formen des Konjunktivs II nicht eindeutig sind, also mit dem Indikativ gleichlauten:

> Wenn er es wüßte, *würde* er es uns *sagen* (statt: ..., *sagte* er es uns). Ich *würde* ihm nicht *glauben* (statt: Ich *glaubte* ihm nicht). Das *würde* mich *freuen* (statt: Das *freute* mich).

Die *würde*-Form wird auch verwendet, wenn der Konjunktiv II eine ungebräuchliche, altertümlich wirkende Form ist (↑ 142):

> Ich *würde* dir *helfen* (statt: ich *hülfe* dir), wenn ich könnte. Es wäre zu schön,wenn wir *gewinnen würden* (statt: *gewännen/gewönnen*)! Die Umweltbelastung wäre geringer, wenn die Menschen nicht so viel Abfall in die Natur *werfen würden* (statt: *würfen*).

Allerdings sollte man nach Möglichkeit eine Häufung von *würde*-Formen vermeiden. So gilt es vor allem als unschön, wenn die *würde*-Umschreibung im Haupt- und im Nebensatz eines Satzgefüges verwendet wird. Nicht immer wird sich ein solches doppeltes *würde* vermeiden lassen (wenn man sich nicht „gewählt" ausdrücken möchte); vgl. z. B.:

> Wenn du sie *kennen würdest* (statt: kenntest), *würdest* du sie anders *beurteilen* (statt: beurteiltest du ...).

Oft kann man sich aber durch eine etwas andere Formulierung helfen, z. B. durch Modalverben:

> Wenn er mich fragen *sollte*, *würde* ich sofort ja sagen. Statt: Wenn er mich fragen *würde*, *würde* ich sofort ja sagen.

In solchen Bedingungssätzen ist es zudem nicht erforderlich, daß in beiden Teilsätzen eindeutige Formen des Konjunktivs II stehen. Es könnte also z. B. auch heißen:

> Wenn er mich *fragte*, würde ich sofort ja sagen,

da aus dem Zusammenhang hervorgeht, daß *fragte* hier als Konjunktiv II (und nicht als Indikativ Präteritum) gemeint ist.

Unnötig und überflüssig ist die *würde*-Umschreibung in allen Fällen, in denen eindeutige und geläufige Formen des Konjunktivs II vorhanden sind, wie z. B.: *wäre, hätte, käme, wüßte, läge, ginge, liefe, schriebe* usw. So sollten vor allem nicht Konjunktivformen wie *er hätte gesagt, wir wären gegangen* durch die schwerfällige Umschreibung mit *würde* ersetzt werden. Es heißt richtig:

> Wenn du mir rechtzeitig Bescheid *gesagt hättest* (n i c h t : *gesagt haben würdest*), wäre das nicht passiert. Sie wäre immer noch nicht fertig, wenn wir ihr nicht *geholfen hätten* (n i c h t : *geholfen haben würden*).

151 In der indirekten Rede sollte die *würde*-Form nur dann gebraucht werden, wenn in der wiedergegebenen Äußerung ein zukünftiges Geschehen oder etwas Irreales ausgedrückt wird, wenn also in der entsprechenden direkten Rede das Futur oder der Konjunktiv II steht:

> (*würde*-Form als Ersatz für nicht eindeutige Formen des Konjunktivs I Futur:) Sie sagen, sie *würden* (statt: *werden*) gleich nachkommen. Ich habe ihr versprochen, ich *würde* (statt: *werde*) sie morgen wieder anrufen.

> (*würde*-Form zum Ausdruck der Irrealität:) Er hat immer wieder beteuert, er *würde* sich freuen, wenn wir mitkämen. Aber nur: Als wir seine Einladung annahmen, sagte er, er *freue* sich (nicht: ... er *würde* sich *freuen*). Sie sagt, sie *würde* gern wieder arbeiten, wenn sie eine Stelle fände. Aber nur: Der Schriftsteller sagte in dem Interview, er *arbeite* gerade an einem neuen Buch (nicht: er *würde* ... *arbeiten*).

Unabhängig von dieser Regel kann die *würde*-Form in der indirekten Rede verwendet werden, wenn sowohl die entsprechenden Formen des Konjunktivs I wie des Konjunktivs II ungebräuchlich oder uneindeutig sind:

> Sie sagt, sie *würde* ihn gut *kennen* (statt: *kenne*; *kennte*). Ich hatte gedacht, hier *würden* die gleichen Regeln wie bei uns *gelten* (statt: *gelten*; *gälten/gölten*).

Der Imperativ

152 Mit dem Imperativ (der Befehlsform) fordert der Sprecher jemanden zu etwas auf:

komm!, kommt!, kommen Sie!

Die Aufforderung kann im einzelnen sehr Unterschiedliches bedeuten: Befehl, Verbot, Anweisung, Empfehlung, Rat, Wunsch, Bitte, Mahnung, Warnung u. ä. Sie ist immer direkt an eine Person gerichtet; deshalb tritt der Imperativ nur in der 2. Person (Singular und Plural) und in der Höflichkeitsform mit *Sie* auf.

Neben den Imperativformen gibt es andere sprachliche Mittel, eine Aufforderung auszudrücken (↑ 496).

153 Der Imperativ wird vom Präsensstamm des Verbs gebildet. Er hat im Singular im allgemeinen die Endung *-e*, die aber meist – vor allem in der gesprochenen Sprache – wegfällt; die endungslose Form wird ohne Apostroph (Auslassungszeichen) geschrieben:

> *Wasch* dich, *putz* dir die Zähne, und *zieh* dich an (nicht: *Wasch'* dich, ...)! *Komm* nicht so spät! *Hol* mir bitte mal ein Bier aus dem Kühlschrank! *Beeil* dich! *Sag* das nicht noch einmal!

Bei manchen Verben muß jedoch das Endungs-*e* stehen:

> *Rechne* das noch mal nach! *Atme* tief durch! *Achte* auf deine Kleidung! *Rette* mich! *Sammle* das alles wieder auf! *Trauere* ihm nicht nach!

Einige unregelmäßige Verben wechseln im Präsens zwischen dem Stammvokal *e* und *i* (*ie*) (↑ 172), z. B.:

> sprechen: ich spreche – du sprichst – er spricht.

Diese Verben bilden den Imperativ Singular immer endungslos und mit dem Stammvokal *i* (*ie*):

> Sprich (nicht: *sprech*) nicht so laut! *Lies* (nicht: *les*) mal diesen Artikel! *Hilf* (nicht: *help*) mir doch bitte! *Wirf* (nicht: *werf*) das sofort weg!

Ebenso:

> nehmen – nimm!, geben – gib!, brechen – brich!, essen – iß!, vergessen – vergiß!, treten – tritt! sehen – sieh! (Die Form *siehe* findet sich nur als Verweis in Büchern: *siehe S. 24*).

Die einzige Ausnahme bildet *werden* mit dem Imperativ *werde*!

Der Imperativ Plural stimmt immer mit der 2. Person Plural des Indikativs Präsens überein:

> ihr geht – geht!; ihr helft – helft!; ihr rechnet – rechnet!.

<table>
<tr><td>154</td></tr>
</table>

154 Die Höflichkeitsform des Imperativs verwendet man gegenüber einer Person oder mehreren Personen, die man siezt. Sie lautet wie die 3. Person Plural des Konjunktivs Präsens (mit nachgestelltem *Sie*):

> *Nehmen* Sie bitte Platz! *Räumen* Sie die Unfallstelle! *Seien* Sie unbesorgt! *Machen* Sie mit bei unserem großen Gewinnspiel!

Da sich diese Formen bei allen Verben – außer bei *sein* – nicht von den entsprechenden Indikativformen unterscheiden, empfindet man sie hier nicht mehr als Konjunktive. So kommt es, daß zu dem Verb *sein* oft fälschlich der Imperativ *sind Sie* gebildet wird. Es heißt richtig:

> *Seien* Sie (nicht: *sind* Sie) so nett und lassen Sie mich mal vorbei! Bitte *seien* Sie so freundlich und rufen Sie später noch mal an!

2.8 Aktiv und Passiv

155 Die beiden Verbformen Aktiv und Passiv (Tat- und Leideform) stellen ein Geschehen aus zwei verschiedenen „Perspektiven" dar; sie drücken eine unterschiedliche Blickrichtung bzw. Handlungsart aus:

Im Aktiv wird das Geschehen von seinem Träger (dem „Täter") her dargestellt:

> Der Bundestag *verabschiedete* das neue Rentengesetz. Die Mitglieder *wählten* Dieter Groß zum Vereinsvorsitzenden. Er *schließt* den Laden um 18 Uhr.

Im Passiv steht das Geschehen selbst bzw. das Ergebnis der Handlung im Vordergrund; es wird von der betroffenen Person oder Sache aus gesehen; der „Täter" wird häufig nicht genannt:

> Das neue Rentengesetz *wurde* (vom Bundestag) *verabschiedet.* Dieter Groß wurde (von den Mitgliedern) zum Vereinsvorsitzenden *gewählt.* Der Laden *wird* um 18 Uhr *geschlossen.*

156 Aktiv und Passiv und die entsprechenden deutschen Begriffe „Tatform" und „Leideform" haben ihren Namen

von Sätzen, in denen die von dem Subjekt bezeichnete Person
„tätig" ist bzw. etwas „erleidet", wie z. B.:

> (Aktiv:) Der Lehrer tadelt den Schüler.
> (Passiv:) Der Schüler wird von dem Lehrer getadelt.

Dabei darf man jedoch nicht übersehen, daß diese Deutung bei
weitem nicht für alle Fälle zutrifft. Aktivisch sind auch viele Sätze, in denen kein Tätigsein ausgedrückt wird:

> Er *hat* große Schmerzen. Der Laden *schließt* um 18 Uhr. Das
> Haus *liegt* am Hang. Wir *vertragen* uns gut.

Entsprechendes gilt für das Passiv, das keineswegs immer ein
„Leiden" ausdrückt:

> Sie *wird* von allen *bewundert*. Der Schriftsteller *wurde* mit einem
> hohen Literaturpreis *ausgezeichnet*. Die Maschine *wird* morgen
> *repariert*.

Aktiv und Passiv sind also zunächst als reine Formbezeichnun-
gen, unabhängig von der Bedeutung des Verbs oder des Satzes,
zu verstehen. Dabei ist das Aktiv sozusagen die neutrale Grundform: über 90% aller vorkommenden Verbformen stehen im Aktiv; von allen deutschen Verben kann eine Aktivform gebildet
werden, nicht jedoch von allen eine Passivform (↑ 159).

Man unterscheidet nach der Bildungsweise und der Bedeutung
zwei Arten des Passivs: das *werden-* oder Vorgangspassiv und
das *sein-* oder Zustandspassiv.

---

157 Das *werden-*Passiv wird mit den Formen des Hilfsverbs *werden* und dem Partizip II des betreffenden Verbs
gebildet (Konjugationsmuster ↑ 173):

> Das Gelände *wurde* von Demonstranten *besetzt*. Die Zufahrts-
> straßen *sind* von der Polizei *gesperrt worden*. Der Antrag *wurde*
> von der Behörde *abgelehnt*. Das Problem konnte noch nicht *ge-
> löst werden*. Das Projekt *wurde* erfolgreich *abgeschlossen*. In
> diesem Werk *werden* Computeranlagen *hergestellt*.

Das *werden-*Passiv heißt auch Vorgangspassiv, weil es den Vorgang (das Geschehen, die Handlung) in den Vordergrund stellt.
Der Handelnde kann, muß aber nicht genannt werden (↑ 161).

158 Das *sein*-Passiv wird mit Formen von *sein* und dem Partizip II des betreffenden Verbs gebildet (Konjugationsmuster ↑ 174):

> Die Uferstraße *ist* wegen Hochwasser *gesperrt*. Das Projekt *wird* im nächsten Jahr *abgeschlossen sein*. Das Betreten des Rasens *ist verboten*. Die Stadt *war verwüstet*.

Das *sein*-Passiv drückt aus, daß ein Zustand besteht (es wird deshalb auch Zustandspassiv genannt). Der Zustand ist das Ergebnis eines vorausgegangenen Vorgangs; vgl. z. B.:

Vorgang (*werden*-Passiv)	Zustand (*sein*-Passiv)
Die Straße *ist gesperrt worden*.	Die Straße *ist gesperrt*.
Das Haus *ist renoviert worden*.	Das Haus *ist renoviert*.
Das Zimmer *war aufgeräumt worden*.	Das Zimmer *war aufgeräumt*.

Nicht immer kann jedoch das *sein*-Passiv auf ein *werden*-Passiv zurückgeführt werden; manchmal liegt ein Aktivsatz zugrunde, vgl. z. B.:

Vorgang (Aktiv)	Zustand (*sein*-Passiv)
Eine dicke Staubschicht *bedeckte* die Bücher.	Die Bücher *waren* mit einer dicken Staubschicht *bedeckt*.
Flüchtlinge *verstopfen* die Straße.	Die Straße *ist* mit Flüchtlingen *verstopft*.
Ein Fluß *trennt* die beiden Stadtteile voneinander.	Die beiden Stadtteile *sind* durch einen Fluß voneinander *getrennt*.

159 Nicht alle Verben können ein Passiv bilden. Passivfähig sind die meisten der Verben, die (im Aktiv) eine Akkusativergänzung bei sich haben, z. B.:

> beantragen, ablehnen, bringen, lesen, bedecken, unterstützen, trennen, nennen, sehen.

Die Akkusativergänzung des Aktivsatzes wird im Passivsatz zum Subjekt; dem Subjekt des Aktivsatzes entspricht im Passivsatz ein Satzglied mit einer Präposition (↑ 160):

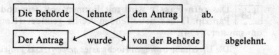

Von einigen Verben, die eine Akkusativergänzung haben, kann
kein Passiv gebildet werden. Es handelt sich dabei vor allem um
Verben des Habens (z. B. *haben, besitzen, bekommen*), *kennen,
wissen* und Verben, die mit einer Maßangabe im Akkusativ verbunden werden (z. B. *kosten, wiegen, enthalten*):

> Sie *hat* eine neue Frisur (nicht möglich: Eine neue Frisur wird
> von ihr gehabt). Er *kennt* viele Zaubertricks (nicht möglich:
> Viele Zaubertricks werden von ihm gekannt). Er *wiegt* fast 100
> Kilo (nicht möglich: Fast 100 Kilo werden von ihm gewogen).

Von den Verben ohne Akkusativergänzung sind nur wenige passivfähig, und zwar nur bestimmte Tätigkeitsverben wie z. B.
helfen, lachen, tanzen, sprechen. Da es bei diesen Verben keine
Akkusativergänzung gibt, die im Passiv zum Subjekt werden
könnte, haben solche Passivsätze kein Subjekt oder nur das unpersönliche Pronomen *es* als „Scheinsubjekt"; man spricht deshalb auch von „unpersönlichem Passiv":

> Damit *ist* mir auch nicht *geholfen*. Gestern *ist* bei uns lange *ge-
> feiert worden*. Es *wurde* viel *gelacht*. Darüber *ist* meines Wissens
> nicht *gesprochen worden*. Hier *darf* nicht *geraucht werden*. Über
> diese Frage *ist* schon viel *nachgedacht worden*.

160 Die Wortgruppe, die im Passivsatz den Träger des Geschehens, den „Täter", nennt, steht in der Regel mit der
Präposition *von*. Daneben kommen auch *durch* und gelegentlich
mit vor.

von wird verwendet, wenn es sich um den Urheber oder Träger
des Geschehens handelt. Das ist meist eine Person (oder Institu-
tion), die aus sich heraus handelt, also der Täter im eigentlichen
Sinne:

> Er wird *vom Chefarzt* operiert. Das Gesetz ist *vom Bundestag*
> verabschiedet worden. Die Delegation wurde *vom Bürgermeister
> der Patenstadt* empfangen. Die alte Frau ist *von einem Radfah-
> rer* angefahren worden.

Träger oder Auslöser des Geschehens kann aber auch eine Sache sein:

> Er wurde *von einem Lastwagen* angefahren. Der Baum ist *vom Blitz* getroffen worden. Die Bergsteiger wurden *von einem Gewitter* überrascht. Das Land ist zum zweitenmal innerhalb kurzer Zeit *von einer Erdbebenkatastrophe* heimgesucht worden.

 In allen diesen Fällen ist die Präposition *durch* nicht möglich. Es heißt also z. B.

> nicht: Er wird durch den Chefarzt operiert. Das Gesetz ist durch den Bundestag verabschiedet worden. Er wurde durch einen Lastwagen angefahren. Der Baum ist durch den Blitz getroffen worden.

durch wird verwendet, um das Mittel anzugeben. Häufig handelt es sich dabei um das Ereignis, den Vorgang, der das Geschehen verursacht:

> Der Verkehr wurde *durch anhaltende Regenfälle* stark behindert. Die Tat konnte *durch das mutige Eingreifen eines Passanten* verhindert werden. Die Stadt ist *durch das Erdbeben* fast völlig zerstört worden. *Durch den Fortschritt der Medizin* kann das Leben, aber auch das Leiden vieler Menschen verlängert werden.

Als „Mittel" können aber auch Personen auftreten. Sie werden dann nicht als selbstverantwortlich handelnde, sondern beispielsweise als vermittelnde, beauftragte, nur ausführende Personen gesehen; der Auftraggeber kann zusätzlich mit *von* genannt werden:

> Telegramme und Eilbriefe werden (von der Post) *durch einen Boten* zugestellt. Die Öffentlichkeit wurde *durch den Regierungssprecher* über die Entscheidung des Kanzlers informiert. Das Gebäude wurde *durch starke Polizeikräfte* gesichert.

mit gibt nur ein sachliches Mittel (das „Instrument") an, nie den persönlichen „Täter":

> Briefe nach Übersee werden *mit Luftpost* befördert. Sie wurde *mit dem Notarztwagen* ins Krankenhaus gebracht. Der Tanker wurde *mit einem Torpedo* versenkt.

161 In den meisten Fällen, in denen das Passiv verwendet wird, ist der Urheber gar nicht angegeben. Die Aussparung der Täterangabe ist für bestimmte Arten von Texten charakteristisch; sie kann verschiedene Gründe haben:

Der Handelnde wird nicht genannt, weil er eine beliebige Person ist – oft sind alle diejenigen gemeint, an die sich der gesamte Text (z. B. eine Anweisung, Anleitung) richtet. Solchen Passivsätzen entsprechen im Aktiv Sätze mit dem Pronomen *man* als Subjekt oder Sätze ohne Subjekt; vgl. z. B.:

> Substantive schreibt man groß. – Substantive werden groß geschrieben. Tauchen Sie ein gefaltetes Handtuch in lauwarmes Wasser, wringen Sie es aus und wickeln Sie es um die Waden. – Ein gefaltetes Handtuch wird in lauwarmes Wasser getaucht, ausgewrungen und um die Waden gewickelt. Die Karten gut mischen und gleichmäßig an alle Mitspieler verteilen. – Die Karten werden gut gemischt und gleichmäßig an alle Mitspieler verteilt.

Der Täter kann nicht genannt werden, weil er unbekannt ist:

> In dem Gedränge auf dem Jahrmarkt ist ihr die Handtasche gestohlen worden. Gestern nacht wurden in der Schillerstraße mehrere Autos aufgebrochen. Die Polizei vermutet, daß das Kind entführt worden ist.

Der Täter soll nicht genannt werden; er wird absichtlich verschwiegen. So kann leicht der Eindruck entstehen, es liege gar kein menschliches Handeln vor, sondern ein gleichsam von selbst ablaufendes Geschehen, für das niemand verantwortlich zu machen sei:

> Die Preise für Mineralöl wurden zu Wochenbeginn angehoben. Die Belegschaft des bestreikten Betriebes wurde ausgesperrt. Leider konnte Ihrem Antrag nicht stattgegeben werden. Sie wird in eine andere Abteilung versetzt.

Der „Täter" braucht nicht genannt zu werden, weil er allgemein oder aus dem Textzusammenhang heraus bekannt ist oder weil er für den dargestellten Sachverhalt unwichtig ist. Das ist besonders häufig der Fall in fachsprachlichen Texten und in wissenschaftlicher Sprache allgemein:

> Zur Diagnose und Therapie dieser Krankheit sind in den letzten Jahren neue Methoden entwickelt und erprobt worden. Das Wasser wird in Stauseen gespeichert und in unterirdischen Druckrohrleitungen zu Turbinen geführt; dort wird die Energie des herabstürzenden Wassers in elektrische Energie umgewandelt. Bücher werden heute fast nur noch im Offsetverfahren gedruckt.

In vielen Textarten ist der in Passivsätzen nicht genannte Urheber meist mit dem Urheber des Textes identisch und braucht deshalb nicht jedesmal eigens genannt zu werden, so z. B. in wissenschaftlichen Abhandlungen, in Gesetzestexten, Erlassen, Verordnungen u. ä.:

> Die damit zusammenhängenden Probleme werden in Kap. 3 behandelt. Die Pressefreiheit und die Freiheit der Berichterstattung durch Rundfunk und Film werden gewährleistet (Grundgesetz, Artikel 5). Wer durch Fahrlässigkeit den Tod eines Menschen verursacht, wird mit Gefängnis bestraft (Strafgesetzbuch, § 222). Unter Hinweis auf die neuen maß- und eichgesetzlichen Verordnungen wird mitgeteilt, daß ... (Bekanntmachung eines Landratsamtes).

| 162 | Neben dem *werden-* und dem *sein-*Passiv gibt es eine Reihe anderer passivartiger Formen. Die wichtigsten sind:

bekommen, erhalten, kriegen + Partizip II

Diese Fügung kann als eine Art des Vorgangspassivs gelten. Dem Subjekt entspricht in einem vergleichbaren Passivsatz mit *werden* eine Dativergänzung:

> Sie *bekam* einen Blumenstrauß *überreicht* (= Ihr wurde ein Blumenstrauß überreicht). Die Familie *erhielt* ein winziges Zimmer *zugeteilt* (= Der Familie wurde ein winziges Zimmer zugeteilt). Er *hat* den Blinddarm *rausgenommen gekriegt* (= Ihm ist der Blinddarm rausgenommen worden).

Die Passivkonstruktion mit *kriegen* ist stark umgangssprachlich gefärbt.

gehören + Partizip II

Auch das *gehören-*Passiv ist umgangssprachlich. Es drückt die Notwendigkeit des Geschehens aus und entspricht einem *werden-*Passiv mit *müssen* oder *sollen*:

> Die Fenster *gehören* mal wieder *geputzt* (= Die Fenster müssen mal wieder geputzt werden). Solchen Leuten *gehört* der Führerschein *abgenommen* (= Solchen Leuten sollte der Führerschein abgenommen werden).

sein + Infinitiv mit *zu*

Der Fügung *sein* (seltener auch: *bleiben, geben, gehen*) + Infinitiv mit *zu* entspricht ein *werden-*Passiv mit *können* oder *müssen*:

Der Motor *war* (nur umgangssprachlich: *ging*) nicht mehr *zu reparieren* (= Der Motor konnte nicht mehr repariert werden). Das Formular *ist* ausgefüllt und unterschrieben bis zum 30. 9. *zurückzusenden* (= Das Formular muß ... zurückgesandt werden). Ob er der neuen Aufgabe gewachsen ist, *bleibt abzuwarten* (=..., muß abgewartet werden). Es *gibt* noch viel *zu tun* (= Es muß noch viel getan werden).

sich lassen + Infinitiv

Diese Fügung ist in der Regel nur dann passivisch, wenn sie mit einem unpersönlichen (unbelebten) Subjekt verbunden ist. Sie entspricht einem *werden*-Passiv mit *können*:

Die Uhr *ließ sich* nicht mehr *aufziehen* (= Die Uhr konnte nicht mehr aufgezogen werden). Die Hintergründe der Tat *lassen sich* nur *vermuten* (= Die Hintergründe der Tat können nur vermutet werden). Zusammenfassend *läßt sich sagen*, ... (= Zusammenfassend kann gesagt werden, ...)

Funktionsverbgefüge

Eine bestimmte Art von Funktionsverbgefügen (↑ 92) bilden Verben wie *kommen, gelangen, finden, erfahren* in Verbindung mit Substantiven, die von Verben abgeleitet sind:

zur Anwendung / Aufführung / Verlesung / Versteigerung kommen; zur Entscheidung / Erörterung / Verteilung gelangen; Anwendung / Ausdruck / Beachtung / Berücksichtigung finden; eine Beeinträchtigung / Bestätigung / Unterbrechung / Veränderung erfahren.

Solche Fügungen werden häufig anstelle eines *werden*-Passivs gebraucht:

Nicht abgeholte Fundsachen *kommen zur Versteigerung* (= Nicht abgeholte Fundsachen werden versteigert). Dieses Verfahren *findet* in der modernen Technik *vielfache Anwendung* (= Dieses Verfahren wird in der modernen Technik vielfach angewandt). Durch seine Krankheit *erfuhren* die Arbeiten *eine längere Unterbrechung* (= Durch seine Krankheit wurden die Arbeiten für längere Zeit unterbrochen).

2.9 Die Verbgruppe

163 Wenn mehrere Verben zusammen in einem Satz vorkommen, liegt eine Verbgruppe vor.

Verbgruppen sind alle mehrgliedrigen Verbformen, wie vor allem die Passivformen und die Zeitformen außer dem Präsens und dem Präteritum; sie bestehen aus einem Vollverb und einem oder mehreren Hilfsverben:

> (Passiv:) du *wirst gerufen*, (Perfekt:) er *ist gekommen*, (Plusquamperfekt:) ich *hatte geschlafen*, (Futur I:) wir *werden sehen*, (Futur II:) sie *wird gegangen sein*.

Eine Verbgruppe entsteht auch, wenn sich Vollverben mit Modalverben (↑ 87) oder ähnlichen „modifizierenden" Verben (↑ 91) verbinden:

> sie *kann nähen*, wir *wollen informiert werden*, er *soll entlassen worden sein*, sie *schienen getrunken zu haben*.

Zur Verbgruppe gehört auch der Verbzusatz (↑ 100), d.h. die Vorsilbe der trennbaren Verben, die in bestimmten Fällen allein, vom Verb getrennt steht; vgl. z. B.:

> *abfahren* – ich fahre *ab* – ich fahre morgen um 9 Uhr von Frankfurt *ab*.

164 Jede Verbgruppe enthält in der Regel nur ein Vollverb; alle weiteren Verben sind Hilfs- oder Modalverben:

> (Der Vorschlag) wurde *angenommen* / ist *angenommen* worden / hätte *angenommen* werden sollen; (..., daß er den Vorschlag) *annehmen* wird / *annehmen* sollte.

Nach dem Vollverb richtet sich die Anzahl und Art der Ergänzungen, die in dem Satz vorkommen (↑ 96).

Jede Verbgruppe enthält in der Regel eine Personalform, also eine Verbform, die nach Person und Zahl bestimmt ist (↑ 114); die anderen Verben treten in unbestimmten Formen (als Infinitiv oder Partizip II) auf:

> (Der Vorschlag) *wurde* angenommen / *ist* angenommen worden / *hätte* angenommen werden sollen; (..., daß er den Vorschlag) annehmen *wird* / annehmen *sollte*.

165 Wenn alle Teile der Verbgruppe zusammen am Ende des Satzes stehen (wie es in Nebensätzen der Fall ist), steht die Personalform als letzter Teil:

> Sagtest du, daß ich Oma von der Bahn abholen *soll*? ..., weil der Termin verschoben worden *ist*; ..., so daß ein Unfall gerade noch vermieden werden *konnte.*

Diese Stellungsregel für die Personalform gilt nur dann nicht, wenn die Verbgruppe zwei Infinitive enthält. Solche Verbgruppen entstehen vor allem immer dann, wenn ein Modalverb im Perfekt (oder Plusquamperfekt) auftritt, da hier das Partizip II durch den Infinitiv ersetzt wird (nicht: *er hat gehen gemußt*, sondern: *er hat gehen müssen*; ↑ 89). In diesen Fällen steht in Nebensätzen die Personalform nicht am Ende, sondern vor den übrigen Verbformen:

> ..., daß der Unfall *hätte* vermieden werden können; ..., weil er eher *hat* gehen müssen; ..., daß wir den Vertrag nicht *hätten* unterschreiben sollen. Schade, daß du nicht *hast* kommen können.

In Hauptsätzen wird die Personalform von den übrigen Teilen der Verbgruppe getrennt; sie tritt an die erste oder zweite Stelle im Satz:

> *Soll* ich Oma von der Bahn abholen? *Hol* doch bitte Oma von der Bahn ab! Der Unfall *konnte* gerade noch vermieden werden. Der Termin *ist* auf den 10. April verschoben worden.

Zur Stellung der Personalform ↑ auch 415; zur Verwendung der Verbgruppe als Prädikat ↑ 416ff.

2.10 Verbtabellen

Konjugationsmuster für das Aktiv

166 Regelmäßige Konjugation

	Indikativ	Konjunktiv I	Konjunktiv II
Präsens	ich frag-e du frag-st er sie } frag-t es wir frag-en ihr frag-t sie frag-en	ich frag-e du frag-est er sie } frag-e es wir frag-en ihr frag-et sie frag-en	
Präteritum	ich frag-t-e du frag-t-est er sie } frag-t-e es wir frag-t-en ihr frag-t-et sie frag-t-en		ich frag-t-e du frag-t-est er sie } frag-t-e es wir frag-t-en ihr frag-t-et sie frag-t-en
Perfekt	ich habe gefragt du hast gefragt er sie } hat gefragt es wir haben gefragt ihr habt gefragt sie haben gefragt	ich habe gefragt du habest gefragt er sie } habe gefragt es wir haben gefragt ihr habet gefragt sie haben gefragt	
Plusquamperfekt	ich hatte gefragt du hattest gefragt er sie } hatte gefragt es wir hatten gefragt ihr hattet gefragt sie hatten gefragt		ich hätte gefragt du hättest gefragt er sie } hätte gefragt es wir hätten gefragt ihr hättet gefragt sie hätten gefragt
Futur I	ich werde fragen du wirst fragen er sie } wird fragen es wir werden fragen ihr werdet fragen sie werden fragen	ich werde fragen du werdest fragen er sie } werde fragen es wir werden fragen ihr werdet fragen sie werden fragen	

	Indikativ	Konjunktiv I	Konjunktiv II
Futur II	ich werde ⎱ du wirst ⎰ er ⎱ sie ⎰ wird ⎱ gefragt es ⎰ haben wir werden ⎱ ihr werdet ⎰ sie werden	ich werde ⎱ du werdest ⎰ er ⎱ sie ⎰ werde ⎱ gefragt es ⎰ haben wir werden ⎱ ihr werdet ⎰ sie werden	

Infinitiv Präsens: fragen   Imperativ
Infinitiv Perfekt: gefragt haben   Singular: frage!
Partizip I: fragend   Plural: fragt!
Partizip II: gefragt

167 Unregelmäßige Konjugation

	Indikativ	Konjunktiv I	Konjunktiv II
Präsens	ich komm-e du komm-st er ⎱ sie ⎰ komm-t es wir komm-en ihr komm-t sie komm-en	ich komm-e du komm-est er ⎱ sie ⎰ komm-e es wir komm-en ihr komm-et sie komm-en	
Präteritum	ich kam du kam-st er ⎱ sie ⎰ kam es wir kam-en ihr kam-t sie kam-en		ich käm-e du käm-(e)st er ⎱ sie ⎰ käm-e es wir käm-en ihr käm-(e)t sie käm-en

	Indikativ	Konjunktiv I	Konjunktiv II
Perfekt	ich bin gekommen du bist gekommen er sie } ist gekommen es wir sind gekommen ihr seid gekommen sie sind gekommen	ich sei gekommen du sei(e)st gekommen er sie } sei gekommen es wir seien gekommen ihr seiet gekommen sie seien gekommen	
Plusquamperfekt	ich war gekommen du warst gekommen er sie } war gekommen es wir waren gekommen ihr wart gekommen sie waren gekommen		ich wäre gekommen du wär(e)st gekommen er sie } wäre gekommen es wir wären gekommen ihr wär(e)t gekommen sie wären gekommen
Futur I	ich werde kommen du wirst kommen er sie } wird kommen es wir werden kommen ihr werdet kommen sie werden kommen	ich werde kommen du werdest kommen er sie } werde kommen es wir werden kommen ihr werdet kommen sie werden kommen	

	Indikativ		Konjunktiv I		Konjunktiv II
Futur II	ich werde du wirst er sie } wird es wir werden ihr werdet sie werden }	gekommen sein	ich werde du werdest er sie } werde es wir werden ihr werdet sie werden }	gekommen sein	

Infinitiv Präsens: kommen
Infinitiv Perfekt: gekommen sein
Partizip I: kommend
Partizip II: gekommen

Imperativ
Singular: komm!
Plural: kommt!

Lautliche Besonderheiten

168 *e*-Einschub vor der Endung

Bei Verben, deren Stamm auf *d* oder *t* ausgeht, wird vor allen Endungen, die *t* enthalten, in der Regel ein *e* eingeschoben, damit das Wort besser auszusprechen ist; z. B.:

> du find-e-st, er red-e-t, ihr halt-e-t, bitt-e-t! ich rett-e-te, sie gründ-e-ten, ihr hielt-e-t, ge-red-e-t, ge-rett-e-t, ge-gründ-e-t.

Das gleiche gilt für Verben, deren Stamm auf Konsonant + *m* oder *n* (außer *lm*, *ln*, *rm*, *rn*) endet:

> du atm-e-st, ihr atm-e-t, ich atm-e-te, ge-atm-et; du rechn-e-st, sie rechn-e-t, ihr rechn-e-t, wir rechn-e-ten, ge-rechn-e-t
> (aber z. B.: du lern-st, du qualm-st).

169 *s*-Ausfall

Bei Verben, deren Stamm auf *s*, *ß*, *x* oder *z* endet, fällt in der 2. Person Singular Präsens das *s* in der Endung aus:

> reisen – du reist, reißen – du reißt, mixen – du mixt, reizen – du reizt, sitzen – du sitzt.

 Das *s* bleibt dagegen erhalten, wenn der Verbstamm auf *sch* endet; es heißt also z. B.:

> du wäschst, du herrschst (nicht: du wäscht, du herrscht).

170 *e*-Ausfall

Verben auf *-eln* und *-ern* im Infinitiv bilden die 1. und 3. Person Plural Präsens auch nur mit *-n* (statt *-en*):

> handeln – wir handeln, sie handeln
> ändern – wir ändern, sie ändern.

Die Verben auf *-eln* stoßen das *e* in der 1. Person Singular Präsens und im Imperativ Singular meist aus:

> ich handle, ich lächle, ich sammle; handle!, lächle!, sammle!

Die Verben auf *-ern* behalten dagegen das *e* gewöhnlich bei:

> ich ändere, ich verbessere, ich wandere; ändere!, verbessere!, wandere!

171 Umlaut

Bei den meisten unregelmäßigen Verben mit dem Stammvokal *a*, *au* oder *o* tritt in der 2. und 3. Person Singular Präsens Umlaut ein, d. h., *a* wird zu *ä*, *au* zu *äu*, *o* zu *ö*:

> tragen – du trägst, er trägt
> laufen – du läufst, er läuft
> stoßen – du stößt, er stößt.

 Bei *backen* werden neben dem umgelauteten *du bäckst*, *er bäckt* auch die nicht umgelauteten Formen *du backst*, *er backt* gebraucht.

Bei regelmäßigen Verben wird der Vokal nicht umgelautet; es heißt also richtig:

> du *fragst* (nicht: du frägst), sie *verkauft* (nicht: sie verkäuft).

Zum Umlaut im Konjunktiv II *(er trug – er trüge)* ↑ 142.

172 *e/i*-Wechsel

Eine Reihe von unregelmäßigen Verben wechselt in der 2. und 3. Person Singular Präsens und im Imperativ Singular den Stammvokal *e* gegen *i* (*ie*) aus:

> geben – du gibst, er gibt, gib!
> nehmen – du nimmst, er nimmt, nimm!
> sehen – du siehst, er sieht, sieh!

Zum *e/i*-Wechsel beim Imperativ ↑ auch 153.

Konjugationsmuster für das Passiv

In den folgenden vereinfachten Mustern ist nur die 3. Person Singular aufgeführt; die übrigen Personalformen können leicht ergänzt werden (für *werden* ↑ 177, für *sein* ↑ 176).

173 *werden*-Passiv

	Indikativ	Konjunktiv I	Konjunktiv II
Prä-sens	er sie es } wird gefragt	er sie es } werde gefragt	
Präter-itum	er sie es } wurde gefragt		er sie es } würde gefragt
Perfekt	er sie es } ist gefragt worden	er sie es } sei gefragt worden	
Plus-quam-perfekt	er sie es } war gefragt worden		er sie es } wäre gefragt worden
Futur I	er sie es } wird gefragt werden	er sie es } werde gefragt werden	
Futur II	er sie es } wird gefragt worden sein	er sie es } werde gefragt worden sein	

| **174** | *sein*-Passiv |

	Indikativ	Konjunktiv I	Konjunktiv II
Prä-sens	er sie es } ist gefragt	er sie es } sei gefragt	
Präter-itum	er sie es } war gefragt		er sie es } wäre gefragt
Perfekt	er sie es } ist gefragt gewesen	er sie es } sei gefragt gewesen	
Plus-quam-perfekt	er sie es } war gefragt gewesen		er sie es } wäre gefragt gewesen
Futur I	er sie es } wird gefragt sein	er sie es } werde gefragt sein	
Futur II	er sie es } wird gefragt gewesen sein	er sie es } werde gefragt gewesen sein	

Die Konjugation der Verben *haben*, *sein*, *werden*

Die mehrgliedrigen Verbformen (Perfekt, Plusquamperfekt, Futur I, Futur II) werden nur beispielhaft (in der 3. Person Singular) aufgeführt.

175 *haben*

	Indikativ	Konjunktiv I	Konjunktiv II
Prä-sens	ich habe du hast er sie } hat es wir haben ihr habt sie haben	ich habe du habest er sie } habe es wir haben ihr habet sie haben	
Präter-itum	ich hatte du hattest er sie } hatte es wir hatten ihr hattet sie hatten		ich hätte du hättest er sie } hätte es wir hätten ihr hättet sie hätten
Per-fekt	er sie } hat gehabt es	er sie } habe gehabt es	
Plus-quam-perfekt	er sie } hatte gehabt es		er sie } hätte gehabt es
Futur I	er sie } wird haben es	er sie } werde haben es	
Futur II	er sie } wird gehabt es haben	er sie } werde gehabt es haben	

Infinitiv Präsens: haben   Imperativ
Infinitiv Perfekt: gehabt haben   Singular: habe!
Partizip I: habend   Plural: habt!
Partizip II: gehabt

176 *sein*

	Indikativ	Konjunktiv I	Konjunktiv II
Prä-sens	ich bin du bist er sie } ist es wir sind ihr seid sie sind	ich sei du sei(e)st er sie } sei es wir seien ihr seiet sie seien	
Präter-itum	ich war du warst er sie } war es wir waren ihr wart sie waren		ich wäre du wär(e)st er sie } wäre es wir wären ihr wär(e)t sie wären
Per-fekt	er sie } ist gewesen es	er sie } sei gewesen es	
Plus-quam-perfekt	er sie } war gewesen es		er sie } wäre gewesen es
Futur I	er sie } wird sein es	er sie } werde sein es	
Futur II	er sie } wird gewesen es } sein	er sie } werde gewesen es } sein	

Infinitiv Präsens: sein
Infinitiv Perfekt: gewesen sein
Partizip I: seiend
Partizip II: gewesen

Imperativ
　Singular: sei!
　Plural:　seid!

Die Verbform *seid* (2. Person Plural Präsens und Imperativ Plural) und die gleichlautende Präposition *seit* dürfen in der Schreibung nicht verwechselt werden:

Seid leise! *Seit* dem Wochenende regnet es ununterbrochen. *Seit* Ewigkeiten *seid* ihr nicht mehr bei uns gewesen.

177 *werden*

	Indikativ	Konjunktiv I	Konjunktiv II
Prä-sens	ich werde du wirst er sie } wird es wir werden ihr werdet sie werden	ich werde du werdest er sie } werde es wir werden ihr werdet sie werden	
Präter-itum	ich wurde du wurdest er sie } wurde es wir wurden ihr wurdet sie wurden		ich würde du würdest er sie } würde es wir würden ihr würdet sie würden
Per-fekt	er sie } ist geworden es	er sie } sei geworden es	
Plus-quam-perfekt	er sie } war geworden es		er sie } wäre geworden es
Futur I	er sie } wird werden es	er sie } werde werden es	
Futur II	er sie } wird es geworden sein	er sie } werde es geworden sein	

Infinitiv Präsens: werden   Imperativ
Infinitiv Perfekt: (ge)worden sein   Singular: werde!
Partizip I: werdend   Plural: werdet!
Partizip II (Vollverb:) geworden
            (Hilfsverb:) worden

178 Die Konjugation der Modalverben und des Verbs *wissen*

In der Tabelle sind nur die einfachen Verbformen aufgeführt; die mehrgliedrigen Formen werden mit *haben* (Perfekt, Plusquamperfekt) bzw. *werden* (Futur I, Futur II) gebildet.

		dürfen	können	mögen	müssen	sollen	wollen	wissen
Indikativ Präsens	ich	darf	kann	mag	muß	soll	will	weiß
	du	darfst	kannst	magst	mußt	sollst	willst	weißt
	er sie} es	darf	kann	mag	muß	soll	will	weiß
	wir	dürfen	können	mögen	müssen	sollen	wollen	wissen
	ihr	dürft	könnt	mögt	müßt	sollt	wollt	wißt
	sie	dürfen	können	mögen	müssen	sollen	wollen	wissen
Konjunktiv I	ich	dürfe	könne	möge	müsse	solle	wolle	wisse
	du	dürfest	könnest	mögest	müssest	sollest	wollest	wissest
	er sie} es	dürfe	könne	möge	müsse	solle	wolle	wisse
	wir	dürfen	können	mögen	müssen	sollen	wollen	wissen
	ihr	dürfet	könnet	möget	müsset	sollet	wollet	wisset
	sie	dürfen	können	mögen	müssen	sollen	wollen	wissen
Indikativ Präteritum	ich	durfte	konnte	mochte	mußte	sollte	wollte	wußte
	du	durftest	konntest	mochtest	mußtest	solltest	wolltest	wußtest
	er sie} es	durfte	konnte	mochte	mußte	sollte	wollte	wußte
	wir	durften	konnten	mochten	mußten	sollten	wollten	wußten
	ihr	durftet	konntet	mochtet	mußtet	solltet	wolltet	wußtet
	sie	durften	konnten	mochten	mußten	sollten	wollten	wußten
Konjunktiv II	ich	dürfte	könnte	möchte	müßte	sollte	wollte	wüßte
	du	dürftest	könntest	möchtest	müßtest	solltest	wolltest	wüßtest
	er sie} es	dürfte	könnte	möchte	müßte	sollte	wollte	wüßte
	wir	dürften	könnten	möchten	müßten	sollten	wollten	wüßten
	ihr	dürftet	könntet	möchtet	müßtet	solltet	wolltet	wüßtet
	sie	dürften	könnten	möchten	müßten	sollten	wollten	wüßten

Partizip II: gedurft, gekonnt, gemocht, gemußt, gesollt, gewollt, gewußt

179 | **Die gebräuchlichsten unregelmäßigen Verben**

Verben mit Vorsilben werden nur in Ausnahmefällen aufgeführt; in der Regel sind ihre Formen unter dem entsprechenden einfachen Verb nachzuschlagen, also z.B. die Formen für *abbrechen*, *unterbrechen*, *zerbrechen* usw. unter *brechen*.

Bei der 1. Stammform wird die 2. Person Singular Präsens hinzugesetzt, wenn Umlaut oder *e/i*-Wechsel auftritt (↑ 171 f.).

Bei der 2. Stammform wird der Konjunktiv II angegeben, wenn er Umlaut aufweist.

Bei der 3. Stammform wird kenntlich gemacht, ob das Perfekt mit *haben* oder mit *sein* gebildet wird.

1. Stammform (Infinitiv)	2. Stammform (Präteritum)	3. Stammform (Partizip II)
backen du bäckst/backst (↑ 171)	backte	hat gebacken
befehlen du befiehlst	befahl beföhle/befähle (↑ 142)	hat befohlen
beginnen	begann begänne/begönne (↑ 142)	hat begonnen
beißen	biß	hat gebissen
bergen du birgst	barg bärge	hat geborgen
bewegen (↑ 113)	bewog bewöge	hat bewogen
biegen	bog böge	hat/ist gebogen
bieten	bot böte	hat geboten
binden	band bände	hat gebunden
bitten	bat bäte	hat gebeten
blasen du bläst	blies	hat geblasen

1. Stammform (Infinitiv)	2. Stammform (Präteritum)	3. Stammform (Partizip II)
bleiben	blieb	ist geblieben
braten du brätst	briet	hat gebraten
brechen du brichst	brach bräche	hat/ist gebrochen
brennen	brannte brennte	hat gebrannt
bringen	brachte brächte	hat gebracht
denken	dachte dächte	hat gedacht
dürfen (↑ 178)	durfte dürfte	hat gedurft
empfangen du empfängst	empfing	hat empfangen
empfehlen du empfiehlst	empfahl empföhle/empfähle (↑ 142)	hat empfohlen
erschrecken (↑ 113) du erschrickst	erschrak erschräke	ist erschrocken
essen du ißt	aß äße	hat gegessen
fahren du fährst	fuhr führe	hat/ist gefahren
fallen du fällst	fiel	ist gefallen
fangen du fängst	fing	hat gefangen
finden	fand fände	hat gefunden
flechten du flichtst	flocht flöchte	hat geflochten
fliegen	flog flöge	hat/ist geflogen
fliehen	floh flöhe	ist geflohen

1. Stammform (Infinitiv)	2. Stammform (Präteritum)	3. Stammform (Partizip II)
fließen	floß flösse	ist geflossen
fressen du frißt	fraß fräße	hat gefressen
frieren	fror fröre	hat gefroren
gären († 113)	gor göre	hat/ist gegoren
gebären du gebierst	gebar gebäre	hat geboren
geben du gibst	gab gäbe	hat gegeben
gedeihen	gedieh	ist gediehen
gehen	ging	ist gegangen
gelingen	gelang gelänge	ist gelungen
gelten du giltst	galt gälte/gölte († 142)	hat gegolten
genießen	genoß genösse	hat genossen
geschehen es geschieht	geschah geschähe	ist geschehen
gewinnen	gewann gewänne/gewönne († 142)	hat gewonnen
gießen	goß gösse	hat gegossen
gleichen	glich	hat geglichen
gleiten	glitt	ist geglitten
glimmen († 113)	glomm glömme	hat geglommen
graben du gräbst	grub grübe	hat gegraben
greifen	griff	hat gegriffen
haben († 175)	hatte hätte	hat gehabt

1. Stammform (Infinitiv)	2. Stammform (Präteritum)	3. Stammform (Partizip II)
halten du hältst	hielt	hat gehalten
hängen (↑ 113)	hing	hat gehangen
hauen (↑ 113)	hieb	hat gehauen
heben	hob höbe	hat gehoben
heißen	hieß	hat geheißen

helfen
  du hilfst
	half
	  hülfe/hälfe (↑ 142)
		hat geholfen

kennen	kannte kennte	hat gekannt
klingen	klang klänge	hat geklungen
kneifen	kniff	hat gekniffen
kommen	kam käme	ist gekommen
können (↑ 178)	konnte könnte	hat gekonnt
kriechen	kroch kröche	ist gekrochen

laden
  du lädst
	lud
	  lüde
		hat geladen

lassen du läßt	ließ	hat gelassen
laufen du läufst	lief	ist gelaufen
leiden	litt	hat gelitten
leihen	lieh	hat geliehen

lesen
  du liest
	las
	  läse
		hat gelesen

liegen	lag
	  läge
		hat gelegen
		  (↑ 132)

lügen	log löge	hat gelogen

1. Stammform (Infinitiv)	2. Stammform (Präteritum)	3. Stammform (Partizip II)
mahlen	mahlte	hat gemahlen
meiden	mied	hat gemieden
messen du mißt	maß mäße	hat gemessen
mißlingen	mißlang mißlänge	ist mißlungen
mögen (↑ 178)	mochte möchte	hat gemocht
müssen (↑ 178)	mußte müßte	hat gemußt
nehmen du nimmst	nahm nähme	hat genommen
nennen	nannte nennte	hat genannt
pfeifen	pfiff	hat gepfiffen
preisen	pries	hat gepriesen
raten du rätst	riet	hat geraten
reiben	rieb	hat gerieben
reißen	riß	hat/ist gerissen
reiten	ritt	hat/ist geritten
rennen	rannte rennte	ist gerannt
riechen	roch röche	hat gerochen
ringen	rang ränge	hat gerungen
rufen	rief	hat gerufen
saufen du säufst	soff söffe	hat gesoffen
schaffen (↑ 113)	schuf schüfe	hat geschaffen
scheiden	schied	hat/ist geschieden
scheinen	schien	hat geschienen

6*

1. Stammform (Infinitiv)	2. Stammform (Präteritum)	3. Stammform (Partizip II)

schelten
  du schiltst
	schalt
	  schölte
		hat gescholten

schieben	schob schöbe	hat geschoben
schießen	schoß schösse	hat/ist geschossen
schlafen du schläfst	schlief	hat geschlafen

schlagen
  du schlägst
	schlug
	  schlüge
		hat geschlagen

schleichen	schlich	ist geschlichen
schleifen (↑ 113)	schliff	hat geschliffen
schließen	schloß schlösse	hat geschlossen
schlingen	schlang schlänge	hat geschlungen
schmeißen	schmiß	hat geschmissen

schmelzen
  du schmilzt
	schmolz
	  schmölze
		ist geschmolzen

schneiden	schnitt	hat geschnitten
schreiben	schrieb	hat geschrieben
schreien	schrie	hat geschrie(e)n
schreiten	schritt	ist geschritten
schweigen	schwieg	hat geschwiegen
schwimmen	schwamm schwömme/schwämme (↑ 142)	hat/ist geschwommen
schwinden	schwand schwände	ist geschwunden
schwingen	schwang schwänge	hat geschwungen
schwören	schwor schwüre/schwöre (↑ 142)	hat geschworen

sehen
  du siehst
	sah
	  sähe
		hat gesehen

1. Stammform (Infinitiv)	2. Stammform (Präteritum)	3. Stammform (Partizip II)
sein (↑ 176)	war wäre	ist gewesen
senden (↑ 113)	sandte sendete	hat gesandt
singen	sang sänge	hat gesungen
sinken	sank sänke	ist gesunken
sinnen	sann sänne	hat gesonnen
sitzen	saß säße	hat gesessen (↑ 132)
sollen (↑ 178)	sollte	hat gesollt
spalten	spaltete	hat gespalten
spinnen	spann spönne/spänne (↑ 142)	hat gesponnen
sprechen du sprichst	sprach spräche	hat gesprochen
springen	sprang spränge	ist gesprungen
stechen du stichst	stach stäche	hat gestochen
stecken (= sich in etwas befinden)	stak stäke	hat gesteckt
stehen	stand stünde/stände (↑ 142)	hat gestanden (↑ 132)
stehlen du stiehlst	stahl stähle/stöhle (↑ 142)	hat gestohlen
steigen	stieg	ist gestiegen
sterben du stirbst	starb stürbe	ist gestorben
stinken	stank stänke	hat gestunken
stoßen du stößt	stieß	hat/ist gestoßen
streichen	strich	hat gestrichen

1. Stammform (Infinitiv)	2. Stammform (Präteritum)	3. Stammform (Partizip II)
streiten	stritt	hat gestritten
tragen du trägst	trug trüge	hat getragen
treffen du triffst	traf träfe	hat getroffen
treiben	trieb	hat getrieben
treten du trittst	trat träte	hat/ist getreten
triefen (↑ 113)	troff tröffe	hat getroffen
trinken	trank tränke	hat getrunken
trügen	trog tröge	hat getrogen
tun	tat täte	hat getan
verderben du verdirbst	verdarb verdürbe	hat/ist verdorben
vergessen du vergißt	vergaß vergäße	hat vergessen
verlieren	verlor verlöre	hat verloren
verlöschen du verlischst	verlosch verlösche	ist verloschen
verzeihen	verzieh	hat verziehen
wachsen du wächst	wuchs wüchse	ist gewachsen
waschen du wäschst	wusch wüsche	hat gewaschen
weben (↑ 113)	wob wöbe	hat gewoben
weichen	wich	ist gewichen
weisen	wies	hat gewiesen
wenden (↑ 113)	wandte wendete	hat gewandt

1. Stammform (Infinitiv)	2. Stammform (Präteritum)	3. Stammform (Partizip II)
werben du wirbst	warb würbe	hat geworben
werden (↑ 177)	wurde würde	ist geworden
werfen du wirfst	warf würfe	hat geworfen
wiegen	wog wöge	hat gewogen
winden	wand wände	hat gewunden
wissen (↑ 178)	wußte wüßte	hat gewußt
wollen (↑ 178)	wollte	hat gewollt
ziehen	zog zöge	hat/ist gezogen
zwingen	zwang zwänge	hat gezwungen

3 Das Substantiv

3.1 Überblick

180 *Streß* [von engl. stress *„Druck, Anspannung, Belastung"*]:
starke körperliche oder seelische *Belastungen.* Der *Begriff*
wurde 1936 von dem *Mediziner Hans Selye* geprägt; er bezeichnet ursprünglich ein allgemeines *Reaktionsmuster*, das
Tiere und *Menschen* als *Antwort* auf erhöhte *Beanspru-
chung* zeigen. Diese *Beanspruchungen* können z.B. durch
*Infektionen, Verletzungen, Schadstoffe, Hitze, Kälte,
Lärm* entstehen. Streßauslösende *Faktoren* können aber auch
seelischer *Art* sein, z.B. *Ärger, Angst, Isolation, Belastungen* in der *Familie* oder im *Beruf*, wie *Zeit-* und *Leistungs-
druck*. In allen *Fällen* treten ähnliche *Reaktionen* des *Körpers (Anpassungsreaktionen)* auf: Chemische *Botschaf-
ten* des *Gehirns (Hormone)* bewirken eine *Überfunktion*
der *Nebennieren* (u.a. *Ausschüttung* von *Adrenalin*) und
aktivieren dadurch die *Abwehrkräfte* des *Körpers*. – Ein ge-
wisses *Maß* an *Streß* ist unschädlich, ja sogar lebensnotwen-
dig. Langdauernder starker *Streß* kann jedoch vielfältige ge-
sundheitliche *Schäden* verursachen, vor allem *Herz-* und
Kreislauferkrankungen (Bluthochdruck, Herzinfarkt)
und *Magengeschwüre*.

Die im Text hervorgehobenen Wörter gehören zur Wortart Sub-
stantiv. Ein anderer weitverbreiteter Fachausdruck für diese
Wortart ist „Nomen" (das Nomen, Plural: die Nomen oder die
Nomina). Übliche deutsche Bezeichnungen sind „Namenwort",
„Dingwort", „Hauptwort".

181 „Nomen" und die deutsche Entsprechung „Namenwort"
besagen, daß Wörter wie

Haus, Tier, Körper, Hormon, Hitze, Ärger, Reaktion

etwas benennen, Gegenständen (im weitesten Sinne) einen Namen geben. Je nach der Art der „Gegenstände" (also je nachdem, ob es sich z.B. um Personen, Dinge, Begriffe handelt) unterscheidet man verschiedene Bedeutungsgruppen von Nomen
(↑ 183 ff.).

Die Bezeichnung „Substantiv" (sie bedeutet soviel wie „selbständiges Wort") und die deutsche Entsprechung „Hauptwort" drük-
ken aus, daß es sich um besonders wichtige Wörter handelt. Sub-

stantive machen den bei weitem größten Teil des Wortschatzes aus (rund 50%, ↑ 79). Sie können auf vielfältige Weise zu neuen Wörtern zusammengesetzt werden (↑ 211 ff.):

> *Druck*, Zeit*druck*, Leistungs*druck*, Bluthoch*druck*;

und Wörter aller anderen Wortarten können zu Substantiven gemacht werden (↑ 210).

Das Substantiv kann in verschiedener Weise andere Wörter zu sich nehmen und mit ihnen zusammen eine Wortgruppe bilden (↑ 230 ff.):

> starke körperliche oder seelische *Belastungen*; *Belastungen* in der Familie; die *Abwehrkräfte* des Körpers; ein gewisses *Maß* an Streß.

Wenn das, was in einem Satz mitgeteilt wird, hauptsächlich durch Substantive (Nomen) und Substantivgruppen ausgedrückt wird, spricht man von „Nominalstil" (↑ 245):

> In allen Fällen treten ähnliche Reaktionen des Körpers auf. (Statt: In allen Fällen reagiert der Körper ähnlich.)

182 Das Substantiv ist im Deutschen dadurch vor allen anderen Wortarten ausgezeichnet, daß es mit großem Anfangsbuchstaben geschrieben wird. Das bedeutet jedoch nicht, daß die Großschreibung ein Wesensmerkmal des Substantivs ist. Eine solche Auffassung kann leicht zu dem nichtssagenden, „sich im Kreise drehenden" Schluß führen: „Substantive schreibt man groß. – Was groß geschrieben wird, ist ein Substantiv." Es sind vielmehr andere Merkmale, an denen man ein Substantiv erkennt:

Substantive haben in der Regel ein festes Geschlecht (↑ 205 ff.):

> *der* Körper, *die* Niere, *das* Gehirn.

Sie verändern sich aber nach Zahl und Fall (↑ 187 ff.):

> das Tier, des Tier*es*, die Tier*e*, den Tier*en*.

3.2 Inhaltliche Bestimmung

183 Man unterscheidet zwei Hauptarten von Substantiven: Gegenstandswörter und Begriffswörter.

Begriffswörter (Abstrakta; Singular: das Abstraktum) bezeichnen Nichtgegenständliches (Begriffe), z. B. Vorstellungen, Eigenschaften, Zustände, Vorgänge, Sachverhalte, Beziehungen:

> Unter *Streß* versteht man starke körperliche oder seelische *Belastungen*. Habe den *Mut*, dich deines eigenen *Verstandes* zu bedienen. *Alter* schützt vor *Torheit* nicht. Für *Frieden* und *Abrüstung*. Zum neuen *Jahr* wünschen wir Ihnen alles *Gute, Gesundheit, Glück* und *Erfolg*.

Mit Gegenstandswörtern (Konkreta; Singular: das Konkretum) bezieht sich der Sprecher auf konkrete, wahrnehmbare Gegenstände und Lebewesen:

> Auf dem *Tisch* steht eine *Lampe*. Der *Wal* ist ein *Säugetier*. *Inge* bringt das *Auto* in die *Werkstatt*. Der *Schiedsrichter* zeigt *Müller* die rote *Karte*.

Die Gegenstandswörter kann man weiter unterteilen in Eigennamen und Gattungsbezeichnungen.

184 Eigennamen bezeichnen genau eine Person oder ein Ding. Eigennamen sind z. B. Namen für

Personen	Anna, Christian, Neumann, Heinrich Böll
Länder	Deutschland, Japan, Libyen, Chile
Städte	Kassel, Dresden, Stockholm, Budapest
Straßen, Plätze, Gebäude	Kurfürstendamm, Bahnhofstraße, Beethovenplatz, Goethehaus
Flüsse, Berge u. ä.	Donau, Bodensee, Feldberg, Himalaya

Es gibt zwar viele Menschen, die mit Vornamen *Anna* oder *Christian* oder mit Nachnamen *Neumann* heißen, und in fast jeder Stadt gibt es eine *Bahnhofstraße*, aber der Sprecher bezieht sich, wenn er einen solchen Namen nennt, immer auf eine ganz bestimmte Person, Straße usw.

185 Anders als mit Eigennamen kann man sich mit Gattungsbezeichnungen auf eine ganze Gruppe (Gattung, Art, Klasse) von Gegenständen oder Lebewesen beziehen. So ist z. B. das *Jahr des Kindes* nicht einem einzelnen, bestimmten Kind gewidmet, sondern allen noch nicht erwachsenen Menschen. Gattungsbezeichnungen sind z. B.:

> Mensch, Frau, Freund, Katze, Rose, Stern, Haus, Tisch, Buch, Auto, Uhr, Rakete.

Viele Familiennamen sind aus Gattungsbezeichnungen, hauptsächlich aus Berufsbezeichnungen, entstanden; z. B.:

> Müller, Meier, Schulze, Schuster, Becker (aus: Bäcker), Schneider, Fischer, Bauer, Schmidt (aus: Schmied).

Umgekehrt gibt es Gattungsbezeichnungen, die aus Eigennamen hervorgegangen sind. So bezeichnet z. B. *Diesel* nicht nur die Person Rudolf Diesel, den Erfinder des Dieselmotors, sondern meist eine bestimmte Art von Autos oder Kraftstoff:

> Er fährt einen *Diesel*. *Diesel* ist im Unterschied zu Benzin nicht teurer geworden.

186 Eine besondere Art von Gattungsbezeichnungen sind Substantive, die Stoffe (Materialien) benennen:

> Stahl, Silber, Holz, Leder, Leinen, Wolle, Fleisch, Salz, Adrenalin, Cholesterin, Fett, Öl, Gas, Benzin, Milch, Tee, Wein, Wasser.

Substantive dieser Art bilden die Gruppe der **Stoffbezeichnungen**.

Die Unterscheidung von Eigennamen, Gattungsbezeichnungen und Stoffbezeichnungen ist nicht nur inhaltlich begründet; die Substantive dieser Gruppen haben auch teilweise unterschiedliche Formen (↑ 194 ff., 199).

3.3 Deklinationsarten

187 Bei der Verwendung im Satz treten die Substantive in verschiedenen Fällen auf, und sie können – in der Regel – Einzahl und Mehrzahl bilden; sie werden also nach Fall und Zahl dekliniert. Dabei verändern sich die Formen nicht nach einem einheitlichen Muster, sondern es gibt unterschiedliche Arten der Deklination. Am meisten unterscheiden sich die Substantive in der Form des Genitivs Singular und in der Bildung des Plurals. (Der Genitiv Singular und der Nominativ Plural werden auch meist in Wörterbüchern bei den Substantiv-Stichwörtern

angegeben.) Nach der Bildungsweise dieser Formen unterscheidet man zwei Hauptarten der Deklination:

starke Deklination	das Bild, des Bildes, die Bilder
schwache Deklination	der Mensch, des Menschen, die Menschen

„Stark" heißt die Deklinationsart, in der es viele verschiedene
Formen gibt, „schwach" nennt man die Deklinationsart, in der
es nur eine Endung gibt. Die Hauptkennzeichen der beiden De-
klinationsarten:

starke Deklination	schwache Deklination
Genitiv Singular der männlichen und sächlichen Substantive: *-es/-s*	Singular der männlichen Substantive (außer Nominativ): *-en*
verschiedene Pluralformen (↑ 200)	nur *-en* im Plural

188 Die starke Deklination

Singular			
	männlich	weiblich	sächlich
Nominativ	der Vogel	die Nacht	das Bild
Genitiv	des Vogel-s	der Nacht	des Bild-es
Dativ	dem Vogel	der Nacht	dem Bild(-e)
Akkusativ	den Vogel	die Nacht	das Bild

Plural			
	männlich	weiblich	sächlich
Nominativ	die Vögel	die Nächt-e	die Bild-er
Genitiv	der Vögel	der Nächt-e	der Bild-er
Dativ	den Vögel-n	den Nächt-en	den Bild-ern
Akkusativ	die Vögel	die Nächt-e	die Bild-er

189 Das Genitiv-*s*

Daß der Genitiv Singular der männlichen und sächlichen Substantive teils mit *-es*, teils mit *-s* gebildet wird, hat vor allem lautliche Gründe.

Die Endung *-es* steht

immer bei Substantiven auf *-s, -ß, -x, -z, -tz*:

> Der Architekt dieses *Hauses*, der Knöchel des linken *Fußes*, die Größe des *Gebäudekomplexes*, die Tiefe ihres *Schmerzes*, das Auge des *Gesetzes*;

meist bei einsilbigen Substantiven mit Konsonant (Mitlaut) am Ende:

> der Autor dieses *Buches*, die Lehne des *Stuhles*, das Ereignis des *Tages*;

häufig bei mehrsilbigen Substantiven mit Endbetonung und bei Zusammensetzungen mit Fugen-*s* (↑ 214):

> die Höhe des *Betrages*, die Dauer seines *Besuches*, die Einhaltung des *Arbeitsplanes*, die Öffnungszeiten des *Gesundheitsamtes*.

Die Endung *-s* steht

immer bei Substantiven auf *-el, -em, -en, -er, -chen, -lein*:

> die Federn des *Vogels*, die Pflege des *Gartens*, die Tätigkeit des *Lehrers*, die Mutter des *Mädchens*;

meist bei Substantiven mit Vokal (Selbstlaut), auch Vokal + *h* am Ende:

> die Behandlung seines verletzten *Knies*, die Errichtung eines *Neubaus*, der Abdruck des *Schuhs*;

häufig bei mehrsilbigen Substantiven ohne Endbetonung:

> am Ersten des *Monats*, die Genehmigung ihres *Antrags*, am Ende des *Urlaubs*, auf S. 10 dieses *Lehrbuchs*.

 Es ist nicht korrekt, das Genitiv-(*e*)*s* wegzulassen, auch nicht bei Wörtern, die als Name gebraucht werden. Es heißt z. B. richtig:

> im Laufe des *Mittwochs* (nicht: des Mittwoch), am Morgen des *Ostersonntags* (nicht: des Ostersonntag), im Auftrag des Zweiten Deutschen *Fernsehens* (nicht: des Zweiten Deutschen

Fernsehen), die Redaktion des „*Spiegels*" (nicht: des „Spiegel"), der Geschmack des *Kaffees* (nicht: des Kaffee), die Reparatur des *Dynamos* (nicht: des Dynamo).

Nur bei den Monatsnamen ist auch die endungslose Genitivform möglich:

die letzten Tage des *Mais*/des *Mai*, im Laufe des *Septembers*/des *September* usw.

---

190 Das Dativ-*e*

Die Endung -*e* im Dativ Singular der starken männlichen und sächlichen Substantive kommt heute nur noch selten vor.

In manchen Fällen ist das Dativ-*e* gar nicht möglich: Vor allem diejenigen Substantive, die im Genitiv Singular nicht -*es*, sondern nur -*s* haben (↑ 189), bilden auch den Dativ ohne -*e*; es heißt also z. B. immer:

im *Garten*, dem *Lehrer*, am *Knie*, unter dem *Schuh*, im *Mai*, nach dem *Urlaub*.

Sonst ist sowohl die Form mit -*e* wie auch die ohne -*e* möglich; im Unterschied zu früher wird heute fast nur noch die endungslose Form gebraucht:

am nächsten *Tag(e)*, im *Bett(e)*, auf dem *Weg(e)*, vor dem *Haus(e)*, zu seinem *Freund(e)*.

Nur in bestimmten festen Wendungen hat sich das Dativ-*e* noch weitgehend erhalten:

in diesem *Sinne*, im *Laufe* der Zeit, im *Grunde* (genommen), dem *Wohle* des Volkes dienen, mit dem *Tode* ringen.

---

191 **Die schwache Deklination**

Singular		
	männlich	weiblich
Nominativ	der Mensch	die Frau
Genitiv	des Mensch-en	der Frau
Dativ	dem Mensch-en	der Frau
Akkusativ	den Mensch-en	die Frau

Plural		
	männlich	weiblich
Nominativ	die Mensch-en	die Frau-en
Genitiv	der Mensch-en	der Frau-en
Dativ	den Mensch-en	den Frau-en
Akkusativ	die Mensch-en	die Frau-en

Sächliche Substantive kommen in dieser Deklinationsart nicht vor.

 Vor allem in der gesprochenen Sprache wird das *-en* im Dativ und Akkusativ der schwachen männlichen Substantive des öfteren weggelassen; vgl. etwa:

am *Automat* (statt: am *Automaten*) / einen *Elefant* (statt: einen *Elefanten*).

Die Wörter werden also praktisch stark dekliniert. Entsprechend wird dann auch manchmal der Genitiv mit *-s* gebildet:

die Mütze des *Bubs* (statt: des *Buben*).

Alle solche Formen sind nicht korrekt. Es heißt also z. B.:

Der Arzt verschreibt dem *Patienten* (nicht: dem Patient) ein Medikament. Dazu muß man einen *Juristen* (nicht: einen Jurist) befragen. Ich habe das Paßbild bei einem *Fotografen* (nicht: bei einem Fotograf) machen lassen. Das Haus ist von dem *Architekten* Meier (nicht: von dem Architekt Meier) gebaut worden. Den *Komponisten* (nicht: den Komponist) des Stückes habe ich vergessen. Die Bevölkerung bereitete dem *Präsidenten* (nicht: dem Präsident) einen kühlen Empfang. Das hat ihn zum *Helden* (nicht: zum Held) des Tages gemacht. Wir haben einen *Polizisten* (nicht: einen Polizist) nach dem Weg gefragt.

192 Substantive mit gemischter Deklination

Es gibt einige männliche und sächliche Substantive, die im Singular stark und im Plural schwach dekliniert werden:

	Singular	Plural
Nominativ	der Staat	die Staat-en
Genitiv	des Staat-(e)s	der Staat-en
Dativ	dem Staat(-e)	den Staat-en
Akkusativ	den Staat	die Staat-en

Ebenso werden auch die sächlichen Substantive *Auge* und *Ohr* und – nur mit *-s* im Genitiv Singular – männliche Substantive auf *-or* wie z. B. *Doktor, Professor, Direktor, Autor* dekliniert.

In anderer Weise gemischt ist die Deklination von *Buchstabe (des Buchstabens, die Buchstaben)* und von *Herz (des Herzens, die Herzen)*.

193 Doppelformen

Eine Reihe von männlichen Substantiven hat zwei Nominativformen, eine auf *-e*, eine auf *-en*. Die folgende Liste zeigt, welche der beiden Formen heute gebräuchlicher ist:

gebräuchlicher	seltener; gehoben
der Frieden	der Friede
der Funke	der Funken
der Gedanke	der Gedanken
der Glaube	der Glauben
der Haufen	der Haufe
der Name	der Namen
der Samen	der Same
der Wille	der Willen

Bei beiden Formen endet der Genitiv Singular auf *-ns*, alle übrigen Fälle auf *-n*.

Einige Substantive können im Singular sowohl stark als auch schwach dekliniert werden. Zu ihnen gehören z. B.:

der Ahn	des Ahn(e)s / des Ahnen
der Bauer (= Landwirt)	des Bauern / des Bauers
der Nachbar	des Nachbarn / des Nachbars
der Oberst	des Obersten / des Obersts
der Pfau	des Pfau(e)s / des Pfauen
der Spatz	des Spatzes / des Spatzen

Zu Doppelformen im Plural ↑ 202.

Die Deklination der Eigennamen

194 Personennamen (Vornamen, Familiennamen, auch Verwandtschaftsbezeichnungen) werden im heutigen Deutsch nicht mehr in allen Fällen dekliniert. Sie erhalten nur noch im Genitiv eine Endung, und das auch nur, wenn sie ohne Artikel (Geschlechtswort) stehen. Die Genitivendung lautet für alle Namen (also auch für weibliche Namen) -s:

> *Michaelas* Geburtstag, *Michaels* Freunde, *Schillers* Dramen, die Rede *Schmidts*, in *Meyers* Lexikon, *Mutters* Bruder.

Bei mehreren Namen erhält nur der letzte die Genitivendung -s:

> *Eva Marias* neues Kleid, *Ulrich Beckers* Sieg, das Geburtshaus *Ludwig van Beethovens*, die Werke *Johann Wolfgang von Goethes*.

Bei Namen, die auf -s, -ß, -x, -z, -tz enden, schreibt man anstelle des Genitiv-s einen Apostroph (ein Auslassungszeichen), oder man ersetzt den Genitiv durch eine Fügung mit *von*:

> *Thomas'* Fahrrad / das Fahrrad *von Thomas*, *Johann Strauß'* Walzer / die Walzer *von Johann Strauß*, *Karl Marx'* Lehren / die Lehren *von Karl Marx*, *Fritz'* Leistungen / die Leistungen *von Fritz*.

Manchmal wird auch noch die alte Genitivform *-ens* gebraucht:

> *Marxens* Lehren, *Fritzens* Leistungen.

Zu der umgangssprachlichen Umschreibung *dem Thomas sein Fahrrad* ↑ 234.

Personennamen mit einem Artikel haben heute in der Regel kein Genitiv-*s*:

> die verlorene Ehre *der Katharina Blum*, die Krankheit *des kleinen Stefan*, das Leben *der Elisabeth von Thüringen*, die Heldentaten *des jungen Siegfried*.

195 Steht vor dem Namen eine nähere Bestimmung (wie z. B. Titel, Berufsbezeichnung, Rang, Verwandtschaftsbezeichnung), aber kein Artikel, erhält nur der Name die Genitivendung -*s*:

> *Kommissar Kösters* Fälle, *Professor Singers* Vorlesung, *Tante Gretes* Testament, *Regierungsrat Schultes* Verabschiedung, die Krönung *Königin Elisabeths*, *Dr. Kochs* Apfelsaft, *Oberschwester Hildegards* Hund, *Bürgermeister Stoltes* Rede.

 Herr wird immer dekliniert; der Genitiv, Dativ und Akkusativ Singular heißt *Herrn*:

> *Herrn* Dr. Baiers Praxis. Geben Sie das bitte *Herrn* Diehl. Das Schreiben geht an *Herrn* Diplomkaufmann Gerhard Straub.

Stehen Titel o. ä. + Name mit einem Artikel, wird nur der Titel (bei mehreren Titeln: der erste) dekliniert:

> die Fälle *des Kommissars Köster*, die Regierungszeit *des Königs Ludwig*, die Verabschiedung *des Regierungsrates Dr. Schulte*, der Zwischenruf *des Abgeordneten Professor Dr. Meyer*.

 Der Titel *Doktor (Dr.)* gilt als Bestandteil des Namens; er bleibt immer undekliniert:

> die Ausführungen *des Doktor* (nicht: Doktors) Hildebrand.

196 Übersicht über die Deklination der Personennamen

	ohne Artikel	mit Artikel
ein Name	mit -*s* im Genitiv *die Rede Meiers*	ohne -*s* im Genitiv *die Rede des Meier*
mehrere Namen	nur der letzte mit -*s* im Genitiv *die Rede Horst Meiers*	ohne -*s* im Genitiv *die Rede des Horst Meier*

	ohne Artikel	mit Artikel
ein Titel o. ä. + Name	Der Name wird dekliniert *die Rede Direktor Meiers*	Der Titel wird dekliniert *die Rede des Direktors Meier*
mehrere Titel o. ä. + Name	Der Name wird dekliniert *die Rede Direktor Professor Meiers*	Nur der 1. Titel wird dekliniert *die Rede des Direktors Professor Meier*
Herr (+ Titel) + Name	*Herr* wird immer dekliniert	
	die Rede Herrn Meiers	*die Rede des Herrn Direktor Meier*
Doktor (Dr.) + Name	*Dr.* wird nie dekliniert	
	die Rede Doktor Meiers	*die Rede des Doktor Meier*

197 Geographische Namen, d. h. Namen von Ländern, Städten, Gebirgen, Flüssen usw., werden, soweit sie männlich oder sächlich sind, ähnlich wie Personennamen dekliniert. Sie erhalten im Genitiv die Endung *-s*, wenn sie ohne Artikel gebraucht werden:

> die Teilung *Deutschlands*, *Schwedens* Königin, die Nationalmannschaft *Uruguays*, die Geschichte *Roms*, außerhalb *Münchens*, das Wahrzeichen *Hamburgs*.

Diejenigen geographischen Namen, die mit Artikel (und einem Adjektiv) stehen, können im Genitiv mit und ohne *-s* gebraucht werden:

> in den Schluchten *des Balkan(s)*, jenseits *des Ural(s)*, der Ausbruch *des Vesuv(s)*, auf dem Gipfel *des Matterhorn(s)*, am Ufer *des Nil(s)*, die Nebenflüsse *des Tiber(s)*, die Kneipen *des alten Köln(s)*, die Idee *eines vereinigten Europa(s)*.

198 Namen von Straßen, Gebäuden, Zeitungen, Werken (z. B. Romanen, Theaterstücken, Filmen) werden auch dann dekliniert, wenn sie in Anführungszeichen stehen:

> die Geschäfte auf der *Hohen Straße*, die Übernachtung im *„Bayerischen Hof“*, in der *„Süddeutschen Zeitung“*, der Herausgeber des *„Spiegels“*, ein Kapitel aus den *„Brüdern Karamasov“*, in Schillers *„Räubern“*.

Nur wenn ein erläuterndes Substantiv vorangestellt wird, steht der Name unverändert (im Nominativ):

> die Übernachtung im Hotel „*Bayerischer Hof*", der Herausgeber des Wochenmagazins „*Der Spiegel*", ein Kapitel aus Dostojevskijs Roman „*Die Brüder Karamasov*", in Schillers Drama „*Die Räuber*".

3.4 Singular und Plural

199 | **Der Singular**

Manche Substantive können auf Grund ihrer Bedeutung nur im Singular (in der Einzahl) gebraucht werden. Zu ihnen gehören vor allem viele Begriffswörter (↑ 183):

> Hitze, Kälte, Lärm, Ruhe, Ärger, Streß, Alter, Gerechtigkeit, Frieden, Glück, Sozialismus.

Auch Stoffbezeichnungen (↑ 186) sind im allgemeinen nicht zählbar:

> Gold, Stahl, Blei, Leder, Salz, Fett, Öl, Fleisch, Butter, Bier, Wasser, Regen, Schnee, Eis.

Wenn jedoch verschiedene Arten oder Sorten solcher „Stoffe" unterschieden werden sollen, können auch Pluralformen gebildet werden. Vor allem in den technischen Fachsprachen sind Pluralbildungen wie

> Stähle, Bleie, Salze, Fette, Öle

sehr zahlreich. Manchmal kann eine Mehrzahl nur durch zusammengesetzte Wörter ausgedrückt werden:

> Fleischsorten, Butterarten, Regenfälle, -güsse, Schneemassen.

Eigennamen bezeichnen etwas Einmaliges (↑ 184); deshalb kommen sie in der Regel nur im Singular vor. Wenn von Personennamen ein Plural gebildet wird, sind damit meist alle Mitglieder einer Familie gemeint:

> (die) Brückners, (die) Schmidts, die Buddenbrooks, die Windsors.

Der Plural

200 Es gibt im Deutschen verschiedene Arten, den Plural (die Mehrzahl) zu bilden:

Plural-kennzeichen	Singular	Plural
-en	die Frau, der Mensch	die Frauen, die Menschen
-n	der Bote, die Nadel	die Boten, die Nadeln
-e	der Tag, das Brot	die Tage, die Brote
-e + Umlaut	die Nacht, der Sohn	die Nächte, die Söhne
–	der Zettel, das Segel	die Zettel, die Segel
Umlaut	der Vogel, der Garten	die Vögel, die Gärten
-er	das Bild, das Feld	die Bilder, die Felder
-er + Umlaut	der Wald, das Haus	die Wälder, die Häuser
-s	das Auto, der Park	die Autos, die Parks

201 Welche Substantive welche Pluralform haben, läßt sich nicht in allgemeine Regeln fassen. Nur bei bestimmten Substantiven kann man – auf Grund ihrer Endung – mit (ziemlicher) Sicherheit von der Singularform auf die Pluralform schließen. Grob läßt sich aber über die Verteilung der Pluraltypen sagen: Die Endungen -(e)n und -e kommen insgesamt weitaus am häufigsten vor; die meisten weiblichen Substantive bilden den Plural mit -(e)n, die meisten männlichen und sächlichen mit -e.

Die kurze Form *-n* statt *-en* haben

männliche und weibliche Substantive auf *-e*:

> die Bote-n, die Hase-n, die Straße-n, die Ehe-n;

weibliche Substantive auf *-el*:

> die Nadel-n, die Schachtel-n, die Amsel-n.

 Bei Wörtern auf *-el* besteht oft Unsicherheit in der Pluralbildung. Es gibt nämlich auch männliche und sächliche Substantive auf *-el*, und diese sind (ebenso wie männliche und sächliche Substantive auf *-er* und *-en*) im Plural endungslos:

> der Zettel – die Zettel, der Vogel – die Vögel, das Segel – die Segel.

Ausnahmen sind nur:

der Pantoffel – die Pantoffeln, der Muskel – die Muskeln, der Stachel – die Stacheln.

Man muß also bei Substantiven auf *-el* auf das Geschlecht achten, um den richtigen Plural zu bilden; es heißt:

(weiblich): die Kartoffel – die Kartoffeln, die Semmel – die Semmeln, die Zwiebel – die Zwiebeln, die Gabel – die Gabeln;

dagegen:

(männlich und sächlich:) der Spargel – die Spargel, der Knödel – die Knödel, das Schnitzel – die Schnitzel, der Löffel – die Löffel.
(Im Dativ Plural aber immer mit der Endung *-n*: mit Spargeln, mit Knödeln, mit Löffeln.)

Den Plural mit *-s* bilden vor allem

Substantive, die auf Vokal (außer *-e*) enden:

die Omas, die Opas, die Uhus;

viele Abkürzungs- und Kurzwörter (↑ 226ff.):

die PKWs, die GmbHs, die Autos, die Dias, die Fotos, die Pullis, die Azubis, die Sozis;

viele (ursprüngliche) Fremdwörter (meist aus dem Englischen):

die Docks, die Hecks, die Wracks, die Steaks, die Jeans.

 In der Umgangssprache wird das *-s* auch oft an andere Wörter angehängt, um den Plural besonders deutlich zu machen:

die Fräuleins (für: die Fräulein), die Jungens (für: die Jungen), (entsprechend:) die Mädels, die Mädchens, die Bengels, die Kumpels.

In der Standardsprache sind aber nur die Formen ohne *-s* korrekt.

202 Doppelformen

Eine Reihe von Substantiven hat zwei Pluralformen. Meist werden damit zwei verschiedene Bedeutungen des Wortes unterschieden, z. B.:

Bank – Bänke / Banken

Für das Grillfest wurden Tische und *Bänke* im Freien aufgestellt. Er hat bei mehreren *Banken* ein Konto.

Block – Blöcke / Blocks

Das Kernkraftwerk hat drei *Blöcke*. Sonderangebot: *Notizblocks* ab 0,50 DM.
(Die Pluralformen von *Block* schwanken aber; es heißt z. B. auch *Häuserblocks* – statt: *Häuserblöcke*, *Zeichenblöcke* – statt: *Zeichenblocks*.)

Mutter – Mütter / Muttern

Mütter und Kinder wurden zuerst gerettet. Keine der *Muttern* paßt auf diese Schraube.

Strauß – Sträuße / Strauße

Sie bindet *Sträuße* aus Trockenblumen. *Strauße* sind große Laufvögel.

Wort – Wörter / Worte

Dieser Satz besteht aus sechs *Wörtern*. Er sprach ein paar *Worte* zur Begrüßung der Gäste.

Das Wort *Mann* hat (neben dem alten Plural *Mannen* = Gefolgsleute) die Pluralform *Männer*. In Zusammensetzungen mit dem Grundwort *-mann* wechseln die Pluralformen *-männer* und *-leute*. Der Plural *-männer* wird verwendet, wenn einzelne Personen (männlichen Geschlechts) gemeint sind:

Strohmänner, Hintermänner, Gewährsmänner, Lebemänner, Hampelmänner, Ehemänner.

Der Plural *-leute* bezeichnet dagegen mehr eine berufliche oder soziale Gruppe (der auch Frauen angehören können):

Geschäftsleute, Fachleute, Kaufleute, Seeleute, Bergleute; Eheleute (= Ehemann und Ehefrau).

203 Pluralformen bei Fremdwörtern

Besondere Pluralformen haben viele Fremdwörter, die aus dem Griechischen, Lateinischen und Italienischen kommen.

Zum Teil wird die ursprüngliche fremdsprachige Pluralendung beibehalten, zum Teil wird sie durch die deutsche Pluralendung *-en* ersetzt. Es gibt auch viele Doppelformen.

Pluralformen mit *-en* haben z. B.:

das Album – die Alben
der Atlas – die Atlanten
   (auch: die Atlasse)
die Basis – die Basen
das Datum – die Daten
das Drama – die Dramen
die Firma – die Firmen
der Globus – die Globen
   (auch: die Globusse)
das Gremium – die Gremien
das Konto – die Konten
   (auch: die Kontos)

der Mechanismus – die Mechanismen
das Ministerium – die Ministerien
das Museum – die Museen
die Praxis – die Praxen
der Rhythmus – die Rhythmen
das Risiko – die Risiken
   (auch: die Risikos)
das Thema – die Themen
die Villa – die Villen
das/der Virus – die Viren

Die fremden Endungen werden vor allem bei Fachausdrücken beibehalten:

das Cello – die Celli
der Index – die Indizes
   (auch: die Indexe)
das Komma – die Kommata
   (auch: die Kommas)
das Lexikon – die Lexika
   (auch: die Lexiken)

das Praktikum – die Praktika
das Pronomen – die Pronomina
   (auch: die Pronomen)
das Schema – die Schemata
das Solo – die Soli
   (auch: die Solos)
das Visum – die Visa

 Falsch ist es in jedem Fall, dem fremdsprachigen Plural noch ein *-s* hinzuzufügen. Es heißt also z. B.:

Er kann die *Kommata* (oder: *die Kommas*; nicht: die Kommatas) nicht richtig setzen. Ich habe in drei *Lexika* (oder: *Lexiken*; nicht: Lexikas) nachgeschlagen. Hast du alle *Visa* (nicht: Visas) für die Reise besorgt? Das Orchester spielte zwei *Divertimenti* (nicht: Divertimentis) von Mozart. Bei uns gibt es heute *Spaghetti* (nicht: Spaghettis).

204 | Es gibt Substantive, die nur in der Pluralform vorkommen. Zu ihnen gehören z. B.:

Einkünfte	Lebensmittel
Kosten	Spirituosen
Unkosten	Kurzwaren
Auslagen (= Unkosten)	Utensilien
Spesen	Ferien
Alimente	Gewissensbisse
Eltern	Masern
Gebrüder	Memoiren
Geschwister	Personalien
Leute	Trümmer

Auch die Festbezeichnungen *Ostern, Pfingsten, Weihnachten* sind ursprünglich Pluralformen. Sie werden heute aber im allgemeinen nur noch in Wunschformeln als Plural gebraucht:

Fröhliche Ostern! Frohe Pfingsten! Gesegnete Weihnachten!

Sonst werden sie in der Regel als Singularform behandelt:

Ostern *liegt* (nicht: liegen) in diesem Jahr sehr früh. In zwei Wochen *ist* Pfingsten. Weihnachten *fällt* auf ein Wochenende.

3.5 Das Geschlecht

205 | Jedes Substantiv hat ein bestimmtes grammatisches Geschlecht (Genus); es ist entweder männlich, weiblich oder sächlich:

männlich (maskulin, ein Maskulinum)	der Baum, der Apfel, der Mond
weiblich (feminin, ein Femininum)	die Tanne, die Birne, die Sonne
sächlich (neutral, ein Neutrum)	das Holz, das Obst, das Gestirn

Nur bei einigen wenigen Substantiven schwankt das Geschlecht; ↑ 208.

Im Deutschen wird das Geschlecht des Substantivs durch den bestimmten Artikel *(der, die, das)* angezeigt; dem Substantiv selbst kann man in der Regel nicht ansehen, welches Geschlecht es hat (↑ jedoch 207). Es ist keineswegs naturgegeben, daß z. B. *Mond* männlich und *Sonne* weiblich ist; im Französischen etwa ist es gerade umgekehrt: *la lune* („der Mond") hat weibliches Geschlecht und *le soleil* („die Sonne") männliches. Nur bei Substantiven, die Lebewesen bezeichnen, kann man von einem „natürlichen" Geschlecht sprechen, und hier gibt es auch viele Übereinstimmungen zwischen grammatischem und natürlichem Geschlecht:

> die Frau, die Mutter, die Stute; der Mann, der Sohn, der Hengst.

Aber in manchen Fällen gehen grammatisches und natürliches Geschlecht auch auseinander, vgl. z. B.:

> das Mädchen, das Fräulein, das Weib.

206 Es gibt einige Gruppen von Substantiven, die (ziemlich) fest mit einem bestimmten Geschlecht verbunden sind:

Männlich sind z. B. Bezeichnungen für

Jahreszeiten, Monate, Wochentage	der Sommer, der Herbst, der Mai, der September, der Mittwoch
Himmelsrichtungen, Winde, Niederschläge	der Osten, der Süden, der Monsun, der Föhn, der Regen, der Schnee
Autos	der Opel, der Golf, der Skoda
Spirituosen	der Cognac, der Wodka, der Rum

Weiblich sind u. a.

Schiffsnamen	die Bremen, die Europa, die Gorch Fock, die Kaiser Wilhelm
Markennamen von Motorrädern	die Honda, die Kawasaki, die BMW
Markennamen von Zigarren und Zigaretten	die Havanna, die Lord Extra, die Camel, die Reval
substantivierte Zahlen	die Eins, die Fünf, die Dreizehn

Sächlich sind z. B.

Namen von Hotels und Cafés	das Hilton, das Holiday Inn, das Astoria, das Kranzler
Ortsnamen	das kleine Bonn, das alte Berlin, das antike Rom
die meisten Länder- und Gebietsnamen	das sonnige Italien, das moderne China, das schöne Elsaß
substantivierte Buchstaben	das A und O, das große D, das X

207 Bei vielen Substantiven kann man das Geschlecht an der Endung erkennen. Einige häufige deutsche und fremdsprachige Endungen und das zugehörige Geschlecht:

Männlich sind z. B. Substantive auf

-ant	Lieferant, Spekulant, Mandant, Fabrikant
-ent	Präsident, Student, Agent, Patient, Interessent, Referent (aber: das Talent)
-ich	Teppich, Kranich, Gänserich, Pfirsich, Fittich
-iker	Chemiker, Elektriker, Mechaniker, Politiker
-ismus	Nationalismus, Kapitalismus, Pessimismus, Egoismus
-ist	Realist, Spezialist, Journalist, Tourist, Optimist
-or	Direktor, Autor, Moderator, Katalysator, Monitor, Reaktor (aber: das Labor)

Weiblich sind Substantive mit der Endung

-anz	Bilanz, Allianz, Toleranz, Distanz, Arroganz
-ei	Rederei, Schlägerei, Bäckerei, Bücherei
-enz	Tendenz, Intelligenz, Prominenz, Konferenz
-heit	Wahrheit, Sicherheit, Krankheit, Freiheit
-ie [i:]	Energie, Ökonomie, Fotografie, Demokratie
-ie	Studie, Folie, Linie, Prämie, Serie, Aktie

-(ig)keit	Geschwindigkeit, Müdigkeit, Einsamkeit
-ik	Technik, Klinik, Fabrik, Politik, Statistik
-in	Ärztin, Nachbarin, Sekretärin, Engländerin
-ion	Region, Diskussion, Information, Position
-ität	Realität, Stabilität, Aktivität, Humanität
-schaft	Gesellschaft, Erbschaft, Feindschaft, Landschaft
-ung	Werbung, Übung, Meinung, Kleidung, Bewegung
-ur	Figur, Zensur, Natur, Reparatur, Temperatur

Sächliches Geschlecht haben Substantive auf

-chen, -lein	Mädchen, Häuschen, Plätzchen, Fräulein, Büchlein
-ment	Medikament, Instrument, Dokument, Argument, Element
-tum	Eigentum, Christentum, Herzogtum, Brauchtum (aber: der Reichtum, der Irrtum)
-um	Datum, Stadium, Podium, Gremium, Publikum

208 Manche Substantive haben schwankendes Geschlecht, d.h., sie werden mit zwei (in seltenen Fällen sogar mit drei) verschiedenen Geschlechtern gebraucht. Meist schwankt das Geschlecht zwischen männlich und sächlich.

Einige gebräuchliche Substantive mit schwankendem Geschlecht sind:

das/der Barock	der/das Liter
der/das Biotop	der/das Meter
der/das Bonbon	das/der Poster
der/das Dotter	der/das Radar
der/das Filter	der/das Sakko
das/der Gelee	der/das Schnipsel
der/das Halfter	der/das Schrot
der/das(/die) Joghurt	der/das Sims
der/das Keks	der/das Teil
der/das Knäuel	der/das Twinset
die/der Krem	das/der Virus

209 Es gibt auch Substantive, bei denen verschiedenes Geschlecht verschiedene Bedeutung anzeigt. Hier handelt es sich nicht um Schwankungen des Geschlechts bei ein und demselben Wort, sondern um unterschiedliche Wörter, die nur die äußere Form (die Lautung) gemeinsam haben. Oft unterscheiden sich bei diesen Substantiven auch die Pluralformen.

Gleichlautende Substantive mit verschiedenem Geschlecht und verschiedener Bedeutung sind z. B.:

der Band – die Bände
das Band – die Bänder

> Der 10. Band des Lexikons ist erschienen. Sie trug ein schwarzes Samtband um den Hals.

der Flur – die Flure
die Flur – die Fluren (veraltet)

> Die Wohnung hat nur einen winzigen Flur. Die Gemeindeflur wird neu geordnet.

der Gehalt – die Gehalte
das Gehalt – die Gehälter

> Wurst hat meistens einen hohen Fettgehalt. Das Gehalt wird Mitte des Monats ausgezahlt.

die Heide (ohne Plural)
der Heide – die Heiden

> Im August blüht die Heide. Ein Christ muß nicht besser sein als ein Heide.

der Hut – die Hüte
die Hut (ohne Plural; veraltet)

> Er zog seinen Hut tief in die Stirn. Sei auf der Hut vor ihm!

die Kiefer – die Kiefern
der Kiefer – die Kiefer

> Die Kiefer ist ein Nadelbaum. Er hat sich den Kiefer ausgerenkt.

die Kunde (ohne Plural)
der Kunde – die Kunden

> Die Kunde davon verbreitete sich in Windeseile. Bei uns ist der Kunde König!

die Leiter – die Leitern
der Leiter – die Leiter

> Er stellte eine Leiter an die Hauswand. Die Firma stellte einen
> neuen Abteilungsleiter ein.

die Mangel – die Mangeln
der Mangel – die Mängel

> Für große Wäschestücke hat sie eine Mangel. Die Arbeit hat
> nur einen kleinen Mangel.

die Mark – Mark
das Mark (ohne Plural)

> Der Eintritt kostet eine Mark. Der Knochen war bis auf das
> Mark zersplittert.

der Moment – die Momente
das Moment – die Momente

> Darf ich für einen Moment um Ruhe bitten! Ein wichtiges Mo-
> ment bei dieser Sache ist folgendes: ...

der Schild – die Schilde
das Schild – die Schilder

> Jeder Polizist hatte einen Schild in der Hand. Der Autofahrer
> hat das Stop-Schild übersehen.

der See – die Seen
die See (ohne Plural)

> Mitten im Wald lag ein kleiner, stiller See. Wir fahren im Ur-
> laub immer an die See.

die Steuer – die Steuern
das Steuer – die Steuer

> Die Mehrwertsteuer soll erhöht werden. Der Bootsmann riß das
> Steuer herum.

der Tau (ohne Plural)
das Tau – die Taue

> In der Morgensonne glitzerte der Tau auf den Wiesen. Er
> machte einen Seemannsknoten in das Tau.

der Verdienst – die Verdienste
das Verdienst – die Verdienste

> Suchen Sie einen Nebenverdienst? Er hatte großes Verdienst
> am Erfolg der Firma.

3.6 Die Wortbildung des Substantivs

210 Die Möglichkeiten, neue Wörter zu bilden, sind bei keiner Wortart so groß wie beim Substantiv.

Wörter aller Wortarten können auf einfache Weise, ohne besondere Wortbildungsmittel, zu einem Substantiv gemacht („substantiviert") werden, z. B.:

> (Verben:) Musik stört mich beim *Arbeiten*. Zum *Feiern* braucht man keinen Grund. Aus dem Apparat kam nur noch ein *Rauschen* und *Pfeifen*.
> (Adjektive:) Dieses *Blau* steht dir besonders gut. Alles *Liebe* und *Gute* zum Geburtstag! Ich befürchte das *Schlimmste*.
> (Pronomen:) Sie haben mir gleich das *Du* angeboten. Die Familie stand plötzlich vor dem *Nichts*.
> (Partikeln:) Vergiß das *Gestern*. Sie grübelte über das *Warum* und *Wozu*. Das dauernde *Hin* und *Her* macht mich ganz nervös. Man muß das *Für* und *Wider* sorgfältig abwägen. Ihr geht jetzt ohne *Wenn* und *Aber* ins Bett! Dazu sage ich ein entschiedenes *Nein*. Es gab ein großes *Hallo*.

Alle als Substantive gebrauchten Wörter werden groß geschrieben. Vor allem bei substantivierten Verben bestehen oft Unsicherheiten in der Rechtschreibung. Daß ein Verb als Substantiv gebraucht ist, erkennt man daran, daß vor ihm ein Artikel (der mit einer Präposition verschmolzen sein kann) steht oder stehen kann. Es ist also z. B. zu schreiben:

> Das *Mitbringen* von Hunden ist untersagt. Informationsmaterial – zum *Mitnehmen*. *Zelten* und *Lagern* ortspolizeilich verboten. Bitte ohne *Klingeln/Anklopfen* eintreten!

Substantive mit neuen Bedeutungen entstehen durch Zusammensetzung und Ableitung.

Zusammengesetzte Substantive

211 Anders als bei den Verben, bei denen Zusammensetzungen relativ selten sind, spielt die Zusammensetzung bei den Substantivbildungen eine außerordentlich große Rolle. Neben zweigliedrigen Bildungen gibt es Substantive, die aus drei, vier, fünf und mehr Einzelwörtern zusammengesetzt sind:

> Haft-pflicht-versicherung, Energie-spar-programm, Krankenhaus-tage-geld, Druck-luft-brems-zylinder, Strahlen-schutz-vorsorge-gesetz, Luft-waffen-geheim-dienst-offizier, Landes-bauspar-kassen-zweig-stelle, Bundes-bahn-ober-inspektoren-laufbahn.

Solche vielteiligen, komplexen Wörter sind eine Besonderheit des Deutschen; in anderen Sprachen können sie meist nur durch Wortgruppen und Nebensätze wiedergegeben werden.

Daß man auch so umfangreiche Bildungen wie z. B. *Atomkraftwerkstandortsicherungsprogramm* verstehen kann, selbst wenn man sie noch nie gehört hat, liegt daran, daß alle Zusammensetzungen nach dem gleichen Grundmuster aufgebaut sind.

212 Für die einfachste Form, in der ein zusammengesetztes Substantiv aus zwei Einzelwörtern besteht, sieht der Aufbau so aus:

Das zweite Wort ist immer ein Substantiv; das erste Wort kann aus verschiedenen Wortarten kommen, z. B.:

Substantiv	+ Substantiv	Holz-haus
Verb	+ Substantiv	Wohn-haus
Adjektiv	+ Substantiv	Hoch-haus

Das Geschlecht des zweiten Wortes legt das Geschlecht des gesamten zusammengesetzten Substantivs fest:

> *das* Holzhaus, *die* Haustür, *der* Tür*griff*.

In der Regel wird das zweite Wort durch das vorangehende inhaltlich näher bestimmt; die Bestandteile einer solchen Zusammensetzung heißen deshalb Bestimmungswort und Grundwort (↑ 72):

Bestimmungswort	Grundwort	Bedeutung
Holz	haus	„Haus aus Holz"
Wohn	haus	„Haus zum Wohnen"
Hoch	haus	„hohes Haus"

Natürlich können Grund- und Bestimmungswort nicht beliebig vertauscht werden: z. B. ist ein *Fingerring* etwas anderes als ein *Ringfinger*, ein *Messerstahl* etwas anderes als ein *Stahlmesser*.

213 Nach dem zweigliedrigen Schema Bestimmungswort – Grundwort sind auch alle mehrteiligen Zusammensetzungen aufgebaut. Wo die Grenze zwischen Grund- und Bestim-

mungswort liegt, zeigt sich, wenn man die Zusammensetzung in
eine entsprechende Wortgruppe auflöst, z. B.:

> Schach|weltmeister = Weltmeister im Schach(spielen),
> Umweltschutz|organisation = Organisation für den Umwelt-
> schutz.

Das Grund- oder das Bestimmungswort oder beide sind dann in
sich wiederum (z. T. mehrfach) nach dem Prinzip Bestimmungswort – Grundwort gegliedert:

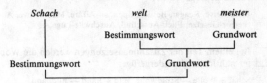

Häufiger ist das Bestimmungswort mehrgliedrig:

 Je mehr Einzelwörter zu einem neuen Wort zusammengesetzt werden, desto schwieriger wird es in der Regel, die
Gliederung zu überschauen und den Sinn des Wortes zu
erfassen. Man sollte deshalb überlange, unübersichtliche
Zusammensetzungen vermeiden. Meist ist eine entsprechende Wortgruppe leichter verständlich, z. B.:

Regulierung der Treibstoffzufuhr (statt: Treibstoffzufuhrregu-
lierung), Institut zur Finanzierung von Teilzahlungen (statt:
Teilzahlungsfinanzierungsinstitut), Nachweis für die Unterhal-
tung der Geräte (statt: Geräteunterhaltungsnachweis).

Manchmal kann auch die Schreibung mit Bindestrich helfen, eine lange Zusammensetzung übersichtlicher zu machen:

Gemeindegrundsteuer-Veranlagung, Kraftstoff-Einfüllstutzen, Abgas-Sonderuntersuchung.

In anderen, auch kurzen, Zusammensetzungen deutet die Schreibung mit Bindestrich an, daß es sich um eine neue, noch nicht feste Fügung handelt, die aus einem aktuellen Anlaß geprägt wurde:

Kohl-Reise, Reagan-Besuch, Spenden-Affäre, Mao-Witwe, Antiterror-Gesetze, Flick-Ausschuß, Auschwitz-Lüge.

214 Bei einem Teil der Zusammensetzungen werden die Wörter nahtlos aneinandergefügt:

Schaf + Wolle → Schafwolle, Bild + Band → Bildband.

Bei anderen Zusammensetzungen werden zwischen die Bestandteile bestimmte Laute bzw. Buchstaben eingeschoben:

Schaf + Käse → Schafskäse, Bild + Rahmen → Bilderrahmen.

Solche eingefügten Zeichen heißen Fugenzeichen.
Die häufigsten Fugenzeichen bei zusammengesetzten Substantiven sind:

-(e)s	Geburtstag, Bundeshauptstadt, Arbeitsplatz
-e	Hundehütte, Mauseloch, Lesebuch, Wartezimmer
-(e)n	Nummernschild, Taschentuch, Strahlenschutz
-er	Wörterbuch, Kindergarten, Rinderbraten

Es gibt keine durchgängigen Regeln dafür, wann Fugenzeichen gesetzt und welche jeweils verwendet werden. Selbst ein und dasselbe Bestimmungswort wird manchmal ohne Fugenzeichen, in anderen Fällen mit (verschiedenen) Fugenzeichen an das Grundwort angeschlossen, vgl. z. B.

Schafwolle – Schafskäse, Bildband – Bilderrahmen, Landkarte – Landesvater – Ländername.

Oft entsprechen die Fugenzeichen bestimmten Endungen, die in der Deklination des Bestimmungswortes auftreten. So kennzeichnet z. B. -es in Bundeshauptstadt (= Hauptstadt des Bundes) den Genitiv Singular, -en in *Strahlenschutz* (= Schutz vor Strahlen) den Plural. Aber bei weitem nicht immer können Fugenzeichen so erklärt werden; vgl. z. B. *Arbeitsplatz, Freundeskreis: s* kommt in der Deklination von *Arbeit* gar nicht vor, und der *Freundeskreis* umfaßt mehrere Freunde und nicht etwa nur einen Freund.

215 Die inhaltliche Beziehung zwischen den Teilen einer Zusammensetzung, d. h. die Art, wie das Grundwort durch das Bestimmungswort näher bestimmt wird, kann sehr unterschiedlich sein. Sie wird in der Regel deutlich, wenn man das zusammengesetzte Substantiv in eine Wortgruppe auflöst, z. B.:

> Ledertasche = Tasche aus Leder („Material")
> Aktentasche = Tasche für Akten („Zweck")
> Manteltasche = Tasche im/am Mantel („Ort")

Bei einigen wenigen Zusammensetzungen aus Substantiv + Substantiv wird nicht das zweite Wort durch das erste näher bestimmt, sondern die Teile sind einander gleichgeordnet. Solche Zusammensetzungen sind z. B.:

> Strichpunkt, Mützenschal, Strumpfhose, Radiowecker, Hemdbluse, Grilltoaster, Hosenrock.

Diese Zusammensetzungen lassen sich in eine Fügung mit *und* auflösen, sie drücken ein „Zugleich" oder „Sowohl-als-auch" aus:

> Strichpunkt = Strich und Punkt; Mützenschal = sowohl als Mütze wie als Schal zu verwenden.

216 Substantivzusammensetzungen mit einem Adjektiv (oder Partizip) als Bestimmungswort entsprechen oft, aber nicht immer einer Substantivgruppe mit einem beigefügten Adjektiv, das eine Eigenschaft des jeweiligen Gegenstandes angibt:

> *Hoch*haus = hohes Haus, *Gebraucht*wagen = gebrauchter Wagen, *Blau*licht = blaues Licht, *Frisch*fleisch = frisches Fleisch, *Bunt*papier = buntes Papier, *Links*parteien = linke Parteien.

Aber eine *Schnellstraße* ist nicht eine schnelle Straße, sondern eine Straße, auf der man schnell fahren kann; das *Leergewicht* ist nicht das leere Gewicht, sondern das Gewicht, das etwas hat, wenn es leer ist; ein *Dickkopf* ist nicht ein dicker Kopf, sondern jemand, der einen „dicken Kopf" hat (entsprechend: *Bleichgesicht, Rothaut, Blondschopf, Großmaul*).

Neubildungen, die besonders aus der Sprache der Technik und der Werbung kommen, haben häufig ein Adjektiv in der Höchststufe als Bestimmungswort:

> *Kleinst*gerät, *Tiefst*preis, *Billigst*angebot, *Höchst*leistung.

217 Substantive können auch mit Verben als Bestimmungswörtern zusammengesetzt werden. Dabei tritt der Verbstamm teils mit, teils ohne Fugen-*e* vor das Substantiv:

> Land*e*bahn, Bad*e*zimmer, Les*e*buch, Send*e*zeit, Rat*e*spiel; Fahrbahn, Schlafzimmer, Sprechstunde, Turnschuh, Denkpause.

Auch hier können verschiedene Bedeutungsbeziehungen zwischen dem Grund- und dem Bestimmungswort bestehen; überwiegend gibt das Verb die Funktion (den Zweck, die Eignung) des Gegenstandes an, den das Grundwort bezeichnet:

> *Schreib*maschine = Maschine zum Schreiben, (entsprechend:) *Rasier*apparat, *Wasch*anlage, *Schlaf*tablette, *Park*platz, *Strick*nadel, *Mal*stift, *Kopier*gerät.

Substantivzusammensetzungen mit einer Präposition als Bestimmungswort drücken vor allem räumliche und zeitliche Beziehungen aus:

> *Vor*stadt = Stadt vor der Stadt, (entsprechend:) *Unter*rock, *Über*weg, *Zwischen*raum
> *Vor*saison = Saison vor der Saison, (entsprechend:) *Nach*behandlung, *Zwischen*mahlzeit.

218 Bei zusammengesetzten Substantiven bezieht sich ein beigefügtes Adjektiv immer auf das Grundwort und damit auf die gesamte Zusammensetzung:

Ein *großes Kindergeschrei* ist ein großes Geschrei von Kindern; wenn man aber ausdrücken will, daß es sich um das Geschrei kleiner Kinder handelt, kann man nicht sagen: ein *kleines Kindergeschrei*, denn hier würde sich das Adjektiv nur auf den ersten Teil der Zusammensetzung beziehen. Ebensowenig kann man jemandem *baldige Genesungswünsche* (sondern nur *Wünsche für baldige Gene-*

sung) übermitteln oder *erntefrischen Erdbeerkuchen* verkaufen (denn nicht der Kuchen ist frisch geerntet, sondern allenfalls sind es die Erdbeeren darauf).

Entsprechendes gilt, wenn ein zusammengesetztes Substantiv eine Beifügung im Genitiv oder mit einer Präposition bei sich hat; auch diese Attribute dürfen nicht nur auf den ersten Teil der Zusammensetzung bezogen werden. Es heißt also z. B.

nicht: die Meldepflicht dieser Krankheit – sondern: die Pflicht zur Meldung dieser Krankheit; nicht: das Vertretungsrecht des Kindes – sondern: das Recht auf Vertretung des Kindes; nicht: die Abfahrtszeit nach Stuttgart – sondern: die Zeit der Abfahrt nach Stuttgart (oder: die Abfahrtszeit des Zuges nach Stuttgart); nicht: die Aufstiegsmöglichkeit zum Verkaufsleiter – sondern: die Möglichkeit, zum Verkaufsleiter aufzusteigen.

Betimmte Fügungen mit eigentlich falschem Bezug haben sich aber durchgesetzt und gelten als korrekt, etwa der *atlantische Tiefausläufer:* Streng genommen ist nicht der Ausläufer atlantisch, sondern das Tief kommt vom Atlantik – aber mit dem Tief eben auch sein Ausläufer; das Adjektivattribut paßt deshalb zu der gesamten Zusammensetzung, die als eine geschlossene Einheit empfunden wird. Sprachüblich sind z. B. auch folgende Fügungen:

das geheime Wahlrecht, das Bürgerliche Gesetzbuch, die evangelische Bischofssynode, das katholische Pfarramt, der Finanzverwalter dieser Gesellschaft, der Geschichtsschreiber Karls des Großen, der königliche Familienbesitz.

219 Nicht alle Substantivzusammensetzungen lassen sich aus ihren einzelnen Teilen und deren Beziehungen zueinander erklären. Viele ursprüngliche Zusammensetzungen haben sich verselbständigt und eine eigene feste Bedeutung angenommen. So ist z. B. ein *Junggeselle* ein „unverheirateter Mann", nicht aber ein „junger Geselle", und unter einem *Bahnhof* versteht man heute nicht mehr einen „Hof" für Bahnen. Weitere Beispiele sind etwa

Gasthof, Großvater, Handschuh, Ohrfeige, Bundestag.

Andere Zusammensetzungen sind im Begriff, zu Ableitungen zu werden. Dazu gehören zum einen Zusammensetzungen mit Be-

stimmungswörtern wie *Mord, Hölle, Bombe, Heide, Affe, Riese,*
bei denen niemand mehr konkret an einen Mord, an die Hölle,
eine Bombe, einen Heiden, Affen oder Riesen denkt:

> Mordskerl, Mordsglück, Höllenlärm, Höllenspektakel, Bom-
> benstimmung, Bombengeschäft, Heidenangst, Heidenarbeit,
> Affentempo, Affenhitze, Riesenerfolg, Riesenspaß.

Hier handelt es sich im Grunde nicht mehr um echte Zusammensetzungen aus selbständigen Wörtern. Der erste Wortteil hat
seine eigentliche Bedeutung verloren und dient nur dazu, einen
sehr hohen Grad auszudrücken, wie es auch bestimmte Vorsilben
tun.

Zum anderen gibt es Zusammensetzungen, deren Grundwörter –
ähnlich wie Nachsilben – eine sehr weite, allgemeine Bedeutung
haben. Solche Grundwörter sind etwa *-zeug, -gerät, -apparat,*
-maschine, -stoff, -mittel, -gut, -wesen, -bereich:

> Spielzeug, Werkzeug, Fernsehgerät, Aufnahmegerät, Fotoappa-
> rat, Kopierapparat, Bohrmaschine, Rechenmaschine, Klebstoff,
> Lesestoff, Reinigungsmittel, Düngemittel, Frachtgut, Bratgut,
> Gesundheitswesen, Handelswesen, Wirtschaftsbereich, Tätig-
> keitsbereich.

Für viele dieser zusammengesetzten Wörter werden auch bereits
entsprechende Ableitungen mit Nachsilben verwendet (↑ 225);
vgl. z. B.:

> Fernsehgerät – Fernseher, Kopierapparat – Kopierer, Rechen-
> maschine – Rechner, Klebstoff – Kleber, Düngemittel – Dün-
> ger.

Abgeleitete Substantive

220 Mit Hilfe von Vorsilben (Präfixen) können neue Substantive nur aus Substantiven gebildet werden. Die Vorsilbe verändert die Bedeutung des Stammsubstantivs in bestimmter Weise:

Miß- („nicht, falsch")	Mißerfolg, Mißverständnis, Mißgunst, Mißtrauen
Un- („nicht")	Unglück, Unsinn, Unrecht, Unruhe, Unordnung

Einige häufige fremdsprachige Vorsilben und ihre Bedeutung:

Anti-	„gegen"	Antialkoholiker, Antibabypille, Anti-kommunismus
Ex-	„früher, vorher"	Exkanzler, Exmann, Exfreundin, Exchef
Hyper-	„übermäßig"	Hyperfunktion, Hypertonie, Hyperkor-rektheit
Makro-	„groß"	Makrokosmos, Makrostruktur, Makro-aufnahme
Meta-	„über, jenseits"	Metasprache, Metakommunikation, Me-takritik
Mikro-	„klein"	Mikrowellen, Mikrofilm, Mikroelektro-nik
Neo-	„neu"	Neonazi, Neogotik, Neokolonialismus
Poly-	„viel, mehrere"	Polyfunktion, Polytechnik, Polygamie
Pseudo-	„scheinbar, nicht echt"	Pseudodemokrat, Pseudowissenschaft, Pseudokrise
Sub-	„unter"	Subkultur, Subgruppe, Subunternehmer

221 Mit Hilfe von Nachsilben (Suffixen) werden Substantive gebildet, deren Stamm auch aus anderen Wortarten kommen kann. Die Nachsilbe legt das Geschlecht des Substantivs fest: Wörter auf *-ung* z. B. sind immer weiblich, Wörter auf *-chen* sächlich (↑ 207).

Häufige deutsche Substantivnachsilben sind u. a. *-in, -ung, -heit/ (ig)keit, -er*.

222 Mit *-in* werden weibliche Personenbezeichnungen aus männlichen abgeleitet:

Lehrer – Lehrerin, Freund – Freundin, Spanier – Spanierin, Leser – Leserin, Mitbürger – Mitbürgerin.

Seitdem Frauen in fast allen Berufsbereichen tätig sind, setzen sich auch dort weibliche Amtsbezeichnungen und Titel durch, wo es früher nur die männliche Form gab; vgl. z. B.:

Amtmännin (neben: *Amtfrau*), *die Ministerin* für Familie und Gesundheit, Frau *Professorin* Schulz.

Im Plural wird das *n* der Nachsilbe *-in* verdoppelt:

Lehrerinnen, Freundinnen, Mitbürgerinnen.

223 Mit *-ung* werden Substantive aus Verben gebildet:

Das Flugzeug *landet*. – Die *Landung* des Flugzeugs ...
Er wurde *gerettet*. – Seine *Rettung* ...

Solche Substantive auf *-ung* bezeichnen einen Geschehensablauf oder das Ergebnis eines Geschehens, auch einen erreichten Zustand:

(Geschehensablauf:) Die ärztliche *Untersuchung* ergab folgendes ... Die *Verhandlungen* zogen sich in die Länge. Die *Beseitigung* des Mülls wird ein immer größeres Problem. Alle beteiligten sich an der *Vorbereitung* des Festes.

(Ergebnis des Geschehens; erreichter Zustand:) Er machte eine geniale *Erfindung*. „Aschenbecher" ist eine *Zusammensetzung*. Sie hörten eine *Sendung* des Hessischen Rundfunks. Die *Verärgerung* über seine *Äußerung* war groß.

Die gleiche Funktion wie *-ung* hat die fremdsprachige Nachsilbe *-ation*, mit der Substantive aus Verben auf *-ieren* abgeleitet werden:

Operation, Kombination, Konfrontation, Manipulation, Isolation, Resignation.

Bei manchen Substantiven auf *-ung* ist der Handlungs- oder Geschehenscharakter stark in den Hintergrund getreten; sie sind zu Sachbezeichnungen geworden:

Wohnung, Kleidung, Mündung, Leitung, Dichtung, (Firmen-)Niederlassung, (Ski-)Bindung, (Zahn-)Füllung.

224 Mit den Nachsilben *-heit* und *-keit* bzw. *-igkeit* werden Substantive aus Adjektiven abgeleitet:

Er ist *faul*. – Seine *Faulheit* ...

Ableitungen dieser Art sind dementsprechend Eigenschaftsbezeichnungen (z. T. auch Sachbezeichnungen):

(-heit:) Klugheit, Schönheit, Frechheit, Dummheit, Neuheit; (-keit:) Fröhlichkeit, Tapferkeit, Haltbarkeit, Notwendigkeit; (-igkeit:) Leichtigkeit, Schnelligkeit, Lebhaftigkeit, Hilflosigkeit.

Fremdsprachige Adjektive werden häufig mit den Nachsilben
-ismus, -ität und -ik substantiviert:

> Optimismus, Fanatismus, Nervosität, Banalität, Hektik, Ego-
> zentrik.

225 Substantive mit der Nachsilbe -er sind hauptsächlich aus
Verben abgeleitet:

> *Reiter* = jemand, der *reitet*
> *Bohrer* = Gerät, mit dem man *bohrt*.

Man kann zwei große Bedeutungsgruppen der -er-Ableitungen
unterscheiden:

Personenbezeichnungen, die den Träger des Geschehens angeben (viele Berufsbezeichnungen sind so gebildet):

> Lehrer, Bäcker, Maler, Fahrer, Leser, Besucher, Lügner, Verlie-
> rer, Macher, (aus einer Fügung gebildet:) Langschläfer, Arbeit-
> geber, Berichterstatter, Buchbinder.

Gerätebezeichnungen, also Sachbezeichnungen, mit denen das
Mittel einer Tätigkeit angegeben wird:

> Bohrer, Wecker, Fernseher, Trockner, Anlasser, Blinker, Öffner,
> Mixer, (aus einer Fügung gebildet:) Scheibenwischer, Locken-
> wickler, Gabelstapler.

Den -er-Ableitungen im Deutschen entsprechen bei Fremdwörtern häufig Bildungen auf -ant/-ent und -ator (aus Verben auf
-ieren). Dabei bezeichnen Substantive auf -ant/-ent nur Personen:

> Demonstrant, Informant, Repräsentant, Abonnent, Dirigent,
> Produzent.

Substantive auf -ator können sowohl Personen- wie Gerätebezeichnungen sein:

> (Personen:) Organisator, Koordinator, Moderator; (Geräte:)
> Transformator, Katalysator, Generator.

Kurzformen von Substantiven

226 Wenn Substantive in ihrer Lautform verkürzt werden, wie
z. B.

> Kriminalroman → Krimi, Motorfahrrad → Mofa, Technischer
> Überwachungsverein → TÜV, Lastkraftwagen → LKW,

kann man nicht eigentlich von „neuen" Wörtern sprechen, da die Kurzformen keine andere Bedeutung als die vollen Formen haben. Trotzdem handelt es sich um – mehr oder weniger – eigenständige Wörter. Sie haben z. B. eine eigene Betonung (Buchstabenwörter wie *UKW*, *ABS* etwa sind endbetont, Silbenwörter wie *Krimi*, *Limo* dagegen anfangsbetont), und sie werden – zum Teil anders als die vollen Formen – dekliniert (der Plural von *LKW* etwa heißt *die LKWs*, nicht: *die LKWen*, obwohl die Vollform *die Lastkraftwagen* lautet).

Das Geschlecht der Kurzformen ist meistens, aber nicht immer das gleiche wie das der Vollformen; so heißt es etwa

> der WDR (aus: der Westdeutsche Rundfunk), das ZDF (aus: das Zweite Deutsche Fernsehen); aber: das Foto (aus: die Fotografie), das Taxi oder die Taxe (aus: der Taxameter).

Substantive können auf verschiedene Weise verkürzt werden; man unterscheidet grob zwei Arten: Kurzwörter und Abkürzungswörter.

227 Bei Kurzwörtern ist entweder der vordere oder der hintere Teil der vollen Substantivform weggelassen:

> Rad (für: Fahrrad), Bahn (für: Eisenbahn), Bus (für: Omnibus), Platte (für: Schallplatte), Schirm (für: Regenschirm), Pille (für Antibabypille);
> Kilo (für: Kilogramm), Super (für: Superbenzin), Labor (für: Laboratorium), Foto (für: Fotografie), Tacho (für: Tachometer), Akku (für: Akkumulator), Uni (für: Universität), Limo (für: Limonade), Demo (für: Demonstration), Frust (für: Frustration), Abo (für: Abonnement);
> in Zusammensetzungen: Dispo-Kredit (für: Dispositionskredit), Schokocreme (für: Schokoladencreme), Dekostoff (für: Dekorationsstoff), Alufolie (für: Aluminiumfolie).

Viele dieser Kurzwörter sind inzwischen – auch in der Schriftsprache – allgemein gebräuchlich; andere, wie z. B. *Demo*, *Limo*, werden fast nur in der Umgangssprache verwendet.

228 Unter Abkürzungswörtern versteht man Substantive, die auf einzelne Silben oder Buchstaben verkürzt sind. Silbenwörter sind z. B.

> Kripo (aus: Kriminalpolizei), Mofa (aus: Motorfahrrad), Juso (aus: Jungsozialist), Azubi (aus: Auszubildender).

Buchstabenabkürzungen bestehen im allgemeinen aus den Anfangsbuchstaben der vollen Wortfügung. Manche dieser Abkürzungen werden zusammenhängend, wie ein Wort, gelesen:

> Ufo (unbekanntes Flugobjekt), TÜV (Technischer Überwa
> chungsverein), ASU (Abgas-Sonderuntersuchung), APO (außer
> parlamentarische Opposition), Bafög (Bundesausbildungsför
> derungsgesetz).

Die meisten werden jedoch „buchstabierend" gelesen:

> GmbH (ge-em-be-ha; Gesellschaft mit beschränkter Haftung),
> AG (Arbeitsgemeinschaft), EDV (elektronische Datenverarbei
> tung), CSU (Christlich-Soziale Union), KSZE (Konferenz für
> Sicherheit und Zusammenarbeit in Europa), USA (United Sta
> tes of America), PR (public relations), DFB (Deutscher Fuß
> ball-Bund), TSV (Turn- und Sportverein).

229 Der Gebrauch von Abkürzungen nimmt in der Gegenwartssprache immer mehr zu – man hat dafür schon die
Bezeichnung „Aküsprache" („Abkürzungssprache") geprägt –,
und diese Erscheinung wird vielfach kritisiert. Man muß dabei
zweierlei sehen: Abkürzungen sind in vielen Bereichen notwendig und sinnvoll, da sie Zeit und Platz sparen und dadurch das
Gespräch bzw. den Text entlasten und so zu einer schnelleren
Verständigung beitragen können. Keine technische Fachsprache
z. B. kommt heute mehr ohne Abkürzungen aus, und auch in der
Verwaltung und in anderen Bereichen des öffentlichen Sprachgebrauchs kann auf sie nicht verzichtet werden. Es wäre z. B.
sehr unpraktisch, wenn der Nachrichtensprecher im Fernsehen
die Namen der politischen Parteien immer in ihrer vollen Form
aussprechen müßte oder statt *ARD* immer *Arbeitsgemeinschaft
der öffentlich-rechtlichen Rundfunkanstalten Deutschlands* gesagt
werden würde.

Abkürzungen können aber auch die Verständigung eher erschweren als erleichtern, wenn sie gehäuft verwendet werden
und vor allem nicht allgemein bekannt sind. So wäre es z. B.
nicht sinnvoll, interne Abkürzungen, wie es sie in jedem Betrieb
gibt, gegenüber Außenstehenden zu verwenden. Es kommt also
immer darauf an, in welcher Kommunikationssituation und wem
gegenüber man von Abkürzungen Gebrauch macht.

3.7 Die Substantivgruppe

230 In Sätzen kommt ein Substantiv meist nicht als Einzelwort vor, sondern es verbindet sich mit anderen Wörtern zu einer Wortgruppe:

> *Der Tag* war heiß. Heute war *ein besonders anstrengender, hektischer Tag. Der Tag der Abreise* war gekommen. *Der erste Tag im neuen Jahr* heißt Neujahr.

Solche Wortgruppen heißen Substantivgruppen; sie haben ein Substantiv als Kern- oder Bezugswort und andere Wörter oder Wortgruppen als Attribute (Beifügungen). Das Kernwort legt die Art und z. T. auch die Form der Attribute fest, die in der Substantivgruppe vorkommen können. Die Attribute stehen teils vor, teils hinter dem Substantiv; ihre Reihenfolge ist weitgehend fest.

231 Der Artikel

Die wichtigsten „Begleiter" des Substantivs sind der Artikel (das Geschlechtswort: *der, die, das; ein, eine, ein*) und bestimmte Pronomen (Fürwörter) wie *dieser, jener, mein, kein, jeder, alle.* Der Artikel bzw. das Pronomen steht vor dem Substantiv; es muß mit ihm in Geschlecht, Zahl und Fall übereinstimmen (kongruieren):

> *der* Tag, *eines* Tages, an *diesem* Tag(e), *jeden* Tag, *alle* Tage.

An der Stelle des Artikels kann vor dem Substantiv auch ein Eigenname oder eine Verwandtschaftsbezeichnung im Genitiv stehen:

> *Ankes* Freund, *Simmels* Romane, *Adenauers* Reden, *Herrn Bergers* Auto, *Vaters* Arbeitskollegen.

Sobald das Substantiv aber einen Artikel hat, kann der Genitiv nur hinter dem Substantiv stehen:

> die Romane *Simmels*, die Reden *Adenauers*, das Auto *des Herrn Berger.*

232 Das Adjektivattribut

Vor dem Substantiv kann auch ein Adjektiv (Eigenschaftswort) oder ein Partizip (Mittelwort) stehen; auch diese Attribute richten sich in Geschlecht, Zahl und Fall nach dem Substantiv:

> *neuer* Wein, (mit) *neuem* Wein, ein *altes* Haus, die *neuste* Mode,
> seine *glänzenden* Ideen, dem *verurteilten* Rechtsanwalt.

Das attributive Adjektiv oder Partizip kann selbst wiederum zu einer Gruppe erweitert sein, und mehrere dieser Attribute können aneinandergereiht werden. So entstehen z. T. sehr umfangreiche Substantivgruppen:

> ein hundert Jahre altes, ziemlich verwahrlostes, aber wunderschön gelegenes Haus; dem wegen Unterstützung einer terroristischen Vereinigung zu zehn Jahren Haft verurteilten Rechtsanwalt.

Genitivattribute

| 233 | Sehr häufig wird ein Substantiv durch ein anderes Substantiv (genauer: eine Substantivgruppe) im Genitiv näher bestimmt:

> das Motorrad *meines Freundes*, die Abfahrt *des Zuges*, die Erforschung *des Weltraums*, die Hälfte *der Kosten*.

Solche Beifügungen heißen kurz Genitivattribut. Man unterscheidet verschiedene Arten von Genitivattributen, je nach ihrer inhaltlichen Beziehung zum Bezugswort. Die vier häufigsten Typen werden im folgenden behandelt.

| 234 | Zwischen dem Genitivattribut und dem Substantiv besteht ein Besitz- oder allgemeiner ein Zugehörigkeitsverhältnis:

> das Motorrad *meines Freundes* (Mein Freund hat ein Motorrad), der Chef *der Firma*, die Tiere *des Waldes*, der Garten *unseres Nachbarn*, der Name *des Kindes*.

 Anstelle des Genitivs wird häufig, vor allem in der gesprochenen Umgangssprache, eine Fügung mit *von* gebraucht:

> das Motorrad *von meinem Freund*, der Name *von dem Kind*.

Zumindest in der geschriebenen Sprache sollte man diese Umschreibung vermeiden.

Die *von*-Fügung ist jedoch notwendig, wenn in der Attributgruppe ein Zahlwort und kein Artikel steht, weil hier nicht zu erkennen wäre, daß es sich um den Genitiv handelt. Man kann also nicht sagen: *Sie ist Mutter vier Kinder*, sondern nur: *Sie ist Mutter von vier Kindern*. (Aber mit Artikel vor dem Zahlwort: *die Mutter der vier Kinder*.)

Die Fügung mit *von* anstelle des Genitivs ist auch bei Eigennamen üblich:

> das Auto *von Herrn Berger*, der Freund *von Anke Stein*, die Königin *von England*, über den Dächern *von Paris*.

Daneben gibt es bei Namen die Möglichkeit, das Attribut vor das Bezugssubstantiv zu stellen (↑ auch 231):

> *Herrn Bergers* Auto, *Anke Steins* Freund, *Englands* Königin.

 Nicht korrekt ist es, den Genitiv durch einen Dativ in Verbindung mit einem besitzanzeigenden Fürwort (*mein, dein, sein* usw.) zu ersetzen; also

> nicht: meinem Freund sein Motorrad – sondern: das Motorrad *meines Freundes*; nicht: der Katja ihr Bruder – sondern: *Katjas* Bruder; nicht: dem Hund seine Schnauze – sondern: die Schnauze *des Hundes*.

 235 Um eine andere Beziehung zwischen Substantiv und Genitivattribut handelt es sich in Fällen wie

> die Abfahrt *des Zuges*, die Erforschung *des Weltraums*.

Solche Fügungen lassen sich in einen Satz umformen, weil dem Bezugswort ein Verb zugrunde liegt:

> die *Abfahrt* des Zuges – Der Zug *fährt ab*.
> die *Erforschung* des Weltraums – Man *erforscht* den Weltraum.

In dem einen Fall entspricht dem Genitiv das Subjekt des Satzes:

> die Abfahrt des Zuges, die Erklärung des Ministers, der Sieg unserer Mannschaft, die Frage des Schülers, der Rat seines Freundes, die Beschlüsse der Partei, die Diskussion der Experten.

Im anderen Fall entspricht dem Genitiv die Akkusativergänzung:

> die Erforschung des Weltraums, der Abbruch der Verhandlungen, die Versetzung des Schülers, der Bau eines Kreiskrankenhauses, die Räumung der Unfallstelle, der Abschluß des Tarifvertrages.

236 Bei bestimmten Substantiven können beide Genitivarten vorkommen; vgl. z. B.:

> die Beobachtung des Astrologen (der Astrologe beobachtet etwas) – die Beobachtung der Sterne (jemand beobachtet die Sterne), die Diskussion der Experten – die Diskussion dieses Problems; die Beschreibung des Autors – die Beschreibung der Landschaft.

 Wenn das Genitivattribut eine Person nennt, kann es hier leicht zu Mehrdeutigkeiten und damit zu Mißverständnissen kommen. So kann der Satz

> Die Beschreibung des Täters war sehr genau.

sowohl bedeuten, daß der Täter etwas sehr genau beschrieben hat, als auch, daß er selbst von jemandem sehr genau beschrieben worden ist. Ähnlich mehrdeutig ist z. B. auch:

> Sie litt unter den Verleumdungen ihres Mannes.

Um die Gefahr von Mißverständnissen zu vermeiden, sollte man in solchen Fällen anstelle der Genitiv-Fügung eine andere Formulierung wählen, z. B.:

> die Beschreibung *durch den Täter* / die Beschreibung, *die der Täter gab*.

Beide Attributarten können auch zusammen bei einem Substantiv vorkommen. Dann müssen sie in der Form unterschieden werden; man kann z. B. nicht sagen: *die Beobachtung des Astrologen der Sterne*. Der Genitiv, der die handelnde Person nennt (– das Subjekt des zugrundeliegenden Satzes –), muß durch eine Fügung mit *durch* ersetzt und hinter den anderen Genitiv gestellt werden:

> die Beobachtung der Sterne *durch den Astrologen*, die Diskussion dieses Problems *durch die Experten*, die Beschreibung des Täters *durch den Zeugen*, die Anhörung der Sachverständigen *durch das Gericht*, die Verabschiedung des Gesetzes *durch den Bundestag*.

237 Eine Substantivgruppe mit einem Genitivattribut kann auch das Verhältnis eines Teils zu einem Ganzen aus-

drücken. Das Bezugswort bezeichnet immer im weitesten Sinne
eine Menge:

> die Hälfte *der Kosten*, 10% *seiner Einnahmen*, ein Teil *der Bevöl-
> kerung*, der wärmste Tag *des Jahres*, eine Schar *Neugieriger*,
> eine Reihe / Menge / Anzahl *schwerwiegender Fehler*, ein
> Schwarm *aufgescheuchter Vögel*, eine Gruppe *junger Leute*.

Das Genitivattribut wird häufig durch eine *von*-Fügung ersetzt,
vor allem wenn es keinen Artikel und kein Adjektiv enthält, an
dem die Genitivform erkennbar wäre:

> die Hälfte *von den Kosten*, 10% *von seinen Einnahmen*, eine
> Reihe *von Fehlern*, ein Schwarm *von Vögeln*.

Früher wurden auch Maßbezeichnungen wie *Liter, Glas, Tasse,
Zentner, Pfund, Dutzend* usw. mit dem Genitiv verbunden (wie es
in vielen anderen Sprachen heute noch der Fall ist, vgl. z. B. engl.
a cup of tea, a glass of wine); es hieß also etwa:

> ein Liter *heißen Wassers*, ein Glas *bayerischen Biers*, zwei Zent-
> ner *neuer Kartoffeln*, ein Dutzend *frischer Eier*.

Im heutigen Deutsch werden Bezugswort und Attribut im gleichen Fall nebeneinandergestellt (↑ Apposition, 243):

> ein Liter *heißes Wasser*, ein Glas *bayerisches Bier*, zwei Zentner
> *neue Kartoffeln*, ein Dutzend *frische Eier*.

---

238 Eine Substantivgruppe kann mehrere Genitivattribute
enthalten:

> der Kollege des Schwagers meiner Schwester, amtliche Be-
> kanntmachung des Magistrats der Stadt Neukirch, die Beschrei-
> bung der Handlungen der Personen dieses Films, das Protokoll
> der Sitzung des Ausschusses des Bundestages.

Dabei beziehen sich die Genitive aber nicht in gleicher Weise auf
das Bezugswort: Nur das erste Genitivattribut hängt unmittelbar
von dem Bezugswort ab, der zweite Genitiv ist Attribut zum ersten Genitiv usw. Die Attribute stehen also nicht auf der gleichen
Ebene, sondern beziehen sich stufenweise aufeinander und zuletzt auf das „oberste" Bezugswort:

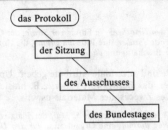

 An sich kann man Substantivgruppen mit beliebig vielen voneinander abhängigen Genitivattributen bilden. Zu viele gleichartige Attribute werden aber vom Klang her als störend empfunden; außerdem erschweren sie dem Hörer das Verstehen. Man sollte deshalb nicht mehr als zwei Genitivattribute mit einem Substantiv verbinden. Oft kann man sich helfen, indem man ein Genitivattribut durch eine präpositionale Fügung ersetzt, z. B.

die Beschreibung der Handlungen der Personen *in diesem Film*,

oder indem man ein zusammengesetztes Substantiv verwendet, z. B.:

das Protokoll der Sitzung des *Bundestagsausschusses*.

239 Präpositionale und adverbiale Attribute

Hinter dem Substantiv können auch präpositionale Fügungen oder Adverbien als Attribute stehen:

der Gedanke *an die Prüfung*, der Gedanke *daran*, der Tag *nach der Prüfung*, der Tag *danach*.

In bestimmten Fällen ist das Attribut mit einer festen, nicht austauschbaren Präposition an das Substantiv gebunden; dem Substantiv liegt dann in der Regel ein Verb zugrunde, das meist, aber nicht immer die gleiche Präposition bei sich hat (↑ dazu 379):

der Gedanke *an* – denken *an*
die Sehnsucht *nach* – sich sehnen *nach*.

Entsprechend:

> die Frage *nach den Ursachen*, die Furcht *vor Strafe*, der Glaube *an Gott*, die Freude *darüber*, ihre Bitte *um Urlaub*, die Hoffnung *auf Frieden*, die Beschäftigung *damit*.

Andere präpositionale und adverbiale Attribute geben „Umstände" an; sie bestimmen das Bezugswort näher, z. B. hinsichtlich der Zeit, des Ortes, des Zwecks, des Materials usw.:

> der Tag *danach*, das Rückspiel *am 5. Mai*, der Platz *vor dem Rathaus*, der Weg *dorthin*, eine Organisation *für den Umweltschutz*, ein Kurs *zur beruflichen Weiterbildung*, eine Tasche *aus echtem Büffelleder*.

Die Apposition

240 Eine besondere Art von Beifügung ist die Apposition (der Beisatz). Sie kommt nicht nur beim Substantiv vor, sondern auch bei Wörtern, die ein Substantiv vertreten, also bei bestimmten Pronomen (Fürwörtern; ↑ 262). Appositionen sind z. B.:

> Herr Beier, *der Leiter der Planungsabteilung*; in Lima, *der Hauptstadt Perus*; ihr Freund, *ein angehender Arzt*; die Zugspitze, *der höchste Berg Deutschlands*.

Die Apposition heißt im Deutschen „Beisatz", weil man sie als verkürzten Satz verstehen kann, der das Bezugswort näher bestimmt; vgl.:

> Herr Beier – er ist der Leiter der Planungsabteilung – ...; in Lima – Lima ist die Hauptstadt Perus – ...

Die Hauptart der Apposition hat folgende Merkmale: Sie besteht aus einem Substantiv bzw. einer Substantivgruppe, die dem Bezugswort nachgestellt und in Kommas eingeschlossen wird. In der Regel steht sie im gleichen Fall wie das Bezugswort; zwischen Apposition und Bezugswort besteht also Übereinstimmung (Kongruenz) im Fall:

> (Nominativ:) Ihr Freund, *ein angehender Arzt*, ist sehr nett. (Genitiv:) Sie finanziert das Studium ihres Freundes, *eines angehenden Arztes*. (Dativ:) Sie lebt mit ihrem Freund, *einem angehenden Arzt*, zusammen. (Akkusativ:) Sie brachte ihren Freund, *einen angehenden Arzt*, mit.

241 Wenn die nachgestellte Apposition keinen Artikel hat, brauch sie nicht im gleichen Fall wie das Bezugswort zu stehen; sie wird dann im allgemeinen im Nominativ angeschlossen:

> Die Verdienste Jakob Schmidts, *Gründer* (statt: *Gründers*) unserer Firma, sind groß. (Aber nur: Die Verdienste Jakob Schmidts, *des Gründers* unserer Firma, ...) Der Beitrag stammt von Dr. Schulz, *Vorsitzender* (statt: *Vorsitzendem*) des Heimat- und Kulturvereins. Kennen Sie Herrn Weber, *leitender Angestellter* (statt: *leitenden Angestellten*) bei Brinkmann & Co.?

Wenn jedoch Mißverständnisse möglich sind, muß auch die Apposition ohne Artikel im gleichen Fall wie das Bezugswort stehen; vgl. z. B.:

> Der Sohn Jakob Schmidts, *Gründers unserer Firma* (= Jakob Schmidt ist der Gründer) – Der Sohn Jakob Schmidts, *Gründer unserer Firma* (= Der Sohn ist der Gründer).

Falsch ist es, eine Apposition in den Dativ zu setzen, wenn das Bezugswort nicht auch im Dativ steht. Dieser Fehler wird vor allem dann sehr häufig gemacht, wenn die gesamte Substantivgruppe im Dativ steht, die Apposition sich aber nur auf einen Teil der Gruppe bezieht; z. B.:

> (nicht korrekt:) Im Tal der Altmühl, *einem Nebenfluß der Donau*, ...

Die Apposition *(ein Nebenfluß der Donau)* bezieht sich nicht auf den Dativ *im Tal*, sondern auf den Genitiv *der Altmühl*; sie muß also ebenfalls im Genitiv stehen:

> Im Tal der Altmühl, *eines Nebenflusses der Donau*, ...

Entsprechend heißt es richtig:

> auf dem Gipfel der Zugspitze, *des höchsten Berges* (nicht: *dem höchsten Berg*) Deutschlands; der Preis für Brot, *das* (nicht: *dem*) Grundnahrungsmittel der Bevölkerung; die Lektüre dieses Buches, *seines besten Werkes* (nicht: *seinem besten Werk*).

242 Datumsangabe

Oft bestehen Zweifel, ob eine beigefügte Datumsangabe im Dativ oder im Akkusativ zu stehen hat:

> Die Veranstaltung findet am Freitag, *dem 13. April*, statt. Oder: Die Veranstaltung findet am Freitag, *den 13. April* statt.

Beide Formen sind richtig. Im ersten Fall ist die Datumsangabe als Apposition aufgefaßt; sie steht deshalb – wie
das Bezugswort *(am Freitag)* – im Dativ und wird in
Kommas eingeschlossen. Die Datumsangabe im Akkusativ ist dagegen eine selbständige Zeitangabe (wie in Verbindung mit einer Ortsangabe: *Hamburg, den 13. April);*
sie wird zwar durch ein Komma abgetrennt, aber nicht in
Kommas eingeschlossen.

243 Eine andere Art von Apposition ist enger an das Bezugswort gebunden; sie wird nicht durch Kommas abgetrennt. Solche „engen" Appositionen sind vor allem Titel, Berufsbezeichnungen und Verwandtschaftsbezeichnungen, die einem Namen vorangestellt sind:

> *Professor* Hoffmann, *Oberinspektor* Krause, *Onkel* Karl.

Umgekehrt können auch Namen Appositionen sein:

> der Minister für wirtschaftliche Zusammenarbeit *Schulte,* die
> Stadt *Berlin,* das Land *Niedersachsen,* mein Freund *Karl.*

Zur Deklination von Fügungen mit Eigennamen ↑ 194 ff.

Auch Substantive bei Maßangaben stehen heute im allgemeinen
als Apposition im gleichen Fall (nur in gehobener Sprache werden sie noch vereinzelt im Genitiv verwendet; ↑ 237):

> Mit einem Liter *heißem Wasser* (gehoben: *heißen Wassers*)
> übergießen. Wir wetten um eine Flasche *französischen Rotwein.*
> Ich hätte gern ein Kilo *mageres Rindfleisch.* Er gratulierte ihr
> mit einem Strauß *weißem Flieder.* Liefern Sie mir bitte zwei
> Zentner *neue Kartoffeln.*

Abweichungen von der Übereinstimmung im Fall gibt es
vor allem im Dativ: Wenn das Substantiv nach der Maßangabe im Plural (in der Mehrzahl) steht, wird der Dativ
häufig durch den Genitiv oder den Nominativ ersetzt:

> Diese Menge Trockenei entspricht einem Dutzend *frischer/fri-
> sche Eier* (statt: einem Dutzend *frischen Eiern*). Aus einem Korb
> *reifer/reife Äpfel* nahm sie sich drei heraus. Er kam mit einem
> Strauß *roter/rote Rosen.*

244 Zu den Appositionen zählen auch Fügungen, die mit *als* oder *wie* an ein Substantiv (bzw. ein Pronomen, ↑ 262) angeschlossen sind. Die mit *als* eingeleitete Apposition steht im allgemeinen im gleichen Fall wie das Bezugswort:

> (Nominativ:) Warum wurde der Kollege Meyer *als der zuständige Abteilungsleiter* nicht davon unterrichtet? (Genitiv:) Dazu sollten wir die Meinung des Kollegen Meyer *als des zuständigen Abteilungsleiters* hören. (Dativ:) Besprechen Sie das mit dem Kollegen Meyer *als dem zuständigen Abteilungsleiter*! (Akkusativ:) Man muß den Kollegen Meyer *als den zuständigen Abteilungsleiter* darüber informieren.

Nur wenn die *als*-Apposition zu einem Genitiv keinen Artikel bei sich hat, steht statt des Genitivs der Nominativ:

> die Ansicht Professor Schmitts *als bekannter Fachmann*, die Stellung der Schweiz *als neutrales Land*, die Berufung Neumanns *als Vorsitzender des Vereins*, die Aufgaben des Politikers *als gewählter Volksvertreter*.

Appositionen mit einem vergleichenden *wie* stehen im gleichen Fall wie das Bezugswort, gelegentlich aber auch im Nominativ. Sie sind dann als verkürzte Vergleichssätze aufgefaßt:

> Leute *wie wir* = Leute, *wie wir es sind*.

Es heißt also z. B.:

> Das ist nichts für Leute *wie uns* (auch: für Leute *wie wir*). Es geschah an einem Tag *wie jedem anderen* (auch: an einem Tag *wie jeder andere*). In Zeiten *wie den heutigen* (auch: in Zeiten *wie die heutigen*) ist nichts mehr sicher. Bei einem Mann *wie ihm* (auch: bei einem Mann *wie er*) wundert mich das nicht.

245 Nominalstil (Häufung von Substantiven)

Jedes Attribut einer Substantivgruppe (außer dem Artikel) kann selbst wiederum erweitert sein; vor allem genitivische und präpositionale Attribute haben oft weitere voneinander abhängige Substantivgruppen. So können Fügungen entstehen, in denen mehrere einzelne Aussagen in einer Wortgruppe zusammengefaßt, „komprimiert" sind, z. B.:

> der Protest der Umweltschützer gegen die Ablehnung ihres Antrags auf Einstellung der Bauarbeiten an der neuen Autobahn.

> (Die Substantivgruppe enthält folgende Einzelaussagen: Eine neue Autobahn wird gebaut. Die Bauarbeiten sollen eingestellt werden. Das haben die Umweltschützer beantragt. Ihr Antrag wurde abgelehnt. Dagegen protestieren sie.)

Eine solche Ausdrucksweise, in der viele Substantive (Nomen) und umfangreiche Substantivgruppen in einem Satz verwendet sind, nennt man „Nominalstil". Sie ist besonders häufig im sogenannten Amtsdeutsch und generell in Fachsprachen, in denen es darauf ankommt, möglichst viele, aber auch präzise Informationen möglichst knapp wiederzugeben. Als typisches Beispiel kann etwa die Sprache der Nachrichtenmeldungen gelten: Das bereits Bekannte wird in einer Substantivgruppe zusammengefaßt, an die dann die neue Information unmittelbar, im gleichen Satz, angeschlossen werden kann:

> Das Verbrechen an dem gestern in einem Wald bei Beerbach tot aufgefundenen 11jährigen Schüler Bernd Meier konnte aufgeklärt werden. In den Verhandlungen der westlichen Außenminister mit der südafrikanischen Regierung über die Zukunft Namibias bestehen nach wie vor in wichtigen Fragen Gegensätze.

Ein anderes Beispiel ist die Verwaltungs- und Rechtssprache. Hier muß jede Verordnung, jedes Gesetz einen „Namen" haben, damit man sich darauf beziehen kann, und der Name muß natürlich genau und vollständig sein. So ist es oft nicht zu vermeiden, daß recht umständliche und schwerfällige Bildungen entstehen, wie z. B.:

> Bekanntmachung über die Auslegung des Wählerverzeichnisses und die Erteilung von Wahlscheinen für die Wahl zum Deutschen Bundestag am 25. Januar 1987; Erster Nachtrag zur Satzung über die geordnete Beseitigung von Abfällen.

 Soweit es geht, sollte man jedoch, auch im geschäftlichen Schriftverkehr, eine Häufung von Substantivbildungen vermeiden, da eine solche Ausdrucksweise im allgemeinen schwerer verständlich ist als entsprechende Fügungen mit einem Verb. Vgl. z. B.:

> Es besteht noch die Möglichkeit zur Anmeldung zu unserer Fahrt vom 5. bis 10. Mai nach Holland. – (Besser:) Es besteht noch die Möglichkeit, sich zu unserer Fahrt ... anzumelden (oder: Interessenten können sich noch zu unserer Fahrt ... anmelden). Aufgrund des Preisanstiegs im Rohstoffbereich ... – (Besser:) Da die Preise für Rohstoffe angestiegen sind, ... Im Falle der Nichtbefolgung der Bestimmungen über die Schneeräum- und Streupflicht ... – (Besser:) Wenn die Bestimmungen über die Schneeräum- und Streupflicht nicht befolgt werden, ... Eine Gewährleistung für die termingerechte Lieferung der Ware wird nicht gegeben. – (Besser:) Wir können nicht gewährleisten, daß die Ware termingerecht geliefert wird.

Zu den Kennzeichen des Nominalstils gehören auch Fügungen wie *zum Abschluß bringen* (für: *abschließen*), *in Erwägung ziehen* (für: *erwägen*), *zur Anwendung kommen* (für: *angewendet werden*); ↑ dazu 92 f.

4 Die Begleiter und Stellvertreter des Substantivs (Artikel und Pronomen)

4.1 Überblick

246 *Der* Werwolf

Ein Werwolf *eines* Nachts entwich
von Weib und Kind und *sich* begab
an *eines* Dorfschullehrers Grab
und bat *ihn*: „Bitte, beuge *mich*!"

Der Dorfschulmeister stieg hinauf
auf *seines* Blechschilds Messingknauf
und sprach zum Wolf, *der seine* Pfoten
geduldig kreuzte vor *dem* Toten:

„*Der* Werwolf", sprach *der* gute Mann,
„*des* Weswolfs, Genitiv sodann,
dem Wemwolf, Dativ, wie *man*s nennt,
den Wenwolf, – damit hats *ein* End."

Dem Werwolf schmeichelten *die* Fälle,
er rollte *seine* Augenbälle.
„Indessen", bat *er*, „füge doch
zur Einzahl auch *die* Mehrzahl noch!"

Der Dorfschulmeister aber mußte
gestehn, daß *er* von *ihr nichts* wußte.
Zwar Wölfe gäbs in großer Schar,
doch „*wer*" gäbs nur im Singular.

Der Wolf erhob *sich* tränenblind –
er hatte ja doch Weib und Kind!!
Doch da *er kein* Gelehrter eben,
so schied *er* dankend und ergeben.

(Christian Morgenstern)

Wörter wie die in dem Gedicht hervorgehobenen stehen bei einem Substantiv oder an der Stelle eines Substantivs; man faßt sie als „Begleiter und Stellvertreter des Substantivs" zusammen.

247 Begleiter des Substantivs ist vor allem der Artikel (das Geschlechtswort; ↑ 251ff.):

der Werwolf, *eines* Nachts, *der* Dorfschulmeister, *die* Mehrzahl.

Begleitend stehen aber auch Wörter wie *mein, dein, sein, kein* u.a.:

seine Pfoten, *seine* Augenbälle, *kein* Gelehrter.

Begleiter des Substantivs sind Beifügungen (Attribute) zu dem Substantiv, vor dem sie stehen, also Teil der Substantivgruppe (↑ 231).

248 Stellvertreter des Substantivs sind dagegen in der Regel Satzglieder, d.h. selbständige Teile des Satzes; sie „vertreten" ein Substantiv bzw. eine ganze Substantivgruppe; vgl.:

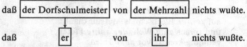

daß │der Dorfschulmeister│ von │der Mehrzahl│ nichts wußte.

daß   │er│   von   │ihr│   nichts wußte.

Stellvertreter des Substantivs sind die meisten Pronomen (Singular: das Pronomen = „für ein Nomen, anstelle eines Nomens"; deutsche Bezeichnung: Fürwort).
Nach ihrer Bedeutung unterscheidet man folgende Arten von Pronomen:

Personalpronomen (persönliches Fürwort, ↑ 258ff.)	ich, du, er, sie, es, wir, ihr, sie
Reflexivpronomen (rückbezügliches Fürwort, ↑ 263ff.)	sich
Possessivpronomen (besitzanzeigendes Fürwort, ↑ 266ff.)	mein, dein, sein, unser, euer, ihr
Demonstrativpronomen (hinweisendes Fürwort, ↑ 270ff.)	der, dieser, jener, derjenige, derselbe

Indefinitpronomen (unbestimmtes Fürwort, ↑ 278 ff.)	man, jemand, niemand, jeder, alle, etwas, nichts
Interrogativpronomen (Fragefürwort, ↑ 287 ff.)	wer?, was?, welcher?, was für ein?
Relativpronomen (bezügliches Fürwort, ↑ 290 ff.)	der, welcher, wer, was

249 Manche Wörter können sowohl als Begleiter wie auch als Stellvertreter des Substantivs gebraucht werden; vgl. z. B.:

> (Begleiter:) Ich nehme *dieses* Hemd. (Stellvertreter:) Ich nehme *dieses*. (Begleiter:) *Jeder* Mensch hat das Recht auf Freiheit. (Stellvertreter:) *Jeder* hat das Recht auf Freiheit.

In einigen Fällen haben diese Wörter unterschiedliche Formen, je nachdem, ob sie als Begleiter oder als Stellvertreter stehen:

> (Begleitendes *kein*:) Doch da er *kein* Gelehrter war, ... (Stellvertretendes *kein*:) Doch da er *keiner* war, ... (Begleitendes *der*:) *Den* Angebern werde ich's zeigen! (Stellvertretendes *der*:) *Denen* werde ich's zeigen!

250 Alle Begleiter und die meisten Stellvertreter des Substantivs sind der Form nach veränderlich; sie werden dekliniert (gebeugt). Ihre Form richtet sich nach dem Substantiv, das sie begleiten oder vertreten, und zwar in

Geschlecht:

> (männlich:) *der* Wolf, (weiblich:) *die* Mehrzahl, (sächlich:) *ein* Ende;

Zahl:

> (Singular:) *ein* Werwolf, (Plural:) *seine* Pfoten;

Fall:

> (Nominativ:) *er* bat, (Genitiv:) *eines* Dorfschullehrers, (Dativ:) vor *dem* Toten, (Akkusativ:) er bat *ihn*.

Zwischen dem Artikel bzw. Pronomen und dem Substantiv besteht also grammatische Übereinstimmung (Kongruenz).

Einige Pronomen werden allerdings nicht nach allen Merkmalen dekliniert (vgl. z. B. *wer*, das keine Mehrzahl hat), andere sind überhaupt unveränderlich (z. B. *etwas*, *nichts*).

4.2 Der Artikel

251 Der Artikel (das Geschlechtswort) ist immer Begleiter des Substantivs; er kommt in zwei Arten vor:

der bestimmte (definite) Artikel	der, die, das
der unbestimmte (indefinite) Artikel	ein, eine, ein

Die deutsche Bezeichnung „Geschlechtswort" weist darauf hin, daß der Artikel (besonders der bestimmte Artikel) das Geschlecht des Substantivs, bei dem er steht, anzeigt. (An dem Substantiv selbst ist das Geschlecht in der Regel nicht zu erkennen; ↑ 205). Oft wird auch nur durch den Artikel deutlich, in welcher Zahl und in welchem Fall ein Substantiv gebraucht ist, da viele Formen des Substantivs selbst gleichlauten; vgl. z. B.:

> Die Schüler ärgern *den* Lehrer. (Singular)
> Die Schüler ärgern *die* Lehrer. (Plural)
> Stefan provoziert *den* Lehrer. (Akkusativ)
> Karsten hilft *dem* Lehrer. (Dativ)

Schließlich macht der Artikel auch deutlich, wann Wörter anderer Wortarten als Substantive verwendet sind:

> *das Betreten* der Baustelle, *das Blau* ihrer Augen, *das Aus* für die Mannschaft.

In der Regel gilt: Alle Wörter, vor denen ein Artikel steht oder stehen kann, sind Substantive und werden damit groß geschrieben.

252 Der Artikel hat im Deutschen mehr Formen als in den meisten anderen Sprachen. Manche Sprachen, wie z. B. das Französische, Italienische und Spanische, unterscheiden nur zwei Geschlechter; das Englische hat nur jeweils eine Form (*the* für den bestimmten und *a* für den unbestimmten Artikel), und in vielen Sprachen (etwa im Russischen, Polnischen und Serbokroatischen) gibt es den Artikel überhaupt nicht. Sprecher solcher Sprachen haben deshalb oft besonders große Schwierigkeiten mit dem Artikel im Deutschen: Sie müssen neben den verschiedenen Formen vor allem auch den Gebrauch des Artikels lernen, also die Regeln dafür, wann ein Artikel gesetzt wird, wann nicht und ob der bestimmte oder der unbestimmte Artikel zu verwenden ist.

Die Formen des Artikels

253 Der bestimmte Artikel *(der, die, das)*

Singular			
	männlich	weiblich	sächlich
Nominativ	der Stuhl	die Lampe	das Bild
Genitiv	des Stuhles	der Lampe	des Bildes
Dativ	dem Stuhl	der Lampe	dem Bild
Akkusativ	den Stuhl	die Lampe	das Bild

Plural
Nominativ	die Stühle, Lampen, Bilder
Genitiv	der Stühle, Lampen, Bilder
Dativ	den Stühlen, Lampen, Bildern
Akkusativ	die Stühle, Lampen, Bilder

Wie die Tabelle zeigt, lauten die Pluralformen des bestimmten Artikels für alle Geschlechter gleich. Besondere Singularformen treten auf, wenn der Artikel mit einer Präposition verschmilzt, z. B. *in dem → im, zu der → zur;* ↑ dazu 376.

254 Der unbestimmte Artikel *(ein, eine, ein)*

Singular			
	männlich	weiblich	sächlich
Nominativ	ein Stuhl	eine Lampe	ein Bild
Genitiv	eines Stuhles	einer Lampe	eines Bildes
Dativ	einem Stuhl	einer Lampe	einem Bild
Akkusativ	einen Stuhl	eine Lampe	ein Bild

Der unbestimmte Artikel hat keine Pluralformen; bei einer unbestimmten Menge steht nur das Substantiv in dem entsprechenden Fall:

> Wir führen Stühle/Lampen/Bilder in großer Auswahl. Bei Stühlen/Lampen/Bildern gibt es 20% Preisnachlaß.

255 | Der Gebrauch des Artikels

ein, eine, ein	*der, die, das*
Der unbestimmte Artikel steht, wenn etwas Unbekanntes neu eingeführt, zum ersten Mal genannt wird:	Der bestimmte Artikel steht, wenn etwas bereits vorher erwähnt oder sonstwie (z.B. aus Erfahrung) bekannt ist:
Ein Werwolf eines Nachts entwich ... und sich begab an *eines* Dorfschullehrers Grab ...	*Der* Dorfschulmeister stieg hinauf ... und sprach zum (= zu *dem*) Wolf ...
Eva bekommt *ein* Baby.	*Das* Baby soll im Juni kommen.
	Jetzt blühen *die* Obstbäume. In *der* Zeitung stand, ... *Der* Wetterbericht, ausgegeben um 5.30 Uhr.

Mit dem Artikel, vor allem dem bestimmten Artikel, kann man sich nicht nur auf einzelne Personen oder Gegenstände beziehen, sondern auch auf Gattungen, Gruppen von Personen oder Gegenständen:

> *Die* Lärche ist ein Nadelbaum. *Das* Auto wurde vor über 100 Jahren erfunden. *Der* Bundeskanzler bestimmt die Richtlinien der Politik.

Hier ist nicht von einer einzelnen, bestimmten Lärche, einem einzelnen Auto und einem bestimmten Bundeskanzler die Rede, sondern es ist jeweils die ganze Gattung gemeint („alle Lärchen", „der Gegenstand Auto", „jeder, der Bundeskanzler ist").

256 | Der Gebrauch von Substantiven ohne Artikel

In bestimmten Fällen werden Substantive ohne einen Artikel verwendet, wenn mit ihnen etwas Allgemeines ausgedrückt werden soll. So stehen vor allem Begriffswörter († 183) oft ohne Artikel:

> *Hunger* nach *Gerechtigkeit.* Für *Frieden* und *Abrüstung. Bescheidenheit* ist eine Zier. Jeder Mensch braucht *Liebe* und *Anerkennung. Kälte* schadet diesen Pflanzen.

Auch Stoffbezeichnungen (↑ 186) werden ohne Artikel gebraucht, wenn mit ihnen allgemein der Stoff (nicht eine bestimmte Menge des Stoffes) bezeichnet werden soll:

> Ich trinke lieber *Kaffee* als *Tee*. (Aber: *Der Kaffee* ist noch zu heiß.) Die Tasche ist aus *Leder*. (Aber: *Das Leder* ist schon ziemlich abgeschabt.)

In festen Fügungen (z. B. Funktionsverbgefügen, ↑ 92) und in Aufzählungen steht ebenfalls das Substantiv häufig ohne Artikel:

> *Fuß* fassen, *Auto* fahren, *Glück* haben, *Atem* holen, zu *Ende* bringen, in *Erwägung* ziehen; *Mann* und *Frau*, *Weib* und *Kind*, *Haus* und *Hof*, *Ebbe* und *Flut*, *Schlag* auf *Schlag*; die Doppelbelastung der Frau in *Familie* und *Beruf*; optimal in *Leistung*, *Ausstattung* und *Preis*.

In anderen Fällen wird der Artikel vor dem Substantiv weggelassen, um eine Äußerung kürzer zu machen. Diese Art von artikellosen Substantiven findet sich vor allem in Schlagzeilen, Anzeigen, Telegrammen, Kommandos:

> *IG Metall* ruft zu *Streik* auf. *Bankräuber* nahm *Kind* als Geisel. *Einfamilienhaus* mit *Einliegerwohnung* von Privat zu verkaufen. Suche *netten*, *verständnisvollen Lebenspartner*. *Verhandlungen* zufriedenstellend verlaufen. *Hände* hoch! *Augen* rechts!

257 Der Gebrauch des Artikels bei Namen

Personennamen stehen im allgemeinen ohne den bestimmten Artikel, da sie selbst schon eine bestimmte, einzelne Person bezeichnen:

> Auf *Antonio* ist Verlaß. Kennst du *Petra Busch*? *Christian Morgenstern* lebte von 1871 bis 1914. *Meier* ist heute schon wieder zu spät gekommen.

In vielen Fällen steht jedoch bei Namen auch der bestimmte Artikel:

In der gesprochenen Umgangssprache werden Personennamen sehr häufig mit dem Artikel verwendet:

> Auf *den Uli* kannst du dich verlassen. In der Stadt habe ich *die Gisela* getroffen. Weiß jemand, wo *der Meier* ist? *Der Karl Weber* ist bei seinen Kollegen sehr beliebt.

Bei Familiennamen von Frauen steht der Artikel, wenn das weibliche Geschlecht nicht durch Zusätze, wie z.B. den Vornamen, deutlich wird:

> *Die Callas* war eine große Opernsängerin. (Aber ohne Artikel: *Maria Callas* war eine große Opernsängerin.) Gestern lief im Fernsehen ein Film mit *der Loren.* (Wenn es sich nicht um bekannte Persönlichkeiten handelt, wirkt der Artikel meist abwertend:) *Die Lehmann* geht schon wieder zur Kur.

Der Artikel steht auch bei Personennamen im Plural, vor allem wenn es sich um bekannte Familien handelt:

> die Kennedys, die Windsors, die Bismarcks, die Weizsäckers.

Namen, die durch ein Adjektiv näher bestimmt sind, haben immer auch den Artikel bei sich:

> die kleine Susanne, der alte Peter Hansen, der edle Winnetou.

Steht dagegen ein Titel (auch *Frau, Herr*) oder eine Verwandtschaftsbezeichnung vor dem Namen, wird in der Regel kein Artikel verwendet:

> Königin Elisabeth, Minister Fischer, Frau Schmidt, Herr Albrecht, Tante Lilo.

Geographische Namen stehen teils ohne, teils mit dem bestimmten Artikel. Keinen Artikel haben im allgemeinen Länder-, Gebiets- und Städtenamen:

> Österreich, Norwegen, Korsika, Masuren, Istanbul, Erfurt.

Es gibt jedoch zahlreiche Ausnahmen, z.B.:

> die Niederlande, die Schweiz, die Türkei, der Balkan, das Elsaß, die Pfalz, das Allgäu, (nur noch selten ohne Artikel:) der Iran, der Irak, der Jemen, der Libanon.

Namen von Bergen, Gebirgen, Flüssen, Seen und Meeren stehen mit dem bestimmten Artikel:

> der Feldberg, das Matterhorn, die Rhön, der Harz, die Wolga, der Amazonas, der Titisee, der Gardasee, das Mittelmeer, der Atlantik.

4.3 Das Personalpronomen

258 Das Personalpronomen (das persönliche Fürwort) zeigt
an, welche Rolle eine Person oder Sache in einer Äußerung spielt: *ich* bezeichnet den Sprecher (1. Person), *du* den Angesprochenen (2. Person), *er, sie, es* das „Besprochene", d. h. die
Person oder Sache, über die etwas gesagt wird (3. Person):

> Peter: *Ich* gehe jetzt. Kommst *du* mit, Ingrid?
>
> Ingrid: Könntest *du* noch einen Moment warten? *Ich* muß ge
>   rade noch mit Karin sprechen. *Sie* wollte *mir* den Ver
>   trag zeigen. *Du* weißt doch, *er* muß morgen unter
>   schrieben werden. *Es* dauert bestimmt nicht lange.

Nur in der 3. Person steht das Personalpronomen stellvertretend
für ein Substantiv; es hat deshalb auch, jedenfalls im Singular,
unterschiedliche Formen für die drei Geschlechter:

> der Vertrag → er; Karin → sie; das Gespräch → es.

Im Plural bezeichnet die 1. Person *(wir)* eine Gruppe von Personen, die den Sprecher mit einschließt, die 2. Person *(ihr)* bezeichnet mehrere Personen, von denen mindestens eine angesprochen
wird, und mit der 3. Person *(sie)* bezieht sich der Sprecher auf
mehrere andere Personen oder auf mehrere Gegenstände.

259 Die Formen des Personalpronomens

		1. Person	2. Person	3. Person		
				männlich	weiblich	sächlich
Singular	Nominativ	ich	du	er	sie	es
	Genitiv	meiner	deiner	seiner	ihrer	seiner
	Dativ	mir	dir	ihm	ihr	ihm
	Akkusativ	mich	dich	ihn	sie	es
Plural	Nominativ	wir	ihr	sie		
	Genitiv	unser	euer	ihrer		
	Dativ	uns	euch	ihnen		
	Akkusativ	uns	euch	sie		

Für die Genitivformen *meiner, deiner, seiner, ihrer* gab es früher auch die Kurzformen *mein, dein, sein, ihr* (aus denen das besitzanzeigende Fürwort entstanden ist). Sie werden heute nicht mehr gebraucht, sind aber noch in einigen wenigen festen Fügungen erhalten, wie z. B. in *Vergißmeinnicht* (*vergessen* wurde früher mit dem Genitiv verbunden).

 Die Genitivformen *unser, euer* dürfen nicht mit den Formen *uns(e)rer, eu(e)rer* des besitzanzeigenden Fürworts verwechselt werden. Es heißt z. B.:

> Wir waren *unser* (nicht: *unserer*) vier. Wir werden *euer* (nicht: *eurer*) immer gedenken.

---

260 Die Anredepronomen *du, ihr, Sie*

Als Anredepronomen gibt es neben *du* und *ihr* noch die sogenannte „Höflichkeitsform" *Sie*. Sie lautet mit den Pluralformen der 3. Person gleich, wird aber immer groß geschrieben:

> Liebe Frau Beier, haben *Sie* vielen Dank für Ihren Brief vom 3. 7. Wie ich *Ihnen* bereits telefonisch sagte, ... Sehr geehrte Damen und Herren, ich wäre *Ihnen* sehr dankbar, wenn *Sie* mir folgende Artikel liefern würden.

Im Deutschen muß man bei der Anrede zwischen den beiden Formen *du* (im Plural *ihr*) und *Sie* wählen – anders als etwa im Englischen, das nur die eine Form *you* hat. Die Anredeform *Sie* ist noch nicht sehr alt; früher wurden andere „Höflichkeitsformen" (z. B. *Ihr*) verwendet. Vor allem aber hat sich der Gebrauch der Anredeformen im Laufe der Zeit sehr stark gewandelt, und er verändert sich auch heute noch immer wieder.

In der Anredeform kommt zum Ausdruck, in welcher Beziehung der Sprecher zu dem Angesprochenen steht. Dabei spielt vor allem die Gruppenzugehörigkeit der Partner eine Rolle: Man duzt sich in der Familie, unter Verwandten, Freunden und guten Bekannten; Jugendliche, häufig auch Arbeitskollegen duzen sich untereinander, ebenso Mitglieder bestimmter Parteien, Vereine und ähnlicher Gruppen. Die Anrede *Sie* hat nicht in erster Linie etwas mit „Höflichkeit" zu tun; sie wird vielmehr zwischen Personen gebraucht, die sich fernerstehen, d. h. die sich nicht irgendeiner gemeinsamen Gruppe zugehörig fühlen.

 Die Anredeform *Sie* wird sowohl einer einzelnen Person als auch mehreren Personen gegenüber verwendet. Es ist also nicht korrekt, eine Gruppe von Personen, die man einzeln siezt, mit *ihr* anzureden, wie es in bestimmten Gegenden üblich ist.

261 *du* wird gelegentlich nicht als Anrede für eine bestimmte Person gebraucht, sondern in allgemeiner Bedeutung (anstelle von *man*):

> Dazu mußt *du* viel Geld haben. Wenn *du* nicht aufpaßt, bist *du* verloren. Da schuftest *du* nun den ganzen Tag, und niemand dankt es *dir*.

Auch die Pluralform *sie* steht häufig in allgemeiner Bedeutung, ohne Bezug auf ein bestimmtes voraufgehendes Substantiv:

> Das sollen *sie* mal bei mir versuchen! Gestern haben *sie* schon wieder in unserer Gegend eingebrochen. Da haben *sie* dich aber ganz schön reingelegt!

Die Pluralform *wir* wird gelegentlich auf eine einzelne Person bezogen; vgl. z. B.:

> Diese Frage haben *wir* schon in Kapitel 3 behandelt. Wie *wir* dort zeigen konnten, gibt es zwei Lösungen.

Dieser Gebrauch von *wir* („Autorenplural") findet sich vor allem in wissenschaftlichen Werken und Vorträgen. Der Autor meint im Grunde nur sich selbst, benutzt aber *wir*, um seine Person nicht zu sehr in den Vordergrund zu stellen.

In anderen Fällen wird *wir* auch als fürsorglich-herablassende Anrede gebraucht („Krankenschwester – *wir*"):

> (Zahnarzt:) Jetzt machen *wir* bitte den Mund weit auf. (Krankenschwester:) Wie fühlen *wir* uns denn heute? *Wir* haben ja wieder nichts gegessen! (Mutter:) Jetzt gehen *wir* schön ins Bett und schlafen schnell ein.

Das sächliche Personalpronomen *es* hat verschiedene Verwendungsweisen. Es steht nicht nur stellvertretend für ein sächliches Substantiv, sondern kann sich auch auf einen Satz zurückbeziehen:

> (Bezug auf ein Substantiv:) Lies mal dieses Buch; *es* wird dir gefallen. Welche Farbe hat Ihr neues Auto? – *Es* ist rot.
> (Bezug auf einen Satz:) Hat Eva die Karten für uns bestellt? – Ich hoffe *es*. Meiers haben im Lotto gewonnen. – Wie schön; ich gönne *es* ihnen.

es kann auch ein Substantiv (und zwar nicht nur ein sächliches Substantiv) oder einen Nebensatz „vorausnehmen" († auch 470):

> *Es* werden etwa 50 Leute kommen. (= Etwa 50 Leute werden kommen.) *Es* wundert mich, daß er den ersten Preis bekommen hat. (= Daß er den ersten Preis bekommen hat, wundert mich.)

Schließlich steht *es* bei den sogenannten unpersönlichen Verben († 94), vor allem bei Witterungsverben wie

> *es* regnet / donnert / schneit / hagelt.

es ist hier nicht Stellvertreter für irgendeine andere Größe, es bezeichnet nichts, sondern hat nur die Aufgabe, die Stelle des Subjekts zu besetzen, damit ein vollständiger Satz entsteht.

262 Pronomen, die stellvertretend für ein Substantiv gebraucht werden, wie vor allem das Personalpronomen, können – wie ein Substantiv – eine Apposition (einen Beisatz) bei sich haben. Es gelten grundsätzlich die gleichen Regeln wie für die Apposition zum Substantiv († 240 ff.); das bedeutet vor allem: Die Apposition steht im gleichen Fall wie das Pronomen:

> Ich, *ein alter, erfahrener Mann*, weiß das besser. Du kannst mir, *einem alten, erfahrenen Mann*, ruhig glauben. Mich, *einen alten, erfahrenen Mann*, wundert nichts mehr.

Häufiger kommen beim Personalpronomen Appositionen mit *als* vor; auch sie müssen mit dem Pronomen im Fall übereinstimmen:

> Du *als gelernter Mechaniker* müßtest das eigentlich können. Von ihm *als einem gläubigen Menschen* (nicht: von ihm *als ein gläubiger Mensch*) hätte ich etwas anderes erwartet. Wir wenden uns an Sie *als einen bekannten Fachmann auf diesem Gebiet*. Man hat ihn *als den Verantwortlichen* zur Rechenschaft gezogen. Sind Ihnen *als Abgeordnetem* (männlich)/*als Abgeordneten* (weiblich) überhaupt die Probleme Ihrer Wähler bekannt?

4.4 Das Reflexivpronomen

263 Das Reflexivpronomen (das rückbezügliche Fürwort) gehört zu den Stellvertretern des Substantivs; es ist eine besondere Art des Personalpronomens. Nur für die 3. Person hat das Reflexivpronomen eine eigene Form; sie lautet im Singular und im Plural sowohl für den Dativ wie für den Akkusativ *sich*:

> (Dativ Singular:) Damit schadet er *sich* nur. (Akkusativ Singular:) Sie schminkt *sich*. (Dativ Plural:) Sie haben *sich* zu viel vorgenommen. (Akkusativ Plural:) Die Gäste verabschiedeten *sich*.

Für die 1. und 2. Person werden die entsprechenden Formen des Personalpronomens (↑ 259) verwendet:

> Ich langweile *mich*. Damit schadest du *dir* nur. Wir haben *uns* sehr über die Geschenke gefreut. Ihr werdet *euch* wundern!

(Im Englischen beispielsweise wird dagegen auch in der 1. und 2. Person zwischen Personal- und Reflexivpronomen unterschieden; vgl. z. B. I love *you*. „Ich liebe *dich*." – Did you enjoy *yourself*? „Hast du *dich* gut amüsiert?")

---

264 „Reflexiv" bzw. „rückbezüglich" heißt das Pronomen, weil es sich auf ein Satzglied, in der Regel das Subjekt, zurückbezieht:

> *Ich* wasche *mich*. *Du* putzt *dir* die Zähne. *Er* rasiert *sich*.

Das Reflexivpronomen bezeichnet dieselbe Person oder Sache wie die im Subjekt genannte; es stimmt deshalb in Person und Zahl mit dem Subjekt überein. Der Fall hängt von dem Verb bzw. von der Präposition ab, bei der das Reflexivpronomen steht:

> (Dativ:) Ich kann *mir* allein helfen. Was hast du *dir* eigentlich dabei gedacht? (Akkusativ): Ich habe *mich* verletzt. Wir möchten *uns* entschuldigen. (Mit Präposition:) Du denkst immer nur *an dich*. Habt ihr kein Gepäck *bei euch*?

Zu den Verben, die ein Reflexivpronomen bei sich haben, ↑ 95.

---

265 Wenn im Subjekt zwei oder mehrere Personen genannt sind, kann das Reflexivpronomen eine wechselseitige Beziehung ausdrücken („einer dem/den anderen"):

> Wir haben *uns* lange nicht gesehen. Alle umarmten und küßten *sich*. Petra und ich haben *uns* zufällig in der Stadt getroffen. Seid ihr *euch* schon einmal begegnet?

In manchen Fällen ist nicht klar, ob das Reflexivpronomen Wechselseitigkeit ausdrückt oder nicht; vgl. z. B.:

> Die Mädchen kämmten *sich* die Haare (jedes die eigenen oder die der anderen?). Wir helfen *uns* immer (jeder sich selbst oder einer dem anderen?).

Um die Wechselseitigkeit deutlich zu machen, kann man das Reflexivpronomen durch *gegenseitig* ergänzen:

> Die Mädchen kämmten *sich gegenseitig* die Haare. Wir helfen *uns* immer *gegenseitig*.

Anstelle des Reflexivpronomens (+ *gegenseitig*) ist auch *einander* möglich:

> Die Mädchen kämmten *einander* die Haare. Wir helfen *einander* immer.

einander klingt aber fast immer gehoben und wird deshalb heute in der normalen Umgangssprache kaum noch verwendet.

 Falsch sind in jedem Fall die „doppelten" Formen *sich einander* und *einander gegenseitig*:

> Nicht: Sie trösteten *sich einander*. Sondern: Sie trösteten *sich*. Oder: Sie trösteten *einander*. Nicht: Sie schaden *einander gegenseitig*. Sondern: Sie schaden *sich gegenseitig*. Oder: Sie schaden *einander*.

4.5 Das Possessivpronomen

 266 Das Possessivpronomen (das besitzanzeigende Fürwort) kommt meist als Begleiter des Substantivs vor:

> *mein* Vater, *deine* Freundin, *sein* Auto, *unsere* Wohnung, *euer* Geld, *ihre* Bücher.

Es kann aber auch stellvertretend für ein Substantiv stehen (↑ 269):

> Wem gehört dieser Mantel? Das ist *meiner*. Ich kümmere mich um meine Angelegenheiten, kümmere du dich um *deine*.

Das Possessivpronomen oder besitzanzeigende Fürwort gibt nicht nur, wie der Name sagt, ein Besitzverhältnis an, sondern auch ganz allgemein eine Zugehörigkeit, Zuordnung oder Verbundenheit; vgl. z. B.:

Unser Dorf (= das Dorf, in dem wir wohnen) soll schöner werden. *Mein* Zug (= der Zug, mit dem ich fahre) geht in 10 Minuten. *Seine* Firma (= die Firma, in der er arbeitet) hat pleite gemacht. Günstige Angebote bei *Ihrem* Autohändler (= der Autohändler, bei dem Sie kaufen sollten).

267 Die Form des Possessivpronomens richtet sich zum einen nach der Person, auf die es sich bezieht: Je nachdem, ob der „Besitzer" der Sprecher, der Angesprochene oder das Besprochene ist, steht das Possessivpronomen in der 1., 2. oder 3. Person (Singular oder Plural). In der 3. Person Singular wird außerdem nach dem Geschlecht unterschieden:

	1. Person	2. Person	3. Person		
			männlich	weiblich	sächlich
Singular	mein	dein	sein	ihr	sein
Plural	unser	euer	ihr		

Wie beim Personalpronomen wird die 3. Person Plural – groß geschrieben – als „Höflichkeitsform" verwendet:

Bitte grüßen Sie *Ihre* Frau. Wir bestätigen den Eingang *Ihres* Schreibens vom 24. 8.

 Es ist zu beachten, daß das Geschlecht des Possessivpronomens in der 3. Person Singular dem Geschlecht des Bezugswortes entsprechen muß. Es heißt also z. B.:

Das hat *seine* Richtigkeit. Aber: *Die Sache* hat *ihre* Richtigkeit. *Unser Vorgehen* hat *seinen* Grund in folgendem. Aber: *Unsere Vorgehensweise* hat *ihren* Grund in folgendem. Frank hilft *seiner* Mutter (wenn die eigene Mutter oder die einer anderen männlichen Person gemeint ist). Frank hilft *ihrer* Mutter (wenn die Mutter einer weiblichen Person oder die mehrerer Personen gemeint ist).

268 In den Endungen richtet sich das Possessivpronomen nach dem Substantiv, bei dem es steht. Die Tabelle zeigt als Beispiel die Formen für *mein*:

Singular			
	männlich	weiblich	sächlich
Nominativ	mein Sohn	mein-e Tochter	mein Kind
Genitiv	mein-es Sohnes	mein-er Tochter	mein-es Kindes
Dativ	mein-em Sohn(e)	mein-er Tochter	mein-em Kind(e)
Akkusativ	mein-en Sohn	mein-e Tochter	mein Kind

Plural	
Nominativ	mein-e Söhne / Töchter / Kinder
Genitiv	mein-er Söhne / Töchter / Kinder
Dativ	mein-en Söhnen / Töchtern / Kindern
Akkusativ	mein-e Söhne / Töchter / Kinder

Bei *unser* und *euer* kann in bestimmten Fällen das *e* des Stammes oder das der Endung ausgelassen werden:

> *unsres* Sohnes, *eurer* Tochter, *eure* Kinder, *unsrem* (auch: *unserm*) Kind, *euren* (auch: *euern*) Sohn.

269 Wenn das Possessivpronomen stellvertretend für ein Substantiv gebraucht wird, hat die männliche Form im Nominativ Singular die Endung *-er*, die sächliche im Nominativ und Akkusativ Singular die Endung *-(e)s*:

> Ich habe einen Handschuh gefunden; ist das *deiner*? Welches Bild findest du schöner: Ulrikes oder *mein(e)s*?

Die übrigen Formen stimmen mit denen des attributiv (begleitend) gebrauchten Possessivpronomens überein.

Es gibt auch adjektivische Formen des Possessivpronomens, die mit dem bestimmten Artikel wie ein Substantiv verwendet werden:

> Dieses Buch ist *das meine*. Es ist *das meinige*.

Diese Formen sind heute im allgemeinen kaum noch gebräuchlich.

4.6 Das Demonstrativpronomen

270 Mit Demonstrativpronomen (hinweisenden Fürwörtern) weist der Sprecher auf etwas hin, was entweder bereits bekannt ist oder im folgenden näher bestimmt wird. Die Demonstrativpronomen sind im einzelnen (jeweils in der männlichen Form):

> dieser, jener, derjenige, derselbe, der.

Sie richten sich in Geschlecht, Zahl und Fall nach dem Substantiv, bei dem sie stehen oder das sie vertreten:

> An *dieser* Stelle stand früher ein Schloß. Zu *jenen* Zeiten war hier noch überall Wald. *Diejenigen*, die nicht mitmachen möchten, können jetzt gehen. Er fährt *dasselbe* Auto wie ich. *Dem* habe ich aber die Meinung gesagt!

dieser, diese, dieses; jener, jene, jenes

271 Die Formen von *dieser* (und entsprechend von *jener*) lauten:

	Singular			Plural
	männlich	weiblich	sächlich	
Nominativ	dies-er	dies-e	dies(-es)	dies-e
Genitiv	dies-es	dies-er	dies-es	dies-er
Dativ	dies-em	dies-er	dies-em	dies-en
Akkusativ	dies-en	dies-e	dies(-es)	dies-e

Die sächliche Kurzform *dies* wird vor allem gebraucht, wenn das Pronomen allein, als Stellvertreter des Substantivs, steht:

> *Dies* habe ich nie behauptet. Er arbeitet mal *dies*, mal das.

 Die männliche und sächliche Genitivform heißt *dieses*, nicht *diesen*; also:

> im April *dieses* Jahres (n i c h t : *diesen* Jahres); am 15. *dieses* Monats (n i c h t : *diesen* Monats); ein Gerät *dieses* Typs (n i c h t : *diesen* Typs).

272 *dieser* und *jener* kommen sowohl als Begleiter wie als Stellvertreter des Substantivs vor. Dabei weist *dieser* auf etwas Näheres, *jener* auf etwas Entfernteres hin:

> *Dieses* Haus gefällt mir besser als *jenes*. Wir fahren *dieses* Jahr nicht in Urlaub. In *jener* Zeit, als die Römer nach Germanien kamen, ...

jener gehört der gehobenen Schriftsprache an; in der gesprochenen Sprache, bei der auch mit Gesten gezeigt werden kann, wird anstelle von *jener* meist *der (da/dort)* gebraucht:

> Ich setze mich auf diesen Stuhl (oder: auf den Stuhl hier), nimm du *den (da)*.

273 *derjenige, diejenige, dasjenige*

Das Demonstrativpronomen *derjenige* ist aus zwei Teilen zusammengesetzt: *der + jen-ig-*; beide Bestandteile werden dekliniert. Der erste Teil ist der bestimmte Artikel († 253), der zweite Teil hat in fast allen Formen die Endung *-en* (wie ein schwaches Adjektiv, † 311):

	Singular			Plural
	männlich	weiblich	sächlich	
Nominativ	der-jenige	die-jenige	das-jenige	die-jenigen
Genitiv	des-jenigen	der-jenigen	des-jenigen	der-jenigen
Dativ	dem-jenigen	der-jenigen	dem-jenigen	den-jenigen
Akkusativ	den-jenigen	die-jenige	das-jenige	die-jenigen

derjenige kann bei einem Substantiv oder an der Stelle eines Substantivs stehen. Es weist auf etwas voraus, was im folgenden (meist in einem Relativsatz) näher bestimmt wird:

> Gewinner ist *derjenige* Spieler, der die wenigsten Punkte hat. *Diejenigen*, die dafür sind, heben bitte die Hand.

Solche Konstruktionen wirken meist schwerfällig; sie können durch Sätze mit *der* oder *wer* ersetzt werden:

> Gewinner ist *der* Spieler, der die wenigsten Punkte hat. *Wer* dafür ist, hebe bitte die Hand.

derjenige ist aber gelegentlich notwendig, wenn deutlich gemacht werden soll, daß eine bestimmte Auswahl aus einer Gesamtmenge gemeint ist:

Sie verschenkte *diejenigen* Kleider, die ihr zu eng geworden waren. (*Sie verschenkte die Kleider, die ihr zu eng geworden waren*
ist nicht eindeutig, es kann auch bedeuten, daß sie alle Kleider
verschenkte, da sie ihr zu eng geworden waren.)

derjenige mit dem Relativpronomen *welcher* kommt heute nur
noch formelhaft in der Umgangssprache vor (etwa im Sinne von
„Übeltäter"):

Aha, du bist also *derjenige, welcher*!

derselbe, dieselbe, dasselbe

274 *derselbe (der + selb-e)* wird in der gleichen Weise wie *derjenige* in beiden Bestandteilen dekliniert († 273). Es wird
immer zusammengeschrieben; nur wenn der erste Teil, der Artikel, mit einer Präposition verschmolzen ist, wird der zweite Teil
abgetrennt, vgl.:

Wir arbeiten *in demselben* Betrieb. – Wir arbeiten *im selben* Betrieb. Er wurde *zu derselben* Zeit eingestellt wie ich. – Er wurde
zur selben Zeit eingestellt wie ich.

 Es ist unnötig und stilistisch unschön, *derselbe* anstelle
eines persönlichen Fürworts oder eines besitzanzeigenden Fürworts zu gebrauchen:

Nicht: Als er das Auto gewaschen hatte, fuhr er *dasselbe* in die
Garage. Sondern: ..., fuhr er *es* in die Gerage. Nicht: Das
höchste Bauwerk von Paris ist der Eiffelturm. Die Höhe *dessel-
ben* beträgt 321 m. Sondern: ... *Seine* Höhe beträgt 321 m.

275 *derselbe* bezeichnet die Gleichheit (Identität) von zwei
oder mehr Personen oder Gegenständen:

Anna wohnt in der Lindenstraße. ⎱ Anna und ich wohnen
Ich wohne in der Lindenstraße. ⎰ in *derselben* Straße.

Wir haben *dieselben* Interessen. Es ist immer *dasselbe* mit dir!

Dieselbe Bedeutung hat *der gleiche* (immer auseinander geschrieben):

Anna und ich wohnen in *der gleichen* Straße. Wir haben *die gleichen* Interessen. Es ist immer *das gleiche* mit dir!

Mit *derselbe* kann stärker hervorgehoben werden, daß es sich um genau die gleichen einzelnen Personen oder Sachen handelt (im Sinne des verstärkenden *ein und derselbe*):

> Es sind immer *dieselben* (– nämlich Fritz, Franz und Grete –), die meckern.

der gleiche bezeichnet dagegen mehr die Gleichheit im weiteren Sinne (die gleiche Art):

> Es sind immer *die gleichen* (d. h. Leute einer bestimmten Art), die meckern.

Eine strenge Unterscheidung ist in der Regel nicht nötig, da aus dem Zusammenhang hervorgeht, welche Art von Gleichheit gemeint ist. So kann z. B. der Satz

> Bei uns gibt es sonntags immer *dasselbe*.

nur bedeuten, daß es jeden Sonntag ein Gericht der gleichen Art gibt, da man ein und dasselbe Gericht nicht mehrmals essen kann.

der, die, das

276 Das Demonstrativpronomen *der* als Stellvertreter des Substantivs ist von dem Artikel *der* (als Begleiter des Substantivs, ↑ 253) zu unterscheiden; es hat z. T. andere Formen, vgl. z. B.:

> Ich bin mir *des* Risikos wohl bewußt. – Ich bin mir *dessen* wohl bewußt. Mit *den* Leuten will ich nichts zu tun haben. – Mit *denen* will ich nichts zu tun haben.

Die Formen des Demonstrativpronomens *der*:

	Singular			Plural
	männlich	weiblich	sächlich	
Nominativ	der	die	das	die
Genitiv	dessen	deren/derer	dessen	deren/derer
Dativ	dem	der	dem	denen
Akkusativ	den	die	das	die

Die beiden Genitivformen *deren* und *derer* werden unterschiedlich gebraucht:

deren weist auf etwas vorher Genanntes zurück:

Zu der Party kamen auch die Freundin meiner Schwester und
deren Freund. Den Fischers geht es doch gut; *deren* Sorgen
möchte ich haben!

derer ist (wie *derjenige*) vorausweisend:

Die Zahl *derer*, die mit dem Existenzminimum auskommen
müssen, wird immer größer. Sie nimmt sich *derer* an, die nicht
mehr allein für sich sorgen können.

 deren und *dessen* sind bereits deklinierte – genitivische –
Formen; von ihnen kann nicht noch einmal ein Dativ gebildet werden. Es heißt also z. B.:

Er sprach mit Wolfgang und *dessen* (nicht: *dessem*) Bruder.
Sie war bei Inge und *deren* (nicht: *derem*) Freund.

277 Das Demonstrativpronomen *der* ist allgemein voraus-
und zurückweisend; es hat den weitesten Anwendungs-
bereich von allen hinweisenden Fürwörtern. In der gesprochenen Umgangssprache wird es oft mit verdeutlichenden Zusätzen
(*der hier, die da*) gebraucht, wobei mit Gesten auf die Personen
oder Gegenstände gedeutet wird:

Wer ist *der da hinten* mit der Glatze? Nun sieh dir doch *das hier*
an!

 Umgangssprachlich wird *der* auch häufig einfach anstelle
eines Personalpronomens gebraucht, ohne daß eigentlich
auf die Person besonders hingewiesen werden soll:

Erinnerst du dich noch an Rita? *Die* (statt: *sie*) war früher mal
in unserer Klasse. Das ist ein Neuer. *Der* (statt: *er*) kommt aus
der Türkei. Mit meinen Eltern kann ich darüber nicht reden.
Die (statt: *sie*) haben so altmodische Ansichten.

Dieser Gebrauch von *der* wird gelegentlich als unhöflich,
mißachtend empfunden.

Die Genitivformen *deren* und *dessen* verwendet man anstelle der
Possessivpronomen *ihr* bzw. *sein*, wenn es Mißverständnisse geben könnte:

Er lud Ralf und *dessen* (nämlich Ralfs) Freundin ein. (*Er lud
Ralf und seine Freundin ein* könnte auch bedeuten, daß er seine
eigene Freundin eingeladen hat.) Lisa begrüßte Margot und *deren* Mann (*ihren Mann* kann sowohl Lisas wie Margots Mann
meinen).

Der Ersatz des Possessivpronomens durch *deren, dessen* ist aber unnötig, wenn der Bezug klar ist:

> Ich habe Ralf und *seine* (unnötig: *dessen*) Freundin eingeladen.

4.7 Das Indefinitpronomen

 Zu den Indefinitpronomen (unbestimmten Fürwörtern) zählen Wörter wie

alle, einer, einige, etwas, jeder, jemand, keiner, man, niemand, nichts.

Sie sind „unbestimmt" in dem Sinne, daß sie eine nicht näher bestimmte Menge bezeichnen. In dieser Hinsicht stehen sie den unbestimmten Zahladjektiven (↑ 308) nahe.

Zwischen den einzelnen Indefinitpronomen gibt es ziemlich große Unterschiede: Manche beziehen sich nur auf Personen *(jemand, man)*, andere nur auf Sachen *(etwas, nichts)*; viele können bei einem Substantiv und anstelle eines Substantivs stehen *(alle, einige, jeder)*, manche kommen nur als Stellvertreter vor *(man, niemand)*; einige werden nach allen Merkmalen dekliniert *(jeder)*, andere verändern ihre Form nur in eingeschränktem Maße *(jemand)* oder überhaupt nicht *(etwas)*.

Im folgenden werden die wichtigsten unbestimmten Fürwörter, in Gruppen zusammengefaßt, besprochen.

279 *etwas, nichts*

Mit *etwas*, der verallgemeinerten Form *irgendetwas* und der verneinten Form *nichts* kann man sich nur auf Sachen beziehen; die Wortformen sind unveränderlich:

> Da hat sich doch eben *etwas* (Nominativ) bewegt! Ich habe *nichts* (Akkusativ) gesehen. Er hat von *nichts* (Dativ) eine Ahnung.

Umgangssprachlich wird *etwas* oft zu *was* verkürzt:

> Da hat sich doch eben *was* bewegt! Du kannst gleich *was* erleben!

etwas und *nichts* können sich mit einem substantivierten Adjektiv verbinden; diese Beifügungen (außer *anderes*) werden immer groß geschrieben:

Haben Sie nicht *etwas Billigeres*? Er wußte *nichts Neues* zu berichten. (Aber:) Nun zu *etwas anderem*. Er sprach von *nichts anderem* mehr als von seinem neuen Auto.

| **280** | *jemand, niemand, man* |

Diese unbestimmten Fürwörter gehören zu den Stellvertretern des Substantivs; sie sind immer auf Personen bezogen und kommen nur im Singular vor.

jemand und *niemand* haben folgende Formen:

Nominativ	jemand	niemand
Genitiv	jemand(e)s	niemand(e)s
Dativ	jemand(em)	niemand(em)
Akkusativ	jemand(en)	niemand(en)

Ist da *jemand*? Ich habe *niemand/niemanden* gesehen. Sie spricht mit *niemand/niemandem* über ihre Sorgen.

Die endungslose Dativ- und Akkusativform wird vor allem verwendet, wenn sich *jemand* bzw. *niemand* mit *anderer* oder einem substantivierten Adjektiv verbindet. Diese Beifügungen können dann die Kennzeichnung des Falles übernehmen; sie können aber auch undekliniert (in der sächlichen Form) stehen:

Ich habe mit *niemand anderem* (oder: mit *niemand anders*) darüber gesprochen. Sie will sich nicht *jemand Fremdem* (oder: *jemand Fremdes*) anvertrauen. Ich hatte *jemand anderen* (oder: *jemand anders*) erwartet. Konnten Sie *niemand Geeigneteren* (oder: *niemand Geeigneteres*) für diese Aufgabe finden?

man hat nur eine Nominativform; der Dativ und der Akkusativ werden durch die Formen von *einer* (↑ 281) ersetzt:

Man kann nicht immer nur das tun, was *einem* gerade Spaß macht. Wenn *man* ihn mal braucht, läßt er *einen* im Stich.

man hat eine sehr weite Bedeutung; es wird z.B. anstelle von *ich* gebraucht, es kann andere (auch durchaus bestimmte) Personen bezeichnen und ganz allgemein für „der Mensch" stehen:

Darf *man* (=ich) reinkommen? *Man* (=die Betriebsleitung) hat ihr gekündigt. *Man* (=der Mensch) lebt nur einmal.

281 *einer, keiner*

Das unbestimmte Pronomen *einer* (verstärkt: *irgendeiner*) wird als Stellvertreter eines Substantivs gebraucht; es ist die Entsprechung zu dem unbestimmten Artikel *ein*, der immer zusammen mit einem Substantiv auftritt; vgl.:

> (Artikel:) Heute morgen war *ein* Mann vom Gaswerk da.
> (Pronomen:) Heute morgen war *einer* vom Gaswerk da.

Die Formen unterscheiden sich außer im Nominativ Singular männlich *(ein Mann – einer)* auch im Nominativ und Akkusativ sächlich:

> Hast du mal *ein* Taschentuch für mich? – Hier ist *ein(e)s.*

Alle übrigen Formen des Pronomens *einer* stimmen mit denen des Artikels *ein* (↑ 254) überein.

 Der richtige Gebrauch des Genitivs macht häufig Schwierigkeiten. Es heißt z. B.:

> Wir erwarten den Besuch *eines* (nicht: *einer*) Ihrer Mitarbeiter am kommenden Montag. Aber: ... den Besuch *einer* (weiblich) Ihrer Mitarbeiterinnen. Wir zeigen nun einen Film *eines* (nicht: *einer*) der erfolgreichsten Produzenten der letzten Jahre. Wegen der Krankheit des Abteilungsleiters sowie *eines* (nicht: *einem*) der Sachbearbeiter konnte der Vorgang nicht fristgerecht bearbeitet werden.

Die Verneinung des Pronomens *einer* heißt *keiner* (als Stellvertreter des Substantivs); der entsprechende Begleiter des Substantivs ist *kein*:

> Das konnte *kein* Mensch ahnen. – Das konnte *keiner* ahnen.
> Mir hat *kein* Bild richtig gefallen. – Mir hat *kein(e)s* richtig gefallen.

Im Unterschied zu *ein(er)* kommt *kein(er)* auch im Plural vor:

> Er hat *keine* Freunde. Könntest du mir ein paar Zigaretten geben? – Tut mir leid, ich habe auch *keine* mehr.

jeder, alle

282 *jeder* und *alle* können als Begleiter und als Stellvertreter des Substantivs stehen; die Formen sind in beiden Verwendungsweisen gleich:

(Begleiter:) *Jeder* Mitspieler erhält zehn Karten. Sie gab *jedem* Kind eine Mark. Wir haben *jeden* Winkel abgesucht. *Alle* Mitbewohner haben geholfen.

(Stellvertreter:) *Jeder* kehre vor seiner Tür. *Jedem* das Seine. Hier kennt *jeder jeden*. *Alle* haben mitgeholfen.

Mit *jeder* und *alle* bezieht sich der Sprecher auf eine Gesamtmenge. Dabei hebt *jeder* mehr die einzelnen Elemente der Menge (Personen oder Sachen) hervor, während *alle* die Menge in ihrer Gesamtheit betont; vgl. z. B.:

Jeder Mensch ist anders. – *Alle* Menschen sind verschieden. Ich bitte *jeden* von euch um seine Mithilfe. – Ich bitte euch *alle* um eure Mithilfe. Zu unserer Veranstaltung kann *jeder*, der will, kommen. – *Alle* sind herzlich eingeladen.

283 *jeder* kommt nur im Singular vor; es hat die gleichen Formen wie *dieser* (↑ 271). Als Genitiv der männlichen und sächlichen Form ist neben *jedes* auch *jeden* möglich, wenn ein Substantiv mit der Genitivendung *-(e)s* folgt:

am Ende *jedes/jeden* Tages, am 1. *jedes/jeden* Monats, Name und Adresse *jedes/jeden* Mitglieds (aber nur: der Traum *jedes* Menschen).

In der Verbindung *ein jeder* wird *jeder* wie ein Adjektiv nach *ein* dekliniert (↑ 312):

am Ende *eines jeden* Tages (wie: am Ende *eines langen* Tages), am 1. *eines jeden* Monats, der Traum *eines jeden* Menschen.

284 *all-* hat Singular- und Pluralformen. Im Plural bezeichnet es zusammenfassend eine Menge von Personen oder Gegenständen (etwa im Sinne von „sämtliche"):

Alle Menschen sind sterblich. *Alle* Zuschriften werden beantwortet.

Der Singular kann nicht in Verbindung mit allen Substantiven gebraucht werden, sondern nur bei Stoffbezeichnungen (↑ 186) und bestimmten Begriffswörtern (↑ 183); *all-* hat dann etwa die Bedeutung von „ganz", „gesamt":

Aller Ärger war verflogen. *Alle* Mühe ist umsonst gewesen. Er hat *alles* Geld verspielt.

Die sächliche Form *alles* wird auch gelegentlich auf Personen bezogen:

> *Alles* mal herhören! *Alles* rennet, rettet, flüchtet. *Alles* lachte und schrie durcheinander.

285 *all-* wird wie *dieser* (↑ 271) dekliniert; es hat aber einige Doppelformen und Besonderheiten:

1. Der männliche und sächliche Genitiv Singular hat – neben *alles* – auch die Form *allen*, die gebraucht wird, wenn ein Substantiv mit der Genitivendung *-(e)s* folgt:

> *allen* Ernstes, trotz *allen* Fleißes, die Wurzel *allen* Übels (aber nur: die Wurzel *alles* Bösen).

2. Wenn *all-* zusammen mit dem bestimmten Artikel oder einem Pronomen (z. B. *dieser, mein*) vor einem Substantiv steht, kann die deklinierte Form oder die (für alle Geschlechter und Fälle gleiche) endungslose Form *all* gebraucht werden:

> *alle/all* die Arbeit, *alle/all* diese Bücher, *alle/all* meine Bemühungen.

In den Fällen, in denen die deklinierte Form *alle* lautet, sind beide Formen gleich gebräuchlich; in allen übrigen Fällen ist die endungslose Form üblicher:

> Ob sich *all* der Aufwand gelohnt hat? Ich nahm *all* meinen Mut zusammen. Trotz *all* der vielen Arbeit ist sie immer fröhlich. Wo willst du mit *all* diesen Sachen hin? Was hat er nun von *all* seinem Geld?

Allgemein bringt die Form *all* stärker die innere Anteilnahme des Sprechers zum Ausdruck.

3. In Verbindung mit einem Demonstrativpronomen *(der, dieser)* kann *all-* voran- oder nachgestellt werden; Nachstellung ist häufiger:

> Was hat *das alles* (auch: *alles das, all das*) zu bedeuten? Er steht *dem allen* (seltener: *dem allem*; aber nur: *allem dem*) skeptisch gegenüber.

Zur Deklination eines nachfolgenden Adjektivs *(alle neuen Bücher)* ↑ 316.

286 *einige, manche, mehrere*

Diese Indefinitpronomen (– ähnlich auch: *etliche*; *ein paar* –) bezeichnen eine unbestimmte (im Verhältnis zu *alle* nicht sehr große) Anzahl von Personen oder Gegenständen. Sie kommen als Begleiter und als Stellvertreter des Substantivs vor:

> Vor *einigen* Tagen rief Tante Marlies an. Der Zug hatte *mehrere* Stunden Verspätung. *Manche* mögen's heiß. *Einige* tanzen immer aus der Reihe.

mehrere hat nur Pluralformen; *einige* und *manche* kommen auch im Singular vor. Dabei kann *einig-*, wie *all-*, nur bei Stoffbezeichnungen und bestimmten Begriffswörtern stehen; es hat dann die Bedeutung von „etwas", auch „ziemlich viel":

> Es ist *einiges* Bier übriggeblieben. Bei *einigem* Nachdenken wärst du selber daraufgekommen. Das wird noch *einigen* Ärger geben.

Zu *manche(r)* gibt es eine endungslose Form *manch*, die jedoch nur noch selten gebraucht wird.

In der Deklination haben sich *einige*, *manche* und *mehrere* weitgehend den Adjektiven angeschlossen. Das heißt: Der Genitiv Singular der männlichen und sächlichen Form wird in der Regel mit *-en* gebildet (nicht mit *-es* wie bei dem Pronomen *dieser*):

> trotz *manchen* Ärgers / *einigen* Aufsehens.

Zur Deklination eines nachfolgenden Adjektivs *(einige neue Bücher)* ↑ 316.

4.8 Das Interrogativpronomen

287 *wer?, was?*

Das Interrogativpronomen (Fragefürwort) *wer*, *was* wird als Stellvertreter des Substantivs gebraucht. Es hat nur Singularformen und unterscheidet nicht zwischen drei Geschlechtern, sondern nur zwischen Person *(wer)* und Sache bzw. Sachverhalt *(was)*:

> *Wer* hat das gemacht? (Oliver/Sandra/Die Kinder.) *Was* hast du eingekauft? (Brot/Zwei Brote und Brötchen.) *Was* wolltest du mir sagen? (Ich komme heute abend später nach Hause.)

Die Formen von *wer* und *was* lauten:

Nominativ	wer	was
Genitiv	wessen	wessen
Dativ	wem	–
Akkusativ	wen	was

Zu Fügungen wie *von was*, *über was* statt *wovon*, *worüber* ↑ 354.

welcher?, was für ein(er)?

288 Das Fragepronomen *welcher*, *welche*, *welches* kommt als Begleiter und als Stellvertreter des Substantivs vor; es fragt nach Personen oder Sachen, und zwar auswählend aus einer bestimmten Art oder Menge:

> *Welches* Kleid soll ich nehmen (– das blaue oder das schwarze)? *Welches* steht mir besser? *Welche* Partei wählt er eigentlich? (Ich hätte gern 100 g Schinken.) *Welcher* darf's denn sein? Mit *welchem* Zug kommst du? *Welche* von diesen Sachen sollen wir aufheben, *welche* können weggeworfen werden?

welcher wird wie *dieser* dekliniert (↑ 271). Die sächliche Form *welches* kann – alleinstehend – auf alle drei Geschlechter, sowohl im Singular wie im Plural, bezogen werden:

> *Welches* ist der höchste Berg Europas? *Welches* (auch: *welche*) war die schnellste Läuferin? *Welches* (auch: *welche*) sind deine Lieblingsbücher?

Gelegentlich wird noch in Ausrufen eine endungslose Form, *welch*, gebraucht:

> *Welch* herrlicher Blick! *Welch* schönes Geschenk!

Zur Deklination eines nachfolgenden Adjektivs ↑ 310 f.

289 Mit *was für ein(er)* fragt man nach der Art, Beschaffenheit von Personen oder Sachen. *was* bleibt immer unverändert; nur *ein(er)* wird dekliniert:

> *Was für ein* Mensch ist das eigentlich? – *Was für einer* ist das eigentlich? *Was für einen* Wein möchten Sie (– einen trockenen oder einen lieblichen)?

In der Mehrzahl wird, da *ein* keine Pluralformen hat, *was für* + Substantiv oder – bei alleinstehendem Gebrauch – *was für welche* verwendet:

Was für Leute waren denn da? *Was für Papiere* sind das hier? (Er sammelt Briefmarken.) So, *was für welche* denn? (Bring mir bitte vom Bäcker ein paar Brötchen mit.) *Was für welche?*

In der Umgangssprache steht *für (ein)* oft getrennt von *was* im Satz:

Was machst du denn *für ein* Gesicht? *Was* erzählt er da wieder *für* Geschichten?

 welcher und *was für ein* werden manchmal falsch gebraucht, weil der Bedeutungsunterschied nicht beachtet wird. Wenn eine Frau fragt *Was für ein Kleid soll ich anziehen?*, will sie über die Art des Kleides (z. B. warm, leicht, festlich, sportlich usw.) beraten werden; wenn sie dagegen fragt *Welches Kleid soll ich anziehen?*, will sie ein bestimmtes von ihren Kleidern genannt bekommen (z. B. das weiße mit dem roten Gürtel). Man kann also z. B. nicht fragen *Welcher Hund ist das?*, wenn man seine Rasse wissen möchte, und umgekehrt ist es falsch zu fragen *Mit was für einem Rad ist sie weggefahren?*, wenn man wissen will, welches der vorhandenen Räder sie genommen hat.

4.9 Das Relativpronomen

290 Relativpronomen (bezügliche Fürwörter) sind *der*, *die*, *das* (selten: *welcher*, *welche*, *welches*) und *wer*, *was* in folgender Verwendung:

*Der Kollege, *der* Ihren Antrag bearbeitet, ist in Urlaub. *Wer* wagt, gewinnt.*

Das Relativpronomen hat keine eigenen Formen; es werden Formen des Demonstrativpronomens *der* und bestimmter Fragepronomen verwendet.

Das Relativpronomen leitet einen Nebensatz, den sogenannten Relativsatz (↑ 479), ein. Es richtet sich in Geschlecht und Zahl nach dem Bezugswort im übergeordneten Satz; der Fall ist aber abhängig von dem Verb (oder einer Präposition) des Relativsatzes selbst:

Der Ring, *den* ich letzte Woche verloren habe, hat sich wieder gefunden. Endlich bot sich ihm die Chance, auf *die* er so lange gewartet hatte. Wir waren gestern in dem Restaurant, *das* ihr uns empfohlen habt. Wie heißt noch der Friseur, zu *dem* du immer gehst? Alle, *denen* ich die Geschichte erzählt habe, waren genauso empört wie ich. Man darf keine Blumen pflücken, *die* unter Naturschutz stehen.

291 *der*

Das gebräuchlichste Relativpronomen ist *der, die, das*. Es lautet in allen Formen wie das Demonstrativpronomen *der* (↑ 276); der Genitiv Plural hat allerdings nur die Form *deren* (also die Form des zurückweisenden Demonstrativpronomens):

> Die Beweise, aufgrund *deren* (nicht: *derer*) er verurteilt wurde, erwiesen sich als falsch.

 Die Genitivformen *deren* und *dessen* stehen oft mit einem Substantiv zusammen und zeigen ein Besitzverhältnis an. Da sie bereits deklinierte Formen sind, kann von ihnen nicht noch einmal ein Dativ gebildet werden (↑ auch 276). Es heißt also z. B.:

> Die Firma, in *deren* (nicht: *derem*) Auftrag er reist, ... Der Mann, mit *dessen* (nicht: *dessem*) Auto der Bankräuber geflüchtet war, ...

 Die Verwendung von *wo* anstelle von *der, die, das* ist nicht korrekt; also

> nicht: Der Mann, *wo* gestern da war, ... Sondern: Der Mann, *der* gestern da war, ... Nicht: Die Kinder, *wo* noch nicht zur Schule gehen, ... Sondern: Die Kinder, *die* noch nicht zur Schule gehen, ...

wo kann nur bei räumlichem oder zeitlichem Bezug gebraucht werden:

> In Frankfurt, *wo* seine Eltern wohnen, ... In der Zeit, *wo* (besser: in der/als) ich krank war, ...

292 *welcher*

Das Relativpronomen *welcher, welche, welches* (– die Formen decken sich mit denen des Fragepronomens, ↑ 288 –) wird in der gesprochenen Sprache kaum gebraucht. Auch in der geschriebenen Sprache wird es meist nur als Ersatz von *der, die,*

das verwendet, um eine Häufung von gleichlautenden Formen
zu vermeiden; also z. B.:

> der Verlust, *welcher* der Firma entstanden ist (statt: der Verlust,
> *der* der Firma entstanden ist); das Gesetz, *welches* das Parla-
> ment verabschiedet hat (statt: das Gesetz, *das* das Parlament
> verabschiedet hat); die, *welche* die Wahl anfechten wollen
> (statt: die, *die* die Wahl anfechten wollen).

welcher, welche, welches klingen aber immer etwas schwerfällig,
so daß auch in diesen Fällen häufig die Formen des üblichen
Relativpronomens *der* vorgezogen werden.

| **293** | *wer, was* |

Das Relativpronomen *wer, was*, das wie das Fragepronomen dekliniert wird (↑ 287), bezieht sich nicht wie *der* und *welcher* auf ein bestimmtes Substantiv im übergeordneten Satz, sondern bezeichnet allgemein eine Person oder eine Sache bzw. einen Sachverhalt; deshalb heißt es auch „verallgemeinerndes Relativpronomen". Es leitet einen Nebensatz ein, der eine Ergänzung des übergeordneten Satzes vertritt (↑ 468 ff.):

> *Wer* die Vorschriften nicht befolgt, muß mit einer Geldstrafe
> rechnen. Ich kann mir denken, *wen* du meinst. *Was* ich nicht
> weiß, macht mich nicht heiß. Mach, *was* du willst.

was wird auch bei bestimmten sächlichen Bezugswörtern verwendet:

> Sie vermachte alles, *was* sie besaß, der Kirche.

 Hier besteht oft Unsicherheit, ob als Relativpronomen
das oder *was* zu verwenden ist. Es gilt:

das steht immer nach sächlichen Substantiven und substantivierten Adjektiven, die etwas Bestimmtes bezeichnen:

> *das Haus, das* dort oben am Hang liegt; *das Geld, das* er mir
> noch schuldet; *das Katzenhafte, das* sie in ihren Bewegungen
> hat.

was steht nach sächlichen unbestimmten Fürwörtern und
nach den hinweisenden Fürwörtern *das* und *dasselbe/das
gleiche*:

Ich habe *alles* gesagt, *was* ich weiß. Sie erinnerte ihn an *all das Schöne*, *was* sie zusammen erlebt hatten. Da ist *einiges*, *was* du noch ändern solltest. Wir haben dort *manches* gesehen, *was* uns erschreckt hat. Das ist *etwas*, *was* er nie verstehen wird. Sie hatten *nichts*, *was* mich interessiert hätte. Sie macht immer *das*, *was* ihr gerade einfällt. Das ist doch *dasselbe/das gleiche*, *was* Klaus auch schon gesagt hat.

Außerdem wird *was* verwendet, wenn das Bezugswort ein substantiviertes Adjektiv in der Höchststufe ist:

Das ist *das Beste*, *was* du tun konntest. 100 Mark sind *das Äußerste*, *was* wir dafür ausgeben wollen.

5 Das Adjektiv

5.1 Überblick

294

St. Lucia – die Perle der Karibik

Das nur *43* mal *22* km *große* St. Lucia gehört zu den „Inseln über dem Winde". So *geheimnisvoll* der Name, so *paradiesisch* das Eiland. Der *grüne* Palmendschungel, der die *ganze bergige* Insel bedeckt, wird nur unterbrochen von Bananenplantagen, Bambuswäldern und Riesenfarnen. *Farbige* Fischerdörfer liegen in *malerischen* Buchten, und überall blüht es in *kräftigen* Farben. Die Westseite der Insel, die *karibische*, ist die *schönste*, *vielgestaltig*, mit *herrlichen* Buchten und dem Wahrzeichen der *ganzen* Inselgruppe, den *spitzen* Bergkegeln der *beiden* Pitons. Diese *vulkanischen* Zwillingsberge liegen *direkt* an der Küste bei Soufrière, dem *hübschen kleinen* Städtchen im Südwesten. An der Westküste liegen auch die noch recht *wenigen* Hotels. Zu den *besten* zählt das Hotel „Cariblue" in einer *eigenen* Bucht mit *leicht grauem* Vulkansandstrand.

Die im Text hervorgehobenen Wörter gehören zur Wortart Adjektiv. Deutsche Bezeichnungen für „Adjektiv" sind „Eigenschaftswort", „Wiewort" und „Beiwort".

295 „Eigenschaftswort" und „Wiewort" weisen darauf hin, daß Wörter wie

> groß, geheimnisvoll, grün, bergig, malerisch, kräftig

Eigenschaften, Merkmale von Personen oder Dingen angeben (↑ 297). Eine besondere Untergruppe von Adjektiven bilden Wörter wie

> dreiundvierzig, zweiundzwanzig, ganz, beide, wenige,

die Mengen bezeichnen (↑ 299 ff.).

Mit dem lateinischen Fachausdruck „Adjektiv" (= das Hinzugefügte) und der deutschen Entsprechung „Beiwort" wird eine der Gebrauchsweisen des Adjektivs hervorgehoben: Es steht häufig als Beifügung (Attribut) bei einem Substantiv:

> der *grüne* Palmendschungel, *farbige* Fischerdörfer, mit *herrlichen* Buchten.

Neben diesem attributiven Gebrauch gibt es andere Verwendungsweisen des Adjektivs im Satz (↑ 340 f.).

296 Die weitaus meisten Adjektive können dekliniert werden; je nach ihrer Umgebung verändern sie ihre Form in unterschiedlicher Weise (↑ 309 ff.):

> der *spitze* Berg – ein *spitzer* Berg.

Eine besondere Art der Formveränderung, die es nur beim Adjektiv (und bei einigen Adverbien) gibt, ist die Steigerung (↑ 319 ff.):

> schön – schöner – der schönste/am schönsten.

Neben einfachen Adjektiven wie

> klein, spitz, hübsch, grau, gut

gibt es Adjektive, die durch Zusammensetzung oder Ableitung aus anderen Wortarten gebildet sind (↑ 327 ff.):

> geheimnis-voll, paradies-isch, berg-ig, viel-gestalt-ig.

In beschränktem Maße können Adjektive andere Wörter zu sich nehmen, mit denen sie eine Adjektivgruppe bilden (↑ 336 f.):

> das *nur 43 mal 22 km große* St. Lucia, die *noch recht wenigen* Hotels, mit *leicht grauem* Vulkansandstrand.

5.2 Inhaltliche Bestimmung

297 Mit bestimmten Adjektiven beschreibt oder bewertet der Sprecher, wie jemand oder etwas beschaffen ist, wie etwas vor sich geht:

> *Farbige* Fischerdörfer liegen in *malerischen* Buchten. Es war ein *heißer* Sommer. In *tiefer* Trauer nehmen wir Abschied von unserer *herzensguten* Mutter, unserer *lieben* Oma und Tante, ... Die Lage ist *ernst*, aber nicht *hoffnungslos*. Er fährt *riskant*. Sie schrie *laut* auf.

Adjektive dieser Art bezeichnen z. B. folgende Eigenschaften:

Farbe	grau, weiß, lila, blau, gelb, rot
Form	rund, oval, eckig, spitz, krumm
Ausdehnung	lang, breit, hoch, groß, dick
Qualität	gut, schön, fleißig, klug, hübsch

Viele dieser Adjektive kommen als Gegensatzpaare vor:

> lang – kurz, hoch – tief, groß – klein, dick – dünn, gut – schlecht, fleißig – faul, klug – dumm, alt – neu.

Die Bedeutung von Adjektiven wie *groß*, *lang*, *breit* usw. liegt nicht ein für allemal fest. Wenn man z. B. von einem *kleinen* Elefanten spricht, meint man damit, daß er „für einen Elefanten", d. h. im Vergleich zu einem „normalen", durchschnittlichen Elefanten, *klein* ist; aber natürlich ist ein *kleiner* Elefant immer noch viel größer als etwa eine *große* Maus. Die Bedeutung solcher Adjektive hängt also von den Gegenständen ab, auf die sie jeweils bezogen werden; oder sie wird durch eine genaue Maßangabe festgelegt (z. B. *3 m lang, 43 mal 22 km groß*).

298 Neben den eigentlichen „Eigenschafts"wörtern gibt es Adjektive, die eine bestimmte Beziehung zwischen Personen oder Gegenständen ausdrücken:

> karibisch, politisch, ärztlich, betrieblich, hiesig, sofortig.

Solche Beziehungsadjektive bezeichnen u. a.:

Urheber	polizeiliche Maßnahmen (= Maßnahmen der Polizei), ärztliche Hilfe, mütterliche Sorge
räumliche oder zeitliche Verhältnisse	die karibische Küste (= die Küste an der Karibik), belgische Tomaten, die gestrigen Ereignisse, die sofortige Schließung
Bezugspunkt, Bereich	wirtschaftliche Zusammenarbeit (= Zusammenarbeit im Bereich der Wirtschaft), technischer Fortschritt, betriebliche Weiterbildung

5.3 Zahladjektive

299 Zur Wortart Adjektiv gehören auch die meisten Zahlwörter, und zwar alle die, die als Beifügung bei einem Substantiv stehen können, wie z. B.:

> die *drei* Schwestern, mit *hundert* Sachen, am *ersten* April, jeder *zehnte* Deutsche, ein *halbes* Pfund, die *fünffache* Menge, all das *viele* Geld, die *ganze* Insel.

 Oft besteht Unsicherheit, ob Zahlen – vor allem niedrige Zahlen – in Ziffern (das sind die Zahlenzeichen 0, 1, 2, ..., 9) oder in Worten zu schreiben sind. Als allgemeine Regel kann gelten:

In technisch-fachsprachlichen Texten, in denen es gerade auf Zahl- und Maßangaben ankommt, in Tabellen, Statistiken u. ä. sind Zahlen in Ziffern zu setzen, vor allem, wenn sie vor abgekürzten Maßangaben stehen:

8 t; 6,5 kg; 15 km; 99 DM; 50 PS; 4-Gang-Getriebe; Beschleunigung von 0 auf 100 km/h: 9,9 sec.

In erzählenden Texten, auch Briefen, werden dagegen Zahlen ausgeschrieben, solange sie übersichtlich sind:

in *zwei* bis *drei* Wochen, eine Familie mit *sechs* Kindern, Vertreter der *zwölf* Mitgliedstaaten, unsere besten Wünsche zu Ihrem *sechzigsten* Geburtstag, im *achtzigsten* Lebensjahr.

Die Hauptgruppen der Zahladjektive sind:

Grundzahlen	ein(s), zwei, siebzehn, achtundachtzig, hundert
Ordnungszahlen	der/die/das erste, dritte, siebenundzwanzigste
Bruchzahlen	halb, drittel, achtel, zwanzigstel, hundertstel
Vervielfältigungs-zahlwörter	dreifach, fünffach, tausendfach
unbestimmte Zahladjektive	ganz, viel, wenig, sämtlich, sonstig

Die Grundzahlen

300 Die Grund- (oder Kardinal)zahlen bezeichnen eine Menge oder Anzahl; sie antworten auf die Frage „wieviel?"/„wie viele?" Die Zahlen von 0 bis 12, außerdem 100 und 1000 werden mit einem einfachen Wort ausgedrückt; die übrigen Grundzahlen werden durch Zusammensetzung oder Ableitung gebildet:

13–19: Einerzahl + *-zehn*:

>vierzehn, fünfzehn; abweichend: sechzehn (nicht: sechszehn), siebzehn (nicht: siebenzehn).

20–90: Einerzahl + *-zig*:

>vierzig, fünfzig; abweichend: zwanzig, dreißig (nicht: dreizig), sechzig (nicht: sechszig), siebzig (nicht: siebenzig).

Zahlen zwischen den Zehnern: Einerzahl + *und* + Zehnerzahl:

>einundzwanzig, vierundfünfzig, neunundneunzig.

Die Hunderter- und Tausenderzahlen entstehen durch entsprechende Zusammensetzung; sie werden, in Worten ausgedrückt, immer zusammengeschrieben:

>102: (ein)hundertzwei
>4385: viertausenddreihundertfünfundachtzig
>999 000: neunhundertneunundneunzigtausend.

Die Zahlen *Million, Milliarde* usw. sind weibliche Substantive; sie werden nicht mit den niedrigeren Zahlen zusammengeschrieben:

> 2 700 000: zwei Millionen siebenhunderttausend.

Auch 100 und 1000 können als Substantive gebraucht werden; es heißt dann – im Singular – *das Hundert, das Tausend*:

> Das *Hundert* ist bald voll. Die Leute kamen zu *Hunderten*. Durch das ausgelaufene Öl starben *Tausende* von Fischen und Seevögeln.

---

301 | *ein(s)*

Die Form *eins* (entstanden aus der sächlichen Form von *ein: eines*) wird beim Zählen und Rechnen gebraucht:

> *Eins*, zwei, drei. *Eins* und drei ist vier. Die Uhr hat eben *eins* geschlagen. Punkt *eins* der Tagesordnung ist die Wahl des neuen Vorsitzenden. Kanada schlägt Finnland 1:0 (gesprochen: *eins* zu null).

Vor einem Substantiv lauten die Formen wie die des unbestimmten Artikels (↑ 254); im Unterschied zu diesem ist das Zahlwort aber immer betont:

> *Ein* Bild hat mir besonders gefallen. Im Laufe *eines* Jahres war alles Geld aufgebraucht. *Eine* Schwalbe macht noch keinen Sommer. Wir sind auf dem ganzen Weg nicht *einem* Menschen begegnet. Mit *einer* Ausnahme.

Geht dem Zahlwort jedoch der bestimmte Artikel oder ein Pronomen voraus, wird *ein* wie ein Adjektiv dekliniert (↑ 311):

> Das *eine* Bild hat mir besonders gefallen. Im Laufe dieses *einen* Jahres war alles Geld aufgebraucht. Mit der *einen* Ausnahme. Mein *einer* Großvater lebt nicht mehr. Seit dem Unfall ist sein *eines* Bein steif.

Alleinstehend hat *ein* im Nominativ der männlichen Form die Endung *-er*, im Nominativ und Akkusativ der sächlichen Form die Endung *-es*, die häufig auch zu *-s* verkürzt ist:

> *Einer* wird gewinnen. Sie hat zwei Brüder; *einer* lebt in Amerika. Ich möchte Sie noch auf *ein(e)s* aufmerksam machen. *Eins* muß man ihm lassen.

| **302** | *zwei, drei* usw. |

Von den übrigen Grundzahlen können – in sehr eingeschränktem Maße – nur die Zahlen von *zwei* bis *zwölf* dekliniert
werden.

zwei und *drei* haben eine Genitivform, wenn sie ohne vorangehenden Artikel stehen:

> die Aussage *zweier* Zeugen (aber: die Aussage der *zwei* Zeu-
> gen); der *Vater dreier* Kinder.

Meist wird hier aber auch, wie bei den höheren Zahlen, eine Fügung mit *von* gebraucht:

> der Vater von drei Kindern, der Besitzer von fünf Lokalen.

Eine Dativform bilden die Zahlen *zwei* bis *zwölf*, wenn sie allein,
ohne nachfolgendes Substantiv, stehen:

> Die Kinder stellten sich zu *zweien* auf. Sie spielt einen Grand
> mit *vieren*. Er kroch auf allen *vieren* durch das Zimmer. Mit
> *sechsen* ist das Auto voll.

Neben der Form *zu zweien*, *zu dreien* usw. gibt es auch die Bildung *zu zweit, zu dritt* usw.:

> Sie sind *zu dritt* in Urlaub gefahren. Wir saßen *zu sechst* in dem
> kleinen Auto.

Von allen Grundzahlen können Formen auf *-er* gebildet werden,
die als Beifügung zu einem Substantiv oder selbst als Substantiv
gebraucht werden:

> Für diese Lampe kann man höchstens eine *vierziger* Birne neh-
> men. Das war schon mal in den *fünfziger* Jahren Mode. Können
> Sie mir bitte diesen *Hunderter* wechseln? Der alte Herr ist
> schon hoch in den *Achtzigern*.

| **303** | *beide* |

Anstelle von *zwei* wird *beide* verwendet, wenn man sich
zusammenfassend auf zwei bekannte oder bereits genannte Personen oder Dinge bezieht:

> Sie hat zwei Kinder; *beide* haben rote Haare. Es waren Geistli-
> che *beider* Konfessionen anwesend. Kennst du die *beiden* Mäd-
> chen dort drüben?

Nach den Personalpronomen *wir, ihr, sie* lauten die Formen von *beide* folgendermaßen:

> (Nominativ:) Wir *beide* (seltener: wir *beiden*), ihr *beiden* (seltener: ihr *beide*), sie *beide*. (Genitiv:) Mit unser/euer/ihrer *beider* Hilfe. (Dativ:) Das kommt uns/euch/ihnen *beiden* zugute. (Akkusativ:) Ich habe uns/euch/sie *beide* angemeldet.

Zur Deklination eines nachfolgenden Adjektivs *(beide kleinen Mädchen)* ↑ 316.

304 Die Grundzahl bei Jahreszahlen und bei der Uhrzeit

Im Unterschied zu manchen anderen Sprachen werden im Deutschen Jahreszahlen und die Uhrzeit in Grundzahlen angegeben.

Jahreszahlen liest man nach Jahrhunderten; z. B.:

> 1984: neunzehnhundertvierundachtzig (statt: tausendneunhundertvierundachtzig); aber: im Jahre 2001 – zweitausendeins.

 Die Ausdrucksweise *in* + Jahreszahl (z. B.: *in 1988*), die dem Englischen entlehnt ist, sollte vermieden werden. Korrekt heißt es z. B.:

> *1988* (oder: *im Jahre 1988*) hat unser Betrieb einen guten Gewinn erzielt.

Für die Angabe der Uhrzeit gibt es eine amtliche Ausdrucksweise, nach der die Stunden von 0 bis 24 gezählt werden, und eine umgangssprachliche Form, bei der der Tag in zweimal 12 Stunden eingeteilt wird:

amtlich		umgangssprachlich
3.05 Uhr gesprochen:	3 Uhr 5	5 nach 3 (nachts)
7.15 Uhr	7 Uhr 15	Viertel 8 / Viertel nach 7 (morgens)
12.30 Uhr	12 Uhr 30	halb 1 (mittags)
16.20 Uhr	16 Uhr 20	20 nach 4 / 10 vor halb 5 (nachmittags)
19.45 Uhr	19 Uhr 45	drei Viertel 8 / Viertel vor 8 (abends)
22.50 Uhr	22 Uhr 50	10 vor 11 (abends)

305 Die Ordnungszahlen

Zahlwörter wie *(der/die/das) erste, zweite* usw. bezeichnen einen bestimmten Platz in einer Zahlenreihe; sie heißen Ordnungs- (oder Ordinal)zahlen.

Die Ordnungszahlen werden gebildet, indem man an die Grundzahlen die Endung *-t* bzw. (ab 20) *-st* anhängt:

> (der/die/das) zweite, neunte, sechzehnte, vierzigste, hundertste.

Abweichend:

> erste, dritte, siebte (auch: siebente), achte (nicht: achtte).

Das entsprechende Frageadjektiv, das auch gelegentlich zur Bezeichnung einer großen Anzahl gebraucht wird, heißt *(der/die/das) wievielte?*, seltener auch: *wievielste?*:

> Die *wievielte* Zigarette ist das heute? Er steckte sich schon die *wievielte* Zigarette an.

Die Ordnungszahlen haben die volle Adjektivdeklination (↑ 309 ff.); sie stehen jedoch, wie Adjektive in der Höchststufe, nie ohne Endung (↑ 340):

> Wir haben gelost: Klaus ist *erster/der erste*, Karin ist *zweite/die zweite*, Mark ist *dritter/der dritte*. Unsere Mannschaft kam nur auf den *fünften* Platz. Die Abdankung Kaiser Wilhelms II (gesprochen: Wilhelms *des Zweiten*). Ostern ist dieses Jahr am *zweiundzwanzigsten* April (aber ohne Monatsangabe: am *Zweiundzwanzigsten*). Zu seinem *fünfzigsten* Geburtstag hat er alle Freunde und Bekannten eingeladen.

Die aus den Ordnungszahlen abgeleiteten Zahlwörter *erstens*, *zweitens* usw. sind keine Adjektive, sondern Adverbien (↑ 352).

306 Die Bruchzahlen

Bruchzahlen bezeichnen den Teil eines Ganzen; sie werden aus den Ordnungszahlen mit der Endung *-el* gebildet:

> drittel, viertel, achtel, zwanzigstel, hundertstel.

Statt *zweitel*, das es nur in der Fachsprache der Mathematik gibt, sagt man *halb* (als Substantiv: *die Hälfte*). Nur *halb* wird dekliniert; alle übrigen Bruchzahlen sind unveränderliche Adjektive, wenn sie als Beifügung zu einem Substantiv stehen:

Die Panne hat uns einen *halben* Tag gekostet. Ich komme dir auf *halbem* Wege entgegen. Es hat *ein und ein halbes* Jahr gedauert, bis wir die Bewilligung bekamen. (Aber undekliniert: Es hat *eineinhalb/anderthalb* Jahre gedauert, ...) Ein *viertel* Pfund sind 125 Gramm. Zum Schluß geben Sie ein *achtel* Liter Sahne in die Soße.

Häufiger werden die Bruchzahlen als Substantive gebraucht:

Das erste *Drittel* des Weges war am beschwerlichsten. Bringen Sie mir bitte ein *Viertel* (= ein viertel Liter) Rotwein. Das ist ein *Fünftel* der zulässigen Gesamtmenge. Ein *Achtel* (= ein achtel Pfund) Leberwurst, bitte!

In bestimmten Verbindungen kann die Bruchzahl mit einem Substantiv zu einem neuen Maßbegriff zusammengesetzt werden:

Ich warte noch eine *Viertelstunde*. Sie wohnt seit etwa einem *Dreivierteljahr* nicht mehr hier. Ich hätte gern ein *Viertelpfund* Butter. Er trinkt jeden Abend einen *Dreiviertelliter* Wein.

307 Die Vervielfältigungszahlwörter

Adjektive, die aus Grundzahlen mit der Nachsilbe *-fach* gebildet sind, geben an, wie oft etwas vorhanden ist oder geschieht:

Der Akrobat sprang einen *dreifachen* Salto. Ich brauche die *fünffache* Menge davon. Der Zugang zu dem Werk ist *vierfach* gesichert. Ich komme aus einem *zweifachen* Grund.

Statt *zweifach* wird häufiger *doppelt* gebraucht:

Agenten haben immer einen Koffer mit *doppeltem* Boden. *Doppelt* genäht hält besser. Geteilte Freude ist *doppelte* Freude.

308 Unbestimmte Zahladjektive

Als unbestimmte (indefinite) Zahladjektive faßt man Adjektive zusammen, die eine Menge oder Anzahl nicht genau, d. h. nicht in Zahlen, angeben. Sie bezeichnen z. B. die Gesamtheit einer Menge *(ganz, gesamt, sämtlich)*, eine große oder kleine Menge *(viel, zahlreich, wenig, gering)*, eine zusätzliche oder restliche Menge *(weitere, andere, übrig, sonstig)*.

Inhaltlich ähnlich sind Wörter wie *alle, einige, mehrere*, die zu den Pronomen zählen (↑ 278 ff.).

Die unbestimmten Zahladjektive werden wie andere Adjektive dekliniert (↑ 310ff.); vgl. z. B.:

> Der *ganze/gesamte/sämtliche* Schmuck (wie: der *schöne* Schmuck) fehlte. Mein *ganzer/gesamter/sämtlicher* Schmuck (wie: mein *schöner* Schmuck) fehlte. Trotz *vieler* Mühe – trotz der *vielen* Mühe. Gibt es noch *weitere/andere/sonstige* Fragen? – Die *weiteren/anderen/sonstigen* Fragen besprechen wir später.

Bei *andere* kann das *e* des Stammes, in bestimmten Fällen auch das *e* der Endung ausfallen:

> in *andrer* Weise, keine *andre*, ein *andres* Auto, die *andren* (auch: *andern*) Jungen, in *anderm* (auch: *andrem*) Sinn.

Zu *jemand/niemand anders* ↑ 280.

viel und *wenig* bleiben häufig, vor allem im Singular, undekliniert, wenn sie ohne Artikel vor einem Substantiv stehen:

> *Viel* Lärm um nichts. Es besteht nur noch *wenig* Hoffnung. *Viel* Glück/Spaß/Vergnügen! (Aber nur: *Vielen* Dank!) Ich habe heute *viel/wenig* Zeit. Wo *viel* Licht ist, da ist auch *viel* Schatten. Darüber macht er sich nicht *viel* Gedanken; ihn interessieren überhaupt nur *wenig* Dinge.

Zur Deklination von Adjektiven nach unbestimmten Zahlwörtern ↑ 316.

5.4 Deklination

309 Fast alle Adjektive verändern ihre Form, wenn sie als Attribut (Beifügung) vor einem Substantiv stehen; sie werden dekliniert, und zwar in zweifacher Hinsicht.

Zum einen hängt die Form des Adjektivs von dem nachfolgenden Substantiv ab; das Adjektiv muß mit dem Substantiv übereinstimmen (kongruieren), und zwar in

Geschlecht:

> (männlich:) ein *spitzer* Berg, (weiblich:) eine *spitze* Nadel, (sächlich:) ein *spitzes* Messer,

Zahl:

> (Singular:) der *vulkanische* Berg, (Plural:) die *vulkanischen* Berge,

Fall:

> (Nominativ:) das *hübsche* Städtchen, (Dativ:) in dem *hübschen* Städtchen.

Zum anderen hängt die Form des Adjektivs davon ab, welche Wortform ihm vorausgeht. Ganz allgemein gilt:

Wenn dem Adjektiv ein Wort vorausgeht, an dem Fall und Geschlecht der Substantivgruppe deutlich zu erkennen ist (z. B. *der*, *des*, *dem*), dann hat das Adjektiv selbst nur wenige verschiedene Formen: nur die Endungen *-e* und *-en* kommen vor. Man spricht in diesem Fall auch von „schwacher" Deklination des Adjektivs:

> der *spitze* Berg, der Gipfel des *spitzen* Berges, auf dem *spitzen* Berg, die *spitzen* Berge.

Wenn dagegen vor dem Adjektiv kein anderes Wort steht oder eines, an dem Fall und Geschlecht nicht deutlich zu erkennen sind (z. B. *etwas*), dann braucht das Adjektiv mehr verschiedene Formen: *-e*, *-er*, *-es*, *-em*, *-en*. Man spricht hier auch von „starker" Deklination des Adjektivs:

> etwas *kaltes* Wasser, mit *kaltem* Wasser, ein *hoher* Baum, *hohe* Bäume, auf *hohen* Bäumen.

Die Wortformen, die in einer Substantivgruppe vor dem Adjektiv stehen können, lassen sich zu drei Gruppen zusammenfassen; entsprechend unterscheidet man drei Arten der Adjektivdeklination:

- die Deklination des Adjektivs ohne Artikel
- die Deklination des Adjektivs nach dem bestimmten Artikel
- die Deklination des Adjektivs nach dem unbestimmten Artikel.

310 Das Adjektiv ohne Artikel (starke Deklination)

Singular			
	männlich	weiblich	sächlich
Nominativ	hell-er Tag	hell-e Nacht	hell-es Licht
Genitiv	hell-en Tages	hell-er Nacht	hell-en Lichtes
Dativ	hell-em Tag(e)	hell-er Nacht	hell-em Licht
Akkusativ	hell-en Tag	hell-e Nacht	hell-es Licht

Plural	
Nominativ	hell-e Tage / Nächte / Lichter
Genitiv	hell-er Tage / Nächte / Lichter
Dativ	hell-en Tagen / Nächten / Lichtern
Akkusativ	hell-e Tage / Nächte / Lichter

Ebenso wird das Adjektiv dekliniert

nach endungslosen Zahladjektiven:

> Ich sah plötzlich zwei *helle* Lichter vor mir aufscheinen. Sie schleppte vier *schwere* Einkaufstüten die Treppe hinauf.

nach den endungslosen Formen *manch, solch, welch, viel, wenig*:

> Bei solch *schönem* Wetter sollten wir einen Ausflug machen. Welch *herrlicher* Blick! Das Kind bekam viel *neues* Spielzeug. Dieser Laden hat nur wenig *gute* Sachen.

nach *etwas* und *mehr*:

> Für diese Arbeit brauche ich mehr *helles* Licht. Mit etwas *gutem* Willen könnt ihr es schaffen. Der Verein wirbt um mehr *aktive* Mitglieder.

 Auch nach *deren* und *dessen* (den Genitivformen des Demonstrativ- und Relativpronomens, ↑ 276, 291) wird ein nachfolgendes Adjektiv stark dekliniert; es heißt also z. B.:

> Sie ist mit Tina in deren *neuem* (nicht: *neuen*) Auto in Urlaub gefahren. Der Libero, von dessen *großartigem* (nicht: *großartigen*) Spiel alle begeistert waren, wurde stürmisch gefeiert.

311 Das Adjektiv nach dem bestimmten Artikel (schwache Deklination)

	Singular		
	männlich	weiblich	sächlich
Nominativ	der hell-e Tag	die hell-e Nacht	das hell-e Licht
Genitiv	des hell-en Tages	der hell-en Nacht	des hell-en Lichtes
Dativ	dem hell-en Tag(e)	der hell-en Nacht	dem hell-en Licht
Akkusativ	den hell-en Tag	die hell-e Nacht	das hell-e Licht

Plural	
Nominativ	die hell-en Tage / Nächte / Lichter
Genitiv	der hell-en Tage / Nächte / Lichter
Dativ	den hell-en Tagen / Nächten / Lichtern
Akkusativ	die hell-en Tage / Nächte /Lichter

Ebenso dekliniert wird das Adjektiv nach den Pronomen *dieser,
jener, derselbe, derjenige, jeder, welcher*:

> Bei diesem *hellen* Licht kann ich nicht schlafen. Er fährt immer
> noch dasselbe *verbeulte* Auto wie letztes Jahr. Am Anfang jedes
> *neuen* Jahres faßt er große Vorsätze. Welcher *alleinstehende, se-
> riöse* Herr schreibt mir?

312	Das Adjektiv nach dem unbestimmten Artikel (gemischte Deklination)

Diese Deklinationsart ist eine Mischung aus den beiden anderen
Arten, weil Wörter wie *ein* teils endungslos, teils mit Endung auftreten. Entsprechend besteht die gemischte Deklination aus starken Formen *(ein heller Tag,* wie: *solch heller Tag)* und aus schwachen Formen *(an einem hellen Tag,* wie: *an dem hellen Tag).*

Singular			
	männlich	weiblich	sächlich
Nominativ	ein hell-er Tag	eine hell-e Nacht	ein hell-es Licht
Genitiv	eines hell-en Tages	einer hell-en Nacht	eines hell-en Lichtes
Dativ	einem hell-en Tag(e)	einer hell-en Nacht	einem hell-en Licht
Akkusativ	einen hell-en Tag	eine hell-e Nacht	ein hell-es Licht

ein hat keine Pluralformen; das Adjektiv wird also in diesen Fällen im Plural stark dekliniert *(helle Tage, heller Tage* usw.). Es
gibt aber einige weitere Wörter, nach denen das Adjektiv – wie
nach *ein* – gemischt dekliniert wird, und zwar: *kein, mein, dein,
sein, unser, euer, ihr.* Diese Pronomen haben auch Pluralformen;
das nachfolgende Adjektiv wird schwach dekliniert:

Plural	
Nominativ	keine hell-en Tage / Nächte / Lichter
Genitiv	keiner hell-en Tage / Nächte / Lichter
Dativ	keinen hell-en Tagen / Nächten / Lichtern
Akkusativ	keine hell-en Tage / Nächte / Lichter

313 Lautliche Besonderheiten

Adjektive auf *-el* verlieren in deklinierten Formen das *e*:

dunkel – im *dunklen* (nicht: *dunkelen*) Wald; nobel – eine *noble* Geste; penibel – dieser *penible* Mensch; respektabel – eine *respektable* Leistung.

Auch bei vielen Adjektiven auf *-er* fällt das *e* aus:

teuer – ein *teurer* Spaß; sauer – *saure* Gurken; ungeheuer – in *ungeheurem* Ausmaß; integer – ein *integrer* Politiker; makaber – eine *makabre* Geschichte.

314 Die Deklination mehrerer Adjektive

Wenn vor einem Substantiv zwei oder mehrere Adjektive stehen, werden sie parallel dekliniert, d.h., sie erhalten die gleichen Endungen:

Es war ein *trüber, regnerischer, kalter* Tag. Der Block enthält 10 Blatt *weißes, holzfreies* Papier. Sie mag den Duft *frischer, herber* Parfüms. Ich wünsche dir *ruhige, erholsame* und *gemütliche* Feiertage. Die Gespräche fanden in *sachlicher, freundschaftlicher* Atmosphäre statt. Nach *langem, schwerem* Leiden ...

 Zwischen die gereihten Adjektive wird ein Komma gesetzt, wenn sie sich in gleicher Weise auf das Substantiv beziehen. Solche Adjektive kann man durch *und* miteinander verbinden:

nach *langem, schwerem* Leiden (= nach langem und schwerem Leiden); in *sachlicher, freundschaftlicher* Atmosphäre (= in sachlicher und freundschaftlicher Atmosphäre).

Dagegen steht kein Komma, wenn das letzte Adjektiv mit dem Substantiv einen Gesamtbegriff bildet (wenn also kein *und* zwischen den Adjektiven möglich ist):

Das ist *gültiges deutsches* Recht (nicht möglich: das ist gültiges und deutsches Recht). Er trinkt zum Essen immer einen *guten französischen* Rotwein (nicht möglich: ... einen guten und französischen Rotwein).

Bei solchen Adjektivverbindungen wurde früher im Dativ Singular nur das erste Adjektiv stark, das zweite dagegen schwach dekliniert. Diese Regel gilt nicht mehr. Es heißt also z. B.:

nach *gültigem deutschem* Recht (nicht mehr: nach *gültigem deutschen* Recht); mit *gutem französischem* Rotwein (nicht mehr: mit *gutem französischen* Rotwein).

315 Das Adjektiv nach Personalpronomen

Nach Personalpronomen (*ich, du* usw.) wird das Adjektiv (auch ein substantiviertes Adjektiv) im allgemeinen stark (wie ohne Artikel) dekliniert:

ich *altes* Kamel, ich *armer* Tropf, du *lieber* Vater, du *altes* Ferkel, du *Armer* (männlich), du *Arme* (weiblich). Euch *alten* Hasen (Dativ) brauche ich das nicht zu erklären. Euch *unartige* Kinder (Akkusativ) kann ich nicht mitnehmen.

Schwankungen gibt es bei den Formen *mir, dir, wir* und *ihr.* Hier wird das nachfolgende Adjektiv heute meist schwach (wie nach dem bestimmten Artikel) dekliniert:

mir *alten, erfahrenen* Frau, dir *jungen* Kerl (neben: dir *jungem* Kerl), wir *modernen* Menschen, wir *Freien* Demokraten, wir *Deutschen,* ihr *lieben* Kinder, ihr *bedauernswerten* Geschöpfe, ihr *Armen.*

316 Das Adjektiv nach unbestimmten Pronomen und Zahladjektiven

Bei unbestimmten Pronomen (*alle, manche* usw., ↑ 278 ff.) und unbestimmten Zahladjektiven (*viele, wenige* usw., ↑ 308) schwankt die Deklination des nachfolgenden Adjektivs. Sie hängt davon ab, wie diese Wörter aufgefaßt werden.

Manche werden vorwiegend wie der bestimmte Artikel behandelt; ein nachfolgendes Adjektiv wird also meist schwach (wie nach *der*) dekliniert:

alle *guten* Menschen (wie: die *guten* Menschen).

Andere werden in der Regel als Adjektive aufgefaßt. Dann wird das nachfolgende Adjektiv überwiegend parallel, wie bei gereihten Adjektiven, dekliniert:

viele *gute* Menschen (wie: liebe, *gute* Menschen).

In der folgenden Tabelle ist verzeichnet, wie das Adjektiv nach solchen Wörtern heute vorwiegend dekliniert wird:

	Adjektiv-Deklination		
	schwach (wie nach *der*)	parallel (gleiche Endung)	
all-	×		Bei allem *guten* Willen – das geht zu weit. Aller *guten* Dinge sind drei.
ander-		×	Man hat noch anderes *belastendes* Material gefunden. Es gibt noch andere *fähige* Leute.
beide	×		Die Vorsitzenden beider *großen* Parteien gaben eine Erklärung ab. Beide *kleinen* Mädchen weinten.
einig-		×	Wir haben noch einiges *französisches* Geld übrig. Ich greife einige *wichtige* Punkte heraus.
etlich-		×	Auf dem Dachboden stand etliches *altes* Gerümpel. Der Betrieb hat etliche *neue* Mitarbeiter eingestellt.
folgend-	× (im Singular)	× (im Plural)	Die Maschine arbeitet nach folgendem *einfachen* Prinzip. Die Untersuchung hat folgende *neue* Erkenntnisse gebracht.

	Adjektiv-Deklination		
	schwach (wie nach *der*)	parallel (gleiche Endung)	
irgend- welch-	×		Er hat irgendwelches *dumme* Zeug geredet. Die Meinung irgendwelcher *fremden* Leute interessiert mich nicht.
manch-	×		Wir haben manches *freie* Wochenende dort verbracht. Man trifft dort manche *interessanten* Leute. (Nach endungslosem *manch* ↑ 310.)
mehrere		×	Sie hat mehrere *schwerwiegende* Fehler gemacht. Er steht wegen mehrerer *kleiner* Vergehen vor Gericht.
sämtlich-	×		Sämtliches *gestohlene* Geld konnte sichergestellt werden. Sie alarmierte sämtliche *erreichbaren* Nachbarn.
solch-	×		Solches *herrliche* Wetter hatten wir lange nicht mehr. Sie sagt immer solche *merkwürdigen* Sachen. (Nach endungslosem *solch* ↑ 310.)
viel-		×	Das hat er in vieler *mühsamer* Kleinarbeit gebastelt. Sie hatten viele *schöne* Reisen zusammen gemacht.
wenig-		×	Die Flüsse führten nur noch weniges *trübes* Wasser. Er hat wenige *gute* Freunde.

317 Die Deklination des substantivierten Adjektivs

Die meisten Adjektive (und Partizipien) können wie ein Substantiv gebraucht werden; sie werden dann groß geschrieben:

> ein blinder Mann → ein Blinder; der neue Kollege → der Neue; die delegierten Mitglieder → die Delegierten.

Substantivierte Adjektive werden in der Regel wie attributive (bei einem Substantiv stehende) Adjektive dekliniert, also stark (↑ 310), wenn sie ohne Artikel oder nach endungslosen Wörtern stehen, und schwach (↑ 311), wenn sie nach Wörtern mit Endung stehen:

stark	schwach
Vorsitzender ist Herr Müller.	Der *Vorsitzende* heißt Müller.
Ich wünsche dir nur *Gutes*.	Ich wünsche dir alles *Gute*.
Liberale und *Grüne* stimmten dagegen.	Die *Liberalen* und die *Grünen* stimmten dagegen.
Mein *Bekannter* ist *Angestellter* bei der Bank.	Die *Angestellten* der Bank sind unsere *Bekannten*.
Reisende ohne Gepäck bitte zu Schalter 3.	Die *Reisenden* nach Hongkong bitte zur Abfertigung.
Im Westen nichts *Neues*.	Hast du schon das *Neueste* gehört?
Ein *Gefangener* ist geflohen.	Der *Gefangene* ist geflohen.
Die Betreuung *Alter* und *Kranker* muß verbessert werden.	Sie nahm sich besonders der *Alten* und *Kranken* an.

318 Adjektive ohne Deklinationsformen

   Es gibt eine Reihe von Adjektiven, die ihre Form nicht verändern; zu ihnen gehören vor allem

die Grundzahlwörter ab *zwei* (Ausnahmen ↑ 302):

   vier Kinder, die *vier* Kinder, mit *vier* Kindern;

Ableitungen auf -er (von Orts- und Ländernamen und Grundzahlwörtern), wenn sie vor einem Substantiv stehen:

   die Türme des *Kölner* Doms, die Löcher im *Schweizer* Käse, die *achtziger* Jahre;

Adjektive wie *fit*, *egal*, *schuld*, *super*, *klasse*, *spitze*; nur wenige von ihnen können als Beifügung verwendet werden (↑ auch 339):

   Sie ist eine *klasse* Frau. Das war ein *super* Essen.

Farbadjektive wie *rosa, lila, beige, orange*:

> Sie packte das Geschenk in *rosa* Papier ein und band ein *lila* Band darum.

Bei diesen Farbadjektiven sind aber – vor allem in der gesprochenen Alltagssprache – auch deklinierte Formen gebräuchlich:

> Der *lilane* Schal steht dir nicht, nimm lieber den *beigen*.

Oft hilft man sich auch mit zusammengesetzten Formen:

> Diese *cremefarbene* Tasche würde sehr gut zu Ihrem *olivgrünen* Mantel passen.

5.5 Steigerung

319 Viele Adjektive bilden besondere Formen, mit denen verschiedene Grade oder Stufen einer Eigenschaft ausgedrückt werden können und ein Vergleich aufgebaut werden kann (der Fachausdruck hierfür heißt „Komparation"):

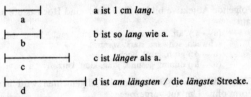

Man unterscheidet drei Vergleichs- oder Steigerungsformen:

Grundstufe (Positiv)	lang, schnell
Höherstufe (Komparativ)	länger, schneller
Höchststufe (Superlativ)	der, die, das längste / schnellste; am längsten / schnellsten

Auch bei einigen Adverbien gibt es diese Vergleichsstufen; ↑ 357.

Die Bildung der Vergleichsformen

320 Die Höherstufe wird durch Anhängen von *-er* an die Grundstufe gebildet; die Höchststufe erhält in der Regel

-st. An *-er* bzw. *-st* treten die üblichen Endungen, wenn das Adjektiv attributiv (als Beifügung) steht:

> Cornelia hat lange Haare. Aber Anne hat noch *längere* Haare. Die *längsten* Haare hat Claudia.

Steht das Adjektiv in der Höchststufe nicht als Attribut, wird eine Fügung mit *am* verwendet:

> Dieses Brett ist *am längsten* (neben: *das längste*). Wer von Ihnen wartet schon *am längsten*? Peter ist *am schnellsten* (neben: *der schnellste*) gewesen. Er läuft *am schnellsten*.

| 321 | Lautliche Besonderheiten |

1. Bei manchen Adjektiven verändert sich in der Höher- und Höchststufe der Vokal: *a* wird zu *ä*, *o* zu *ö*, *u* zu *ü* umgelautet:

> Und ihr Hals wird lang und *länger*, ihre Gesang wird bang und *bänger*. Wir brauchen eine *größere* Wohnung. Die *dümmsten* Bauern haben die dicksten Kartoffeln.

Folgende Adjektive bilden die Höher- und Höchststufe mit Umlaut:

> (a → ä:) alt, arg, arm, hart, kalt, krank, lang, nah, scharf, schwach, schwarz, stark, warm;
> (o → ö:) grob, groß, hoch;
> (u → ü:) dumm, gesund, jung, klug, kurz.

Einige Adjektive schwanken; im allgemeinen wird heute die Form ohne Umlaut vorgezogen:

> bang – *banger* – *bangste* (seltener: *bänger* – *bängste*); ebenso: blaß, fromm, glatt, karg, krumm, naß, rot, schmal.

Alle anderen Adjektive mit dem Stammvokal *a*, *o* und *u* haben keinen Umlaut.

2. Die Adjektive *hoch* und *nah* wechseln in den Steigerungsformen zwischen den Konsonanten *h* und *ch*:

> hoch – höher – höchste; nah – näher – nächste.

3. Alle Adjektive auf *-el* und die meisten auf *-er* verlieren, wie in den Deklinationsformen (↑ 313), in der Höherstufe das *-e*:

> Plötzlich wurde es noch *dunkler* (nicht: *dunkeler*). Einen *edleren* Menschen als ihn gibt es nicht. Ein *teureres* Geschenk konntest du wohl nicht finden. Die Gurken sind *saurer*, als ich dachte.

4. Adjektive, die auf *-d*, *-s*, *-sch*, *-ß*, *-t*, *-z* auslauten, bilden die Höchststufe mit *-est*, damit das Wort besser auszusprechen ist:

> Sie hat die *blondesten* Haare von uns allen. Das ist das *Mieseste*, was ich je gesehen habe. Er kennt immer die *hübschesten* Mädchen. Die *süßesten* Früchte fressen nur die großen Tiere. Die *zarteste* Versuchung, seit es Schokolade gibt. Der *kürzeste* Weg ist nicht immer der beste.

Ausnahme: Die Höchststufe von groß wird mit *-st* gebildet, das mit *-ß* zu *-ßt* verschmilzt: *größte*.

5. Das Adjektiv *gut* bildet die Höher- und Höchststufe von einem anderen Wortstamm: *gut – besser – beste*.

| **322** | Übersicht über die Bildungsweise der Vergleichsformen |

	Grundstufe	Höherstufe	Höchststufe
-er, *-st*	tief	tiefer	tiefste
-er, *-st*, Umlaut	warm	wärmer	wärmste
-er, *-st*, Umlaut, Konsonantenwechsel	hoch nah	höher näher	höchste nächste
-er, *-st*, e-Ausfall	dunkel	dunkler	dunkelste
-er, *-est*	heiß	heißer	heißeste
-er, *-est*, Umlaut	kalt	kälter	kälteste
anderer Wortstamm	gut	besser	beste

Der Gebrauch der Vergleichsformen

| **323** | Die Grundstufe (der Positiv) |

In einem Vergleich wird mit der Grundstufe ausgedrückt, daß eine Eigenschaft bei den verglichenen Personen oder Gegenständen in gleichem Maße vorhanden ist. Der Vergleich hat die Form

> so + Grundstufe + wie
> so   alt   wie

> Hätt' ich doch ein Kind, *so weiß wie* Schnee, *so rot wie* Blut und *so schwarz wie* das Holz an dem Rahmen! Frank ist jetzt schon *so groß wie* sein älterer Bruder. Meier war diesmal nicht *so gut wie* beim letzten Spiel. Die Wohnung ist nicht *so schön, wie* ich es mir vorgestellt hatte.

| **324** | Die Höherstufe (der Komparativ) |

Mit der Höherstufe wird der ungleiche (höhere oder niedrigere) Grad einer Eigenschaft ausgedrückt. Der Vergleich hat die Form

> Höherstufe + *als*
> *älter   als*

Uli ist 20, Eva ist 21; also ist Eva *älter als* Uli. Der Rhein ist *länger als* der Neckar. Heute ist es *kälter als* gestern. Du bist *dümmer, als* die Polizei erlaubt. Ein Spatz in der Hand ist *besser als* eine Taube auf dem Dach.

 Der umgangssprachliche Gebrauch von *wie* oder *als wie* bei der Höherstufe ist nicht korrekt; es heißt z. B.:

Ich bin größer *als* (nicht: *wie/als wie*) mein Freund.

Manchmal wird die Vergleichsgröße nicht genannt; sie ist dann aus dem Zusammenhang zu ergänzen:

Er fährt jetzt ein *schnelleres* Auto (als bisher). Das ist nur etwas für *reichere* Leute (= Leute, die reicher sind als wir). Der *Klügere* (= derjenige, der klüger als der andere ist) gibt nach.

In solchen Fällen drückt die Höherstufe oft nicht einen höheren Grad, eine Steigerung, gegenüber der Grundstufe aus, sondern eher einen niedrigeren Grad: Wenn es einem Kranken *besser* geht, braucht es ihm noch nicht *gut* zu gehen; eine *ältere* Dame ist jünger als eine *alte* Dame, und wenn man sagt, daß etwas *häufiger* vorkommt, meint man meist, daß es manchmal, gelegentlich (also weniger oft als *häufig*) vorkommt. Entsprechend:

Sie ist *längere* Zeit verreist gewesen. Rentner für *leichtere* Arbeiten in Haus und Garten gesucht. Ich habe von diesem Artikel eine *größere* Anzahl bestellt. Die Verhandlungen über den Abbau von Raketen *kürzerer* Reichweite wurden wieder aufgenommen.

| **325** | Die Höchststufe (der Superlativ) |

Die Form der Höchststufe kann zwei Bedeutungen haben. Wenn sie in einem Vergleich (von mindestens drei Personen oder Gegenständen) verwendet wird, drückt sie den höchsten Grad einer Eigenschaft aus:

Sie ist die *älteste* von vier Schwestern. Sabine erhielt das *beste* Abschlußzeugnis (ihrer Gruppe). Das ist das *Billigste*, was ich bekommen konnte. Wenn es am *schönsten* ist, soll man gehen. Ich bin der *Größte*.

Wenn kein Vergleich zugrunde liegt, bezeichnet die Höchststufe ganz allgemein einen sehr hohen Grad (man spricht in diesem Fall nicht von Superlativ, sondern von Elativ):

Nur mit *größter* Anstrengung konnte er sich retten. Sie leben in *bescheidensten* Verhältnissen. Bei dem *leisesten* Geräusch wacht sie auf. Ich habe nicht die *geringste* Ahnung, was du meinen könntest.

Diese Art der Höchststufe kommt häufig in formelhaften Wendungen und Höflichkeitsfloskeln vor:

in *tiefster* Trauer, melde *gehorsamst*, mit *besten* Grüßen, *herzlichst* Dein ..., *ergebenst* Ihr ..., wir bitten Sie *höflichst*, ...

Neben und zusätzlich zu den Steigerungsformen des Adjektivs gibt es andere Mittel, Gradabstufungen einer Eigenschaft auszudrücken; ↑ dazu 336.

| **326** | Adjektive ohne Vergleichsformen |

Vergleichsformen können sinnvoll nur dort gebildet werden, wo die Bedeutung des Adjektivs Gradabstufungen und Vergleiche zuläßt. Nicht steigerbar sind deshalb im allgemeinen folgende Adjektivgruppen:

„absolute" Adjektive	tot, lebendig, stumm, blind, kinderlos
Adjektive, die bereits einen höchsten Grad ausdrücken	maximal, minimal, optimal, total, absolut, erstklassig
Formadjektive	rund, viereckig, quadratisch, kegelförmig
Beziehungsadjektive	karibisch, wirtschaftlich, dortig, jetzig
Zahladjektive	drei, halb, siebenfach, ganz, einzig

 Es heißt also z. B.:

Das ist die *optimale* (nicht: *optimalste*) Lösung. Ich bitte um *absolute* (nicht: *absoluteste*) Ruhe. Wir waren die *einzigen* (nicht: *einzigsten*) Gäste. Das ist die *einzige* (nicht: *einzigste*) Möglichkeit, die ich sehe.

Bei vielen dieser Adjektive sind aber Steigerungsformen möglich, wenn sie in übertragener Bedeutung, zur Kennzeichnung einer Eigenschaft, gebraucht werden:

> Susi war das *lebendigste* von allen Kindern. Vom vielen Essen wurde sie immer *runder*. Er ist *päpstlicher* als der Papst. Der Betrieb arbeitet jetzt *wirtschaftlicher*.

5.6 Die Wortbildung des Adjektivs

327 Es gibt nur eine relativ kleine Anzahl von einfachen Adjektiven wie

alt, neu, jung, klein, hart, schön, rot.

Trotzdem bilden die Adjektive die drittgrößte Wortart (↑ 79). Das liegt daran, daß durch Ableitung und Zusammensetzung immer wieder neue Adjektive entstanden sind und auch heute noch entstehen. Die weitaus meisten Adjektive sind also abgeleitete oder zusammengesetzte Adjektive:

abgeleitete Adjektive	un-schön, berg-ig, paradies-isch, zeit-lich, dort-ig, mangel-haft, un-heil-bar
zusammengesetzte Adjektive	hell-rot, stein-hart, naß-kalt, röst-frisch, meter-lang, welt-berühmt

Es gibt daneben auch Adjektive, die aus Fügungen „zusammengebildet" sind:

> ein *viertüriges* Auto (= ein Auto mit *vier Türen*), ein *dreigeschossiges* Haus, ein *kurzärmeliges* Kleid, eine *dickbauchige* Kanne, ein *langbeiniges*, *blondhaariges* Mädchen.

Abgeleitete Adjektive

328 Mit Hilfe von Vorsilben (Präfixen) werden neue Adjektive aus bereits bestehenden Adjektiven gebildet. Es gibt nur einige wenige deutsche Adjektivvorsilben, jedoch viele fremdsprachige (die auch meist nur vor fremdsprachige Adjektive treten). Am häufigsten sind Vorsilben, die eine Verneinung, einen Gegensatz ausdrücken, und Vorsilben, die zur Ausdrucksverstärkung gebraucht werden.

Vorsilben mit der Bedeutung „nicht":

a-	asozial, anormal, atypisch, apolitisch
in-	indirekt, indiskret, inhuman, intolerant, (vor bestimmten Mitlauten *il-, im-, ir-*:) illegal, impotent, irreal
un-	undicht, unzufrieden, unpolitisch, unabsichtlich

Vorsilben mit der Bedeutung „sehr/ganz":

erz-	erzdumm, erzkonservativ, erzkatholisch
extra-	extragroß, extralang, extramild
hyper-	hypermodern, hypernervös, hypersensibel
super-	superklug, superschnell, superelegant
tod-	todernst, todsicher, todschick
über-	übergroß, überglücklich, überängstlich
ur-	uralt, urdeutsch, urkomisch, urgemütlich

Die meisten dieser Vorsilben sind ursprünglich selbständige
Wörter gewesen. Sie haben aber z. T. ihre eigentliche Bedeutung
verloren; vgl. vor allem umgangssprachliche Bildungen wie
etwa

saukalt, hundsgemein, scheißegal, stinkvornehm, affengeil.

Weitere häufige fremdsprachige Vorsilben und ihre Bedeutung:

anti-	„gegen"	antiautoritär, antiamerikanisch
inter-	„zwischen"	international, interkontinental
post-	„nach"	postmodern, postindustriell
prä-	„vor"	prähistorisch, pränatal
pro-	„für"	prowestlich, prosowjetisch
trans-	„(hin)durch"	transkontinental, transsibirisch

329 Mit Hilfe von Nachsilben (Suffixen) werden Adjektive vor allem aus Substantiven und Verben abgeleitet. Zum Teil tritt dabei Umlaut ein:

Kraft – kräftig, loben – löblich, Bruder – brüderlich.

Häufige deutsche und fremdsprachige Adjektiv-Nachsilben:

-bar	dehnbar, lieferbar, zerlegbar, (un)berechenbar
-e(r)n	eisern, gläsern, hölzern, seiden, wollen
-haft	fehlerhaft, riesenhaft, jungenhaft
-ig	farbig, sandig, bärtig, affig
-isch	italienisch, arabisch, politisch, demokratisch
-lich	löblich, (un)verständlich, ärztlich, gewerblich
-abel	transportabel, reparabel, indiskutabel
-al/-ell	formal, katastrophal, formell, konfessionell
-iv	intensiv, sportiv, aktiv, plakativ

330 Adjektive auf *-bar*, *-abel* und *-lich*, soweit sie aus Verben gebildet sind, geben an, wozu sich etwas eignet, was sich damit machen läßt:

ein *ausziehbarer* Tisch = ein Tisch, der ausgezogen werden kann / der sich ausziehen läßt / den man ausziehen kann.

Die übrigen Nachsilben, vor allem die am häufigsten vorkommenden *-ig*, *-isch* und *-lich*, haben keine einheitliche Bedeutung. Adjektive mit diesen Nachsilben verteilen sich auf verschiedene Bedeutungsgruppen; zum Beispiel bezeichnen sie:

Urheber, Träger	richterlich, ärztlich, väterlich, ministeriell
gleiche, ähnliche Art	trottelig, affig, riesenhaft, kindisch, plakativ
Ort, Herkunft	römisch, arabisch, atlantisch, hiesig, dortig
Zeit	wöchentlich, jährlich, damalig, jetzig
Stoff, Material	gläsern, hölzern, seiden, sandig
Bereich, Beziehung	politisch, gewerblich, gymnasial, konfessionell

331 Verwechselbare Adjektive

Häufig können Adjektive mit dem gleichen Stamm verschiedene Nachsilben haben, vgl. z. B.:

Zeit: zeitig – zeitlich, Kind: kindlich – kindisch.

 Solche Adjektive dürfen nicht verwechselt werden, da sie in der Regel eine unterschiedliche Bedeutung haben. Leicht verwechselbare Adjektive sind z. B.:

formal – formell:

Der Beschluß ist *formal* in Ordnung („was die Form betrifft"). Er ist immer so *formell* („förmlich, steif").

fremdsprachig – fremdsprachlich:

Er muß oft *fremdsprachige* Bücher lesen („in fremden Sprachen"). Sie hat viel auf *fremdsprachlichem* Gebiet gearbeitet („über fremde Sprachen").

geistig – geistlich:

Seine *geistigen* Fähigkeiten sind ziemlich begrenzt („das Denkvermögen, den Verstand betreffend"). Zum Abschluß wurde ein *geistliches* Lied gesungen („kirchlich, religiös").

kindlich – kindisch:

Sie hat ein *kindliches* Gemüt („naiv, unkompliziert"). Du benimmst dich *kindisch* („unreif, albern").

original – originell:

Das ist eine *original* Schweizer Uhr („echt, ursprünglich"). Er ist ein *origineller* Kopf („einfallsreich, witzig").

rational – rationell:

Rational sehe ich das ein („vom Verstand her"). Der Betrieb arbeitet nicht mehr *rationell* („zweckmäßig, wirtschaftlich").

real – reell:

Das gibt es doch *real* gar nicht („in Wirklichkeit"). Das ist ein *reelles* Angebot („ehrlich, fair").

unaussprechbar – unaussprechlich:

Dieses Fremdwort ist für mich *unaussprechbar* („nicht auszusprechen"). Sie hat *unaussprechliches* Leid erfahren („sehr großes Leid").

undenkbar – undenklich:

Eine Versöhnung ist *undenkbar* („unmöglich"). Ich habe ihn seit *undenklichen* Zeiten nicht gesehen („sehr lange").

verständig – verständlich:

Das Kind ist schon sehr *verständig* („klug, einsichtig"). Er kann schwierige Probleme *verständlich* darstellen („leicht zu verstehen").

-wöchig – -wöchentlich:

Er ist auf einer *zweiwöchigen* Reise („zwei Wochen dauernd"). Unsere Besprechungen finden *zweiwöchentlich* statt („alle zwei Wochen").

zeitig – zeitlich:

Wir wollen *zeitig* losfahren („früh, beizeiten"). Das kann ich mir *zeitlich* nicht leisten („von der Zeit her").

Zusammengesetzte Adjektive

332 Zusammengesetzte Adjektive sind Adjektive, die aus zwei (sehr selten mehr) selbständigen Wörtern bestehen. Dabei ist das zweite Wort immer ein Adjektiv (oder Partizip), das erste kann aus verschiedenen Wortarten kommen:

Verb + Adjektiv	röst-frisch, koch-fertig, denk-faul
Adjektiv + Adjektiv	hell-rot, schwer-krank, naß-kalt
Substantiv + Adjektiv	stein-hart, wetter-fest, hitze-beständig

 Auch wenn das erste Wort ein Substantiv ist, wird das zusammengesetzte Adjektiv immer klein geschrieben:

wetterfest, schneebedeckt, holzverkleidet, steuerfrei, schadstoffarm.

In einigen Zusammensetzungen tritt zwischen die Bestandteile ein Fugenzeichen (↑ 214):

hilfsbereit, lebensmüde, gebrauchstüchtig.

333 Bei den meisten zusammengesetzten Adjektiven wird der zweite Bestandteil (das Adjektiv) durch das vorangehende Wort inhaltlich näher bestimmt:

steinhart = hart wie Stein, kochfertig = fertig zum Kochen, denkfaul = faul im Denken.

Nach der Art, wie das Bestimmungswort das Grundwort näher
bestimmt, kann man verschiedene Bedeutungsgruppen unterscheiden, u.a.:

Abstufung	hellrot, tiefblau, lauwarm, schwerkrank
Vergleich	steinhart, grasgrün, aprilfrisch, butterweich
Grund	altersschwach, röstfrisch, regenglatt
Bereich	denkfaul, treffsicher, schreibgewandt

Bei einigen Zusammensetzungen aus Adjektiv + Adjektiv wird
nicht das zweite Wort durch das erste näher bestimmt, sondern
die Teile sind einander gleichgeordnet, sie geben eine *und*-Ver-
bindung wieder. Zu dieser Art von Zusammensetzung (die es, allerdings weniger häufig, auch beim Substantiv gibt, ↑ 215) gehören Adjektive wie

> naßkalt (= naß und kalt), taubstumm, dummdreist, feucht-
> warm, (z.T. mit Bindestrich geschrieben:) neblig-trüb, wissen-
> schaftlich-technisch,

außerdem Farbbezeichnungen wie *blauweiß*, *schwarzrotgold* und
Zahlwörter wie *dreizehn*, *fünfzehn* usw.

334 Es gibt eine ganze Anzahl von Adjektiven, mit denen rei-
henhaft neue Adjektive (vor allem in der Werbesprache)
gebildet werden, z.B.:

-echt	farbecht, lichtecht, kußecht, kochecht
-beständig	hitzebeständig, korrosionsbeständig, wetterbe- ständig
-fest	rutschfest, reißfest, kurvenfest, spülmaschi- nenfest
-sicher	schneesicher, spursicher, kindersicher, krisen- sicher
-freundlich	hautfreundlich, magenfreundlich, umwelt- freundlich
-reich/-arm	waldreich, kinderreich, kalorienarm
-stark/-schwach	kampfstark, geburtenstark, verkehrsschwach
-voll/-leer, -frei	anspruchsvoll, inhaltsleer, risikofrei
-mäßig, -gemäß, -gerecht	planmäßig, kindgemäß, fristgerecht

Solche Adjektive sind kaum mehr als Grundwörter von Zusammensetzungen anzusehen, sondern eher den Nachsilben gleichzustellen. Das gilt insbesondere, wenn sie nicht mehr in ihrer eigentlichen Bedeutung gebraucht werden. So bedeutet z.B. *-mäßig* eigentlich „gemäß, entsprechend" (*planmäßige Abfahrt* = „Abfahrt gemäß/entsprechend dem Plan"); es wird aber heute, vor allem in der Umgangssprache, auch weitgehend im Sinne von „betreffend, bezüglich, hinsichtlich" verwendet:

> *Wohnungsmäßig* sind die Aussichten zur Zeit schlecht. *Erholungsmäßig* hat der Urlaub nichts gebracht. *Essensmäßig* war das Hotel gut.

 Solche Bildungen mit *-mäßig* sollten vermieden werden, vor allem wenn sich das Gemeinte auch einfacher ausdrücken läßt; also z.B.:

> Nicht: *Arbeitsmäßig* kann ich mich nicht beklagen. Sondern: Über die Arbeit kann ich mich nicht beklagen. Nicht: *Gehaltsmäßig* könnte es besser sein. Sondern: Das Gehalt könnte besser sein. Nicht: *Wettermäßig* haben wir Glück gehabt. Sondern: Mit dem Wetter haben wir Glück gehabt. Nicht: Er ist ihm *intelligenzmäßig* überlegen. Sondern: Er ist ihm an Intelligenz überlegen. Nicht: Die Firma hat *liefermäßige* Schwierigkeiten. Sondern: Die Firma hat Lieferschwierigkeiten/Schwierigkeiten zu liefern.

335 Wenn zusammengesetzte Adjektive gesteigert werden, erhält nur ein Bestandteil die Steigerungsendung *-er* bzw. *-st*.

Der erste Teil, das Bestimmungswort, wird gesteigert, wenn beide Glieder noch ihre eigene Bedeutung bewahrt haben:

> ein schwerverständliches Buch – ein noch *schwerer verständliches* Buch, ein dichtbevölkerter Teil Afrikas – der *am dichtesten bevölkerte* Teil Afrikas.

Dagegen wird das Grundwort in die Steigerungsform gesetzt, wenn die Zusammensetzung einen einheitlichen, neuen Begriff bildet:

> vielversprechende – *vielversprechendere* Aussichten, hochfliegende – *hochfliegendste* Pläne, schwerwiegende – *schwerwiegendere* (auch: *schwerer wiegende*) Gründe, weitgehende – *weitgehendste* (auch: *weitestgehende*) Übereinstimmung.

Falsch ist die Steigerung beider Bestandteile. Es heißt
also z. B.:

> das *meistgekaufte* (nicht: *meistgekaufteste*) Buch des Jahres, in
> *größtmöglicher* (nicht: *größtmöglichster*) Eile, der *höchstgele-*
> *gene* (nicht: *höchstgelegenste*) Ort in den Alpen, *weiterrei-*
> *chende* (nicht: *weiterreichendere*) Befugnisse, die *nächstlie-*
> *gende* (nicht: *nächstliegendste*) Frage.

5.7 Die Adjektivgruppe

336 Wie das Substantiv und das Verb, allerdings in einge-
schränkterem Maße, kann das Adjektiv andere Wörter zu
sich nehmen, mit denen es eine Wortgruppe bildet.

Zu Adjektiven, die eine Eigenschaft bezeichnen, können Wörter
wie *ziemlich*, *sehr*, *ganz* hinzutreten, mit denen unterschiedliche
Grade der Eigenschaft ausgedrückt werden:

> *ziemlich* klein, *leicht* grau, *sehr* alt, *ganz* modern.

Solche Beifügungen zum Adjektiv leisten also dasselbe wie bestimmte Vorsilben (z. B. *uralt*, *supermodern*, ↑ 328) und Zusammensetzungen (z. B. *hellgrau*, *schwerkrank*, ↑ 333); vor allem aber
stehen sie in engem Zusammenhang mit den Steigerungsformen
des Adjektivs (↑ 319 ff.), die sie verstärken und ergänzen:

Der gleiche Grad einer Eigenschaft kann eingeschränkt oder betont werden durch Adjektivgruppen mit *fast*, *beinahe*, *etwa*, *unge-*
fähr, *genauso*:

> Sie ist *fast so breit* wie lang. Rolfs Motorrad fährt *beinahe so*
> *schnell* wie Stefans. Wir haben *etwa die gleichen* Vorstellungen
> vom Leben. Sie ist *ungefähr so alt* wie ich. Jetzt bin ich *genauso*
> *schlau* wie vorher.

Die Höherstufe eines Adjektivs kann verstärkt werden durch
Wörter wie *noch*, *viel*, *weit*, *erheblich*, *wesentlich*, *bedeutend*:

> Du machst es nur *noch schlimmer*. Die Prüfung war *viel einfa-*
> *cher*, als ich gedacht hatte. Jetzt kommen die *weit/bei weitem*
> *schwierigeren* Probleme. Hier ist alles *erheblich teurer* als bei
> uns. Er verdient jetzt *wesentlich weniger*. Seine Frau ist *bedeu-*
> *tend älter* als er.

Besonders viele Wörter stehen zum Ausdruck eines sehr hohen Grades zur Verfügung, z. B.: *sehr, höchst, äußerst, überaus, besonders, ganz, völlig, total, außerordentlich, ungewöhnlich*:

> Sie schien *sehr/äußerst/überaus/außerordentlich erregt* zu sein. Jetzt ist er *ganz/völlig/total verrückt* geworden. Dieses Jahr hatten wir einen *besonders/ungewöhnlich harten* Winter.

Daneben gibt es zahlreiche umgangs- und jugendsprachliche Wörter der Adjektivverstärkung; vgl. z. B.:

> *unheimlich/wahnsinnig* interessant; *schrecklich/furchtbar* nett, *irre* heiß, *echt* stark, *tierisch* gut, *voll* blöd.

 Adjektive, die ein anderes Adjektiv näher bestimmen, bleiben immer undekliniert. Solche Adjektivgruppen dürfen nicht mit Reihungen von Adjektiven (↑ 314) verwechselt werden, in denen alle Glieder dekliniert werden: *verschieden große* Häuser sind Häuser unterschiedlicher Größe, *verschiedene große* Häuser dagegen mehrere große Häuser. Gebräuchlich ist aber z. B. *schöne warme Hände* (obwohl *schön* nähere Bestimmung zu *warm* ist).

337 Andere Adjektive, die in fester Verbindung mit Verben wie *sein* stehen, können oder müssen eine Ergänzung zu sich nehmen. So gibt z. B. der Satz *Der Sohn ist ähnlich* keinen Sinn; erst mit einer Ergänzung im Dativ *(Der Sohn ist dem Vater ähnlich)* wird er vollständig. Die Wortgruppe aus Adjektiv und Ergänzung kann dann in der Regel auch als Beifügung zu einem Substantiv stehen; vgl.:

> Der Sohn ist dem Vater ähnlich. → Der dem Vater ähnliche Sohn ...

Nach der Art der Ergänzung, die solche Adjektive (in Verbindung mit bestimmten Verben) fordern, unterscheidet man

Adjektive mit einer Ergänzung im Genitiv:

> Ich bin mir *keiner Schuld bewußt*. Bist du dir *dessen sicher*? Der *des Mordes schuldige* Mann wurde verurteilt.

Adjektive mit einer Ergänzung im Dativ:

> Darin ist sie *ihm überlegen*. Sie sind *mir* oft *behilflich/gefällig* gewesen. Es ging alles schneller als *uns lieb* war.

Adjektive mit einer Ergänzung im Akkusativ:

> Das ist *die Mühe* nicht *wert*. Ich bin *diesen Menschen leid*.

Adjektive mit einer Ergänzung, die mit einer bestimmten Präposition angeschlossen wird:

> Wir sind *auf eure Hilfe angewiesen*. Er ist *zu allem entschlossen*. Die *von den Supermächten abhängigen* Länder wollen gemeinsam vorgehen. Ich bin *froh über deinen Entschluß*.

Adjektive mit einer Ortsergänzung:

> Er ist *in München wohnhaft*. Sie ist *in der Modebranche tätig*. Ihre *in Italien ansässigen* Verwandten kommen oft zu Besuch.

5.8 Verwendung im Satz

| 338 | Adjektive und Adjektivgruppen können auf dreierlei Weise im Satz gebraucht werden: |

als Beifügung zu einem Substantiv (attributiver Gebrauch)	Die Insel hat einen *geheimnisvollen* Namen.
in Verbindung mit *sein* (prädikativer Gebrauch)	Der Name der Insel ist *geheimnisvoll*.
in Verbindung mit anderen Verben (adverbialer Gebrauch)	Die Frau lächelte *geheimnisvoll*.

Zwischen den drei Gebrauchsweisen besteht ein enger Zusammenhang; sie lassen sich oft auseinander herleiten; vgl. z. B.:

> (adverbial:) Die Loreley singt *schön*. – (prädikativ:) Ihr Gesang ist *schön*. – (attributiv:) Ihr *schöner* Gesang betörte die Schiffer.

Nicht alle Adjektive können jedoch in allen Gebrauchsweisen vorkommen.

| 339 | Das Adjektiv als Attribut |

Das attributiv gebrauchte Adjektiv ist ein Teil der Substantivgruppe (↑ 232), also ein unselbständiger Satzteil. In der Regel steht es vor dem Substantiv und wird dekliniert:

> ein *trockener* Wein, ein *kleines* Mädchen, die *rote* Rose, *koffeinfreier* Kaffee, bei *gutem* Wetter, eine *totale* Niederlage.

Gelegentlich tritt das attributive Adjektiv auch undekliniert auf; oft steht es dann hinter dem Substantiv:

> *Klein* Erna, *Kölnisch* Wasser, Forelle *blau*, Whisky *pur*.

Solche Fügungen kommen zum einen in älterer, dichterischer Sprache, in festen Wendungen und Sprichwörtern vor:

> Röslein *rot*; Hänschen *klein* ging allein ...; Von der Stirne *heiß* rinnen muß der Schweiß; *ruhig* Blut; *Gut* Ding will Weile haben.

Im heutigen Deutsch finden sich undeklinierte, nachgestellte Adjektive vor allem bei Produktbezeichnungen und in der Sprache der Medien:

> Henkell *trocken*, Coca-Cola *koffeinfrei*, Campari *bitter*, Schauma *mild*, ein Regal in Lack *schwarz*/Eiche *rustikal*, Sport *total*, Ski/Sonne/Spargel/... *satt*.

Einige wenige Adjektive können nicht als Attribut bei einem Substantiv, sondern nur in Verbindung mit *sein* stehen. Es handelt sich um bestimmte undeklinierbare Adjektive wie

> pleite (nicht möglich: die pleite Firma, sondern nur: Die Firma ist pleite), egal, fit, schade, schuld, quitt, (umgangssprachlich:) perplex, plemplem, okay, futsch, (feste Wortpaare:) null und nichtig, recht und billig.

---

340 | Das Adjektiv bei *sein*

In Verbindung mit *sein* (und ähnlichen Verben wie *werden*, *bleiben*, *wirken*) steht das Adjektiv als selbständiges, notwendiges Satzglied (als Artergänzung, ↑ 441). Es steht in enger Verbindung mit dem Prädikat des Satzes; deshalb spricht man auch von „prädikativem" Gebrauch des Adjektivs. Das prädikativ gebrauchte Adjektiv wird nicht dekliniert:

> Sie ist *neugierig*. Seid doch nicht so *neugierig*! Es wurde *dunkel*. Sie blieb trotz aller Aufregung *ruhig*. Seine Freundlichkeit wirkt nicht *echt*.

Zuweilen wird das Adjektiv bei *sein* auch dekliniert und mit Artikel gebraucht. Bei Ordnungszahlen und Adjektiven in der Höchststufe ist nur diese Form möglich:

> Michael war der *erste*. Die Westküste ist die *schönste*. Wer ist der *nächste*? Dieses Foto ist das *neueste*.

Sonst wird heute das Adjektiv bei *sein* in der Regel nicht
dekliniert. Es heißt also z. B.:

> Die Folgen werden *katastrophal* (nicht: *katastrophale*) sein. Die
> Diskussion war *sachlich* (nicht: *eine sachliche*).

Zu den Adjektiven, die nicht prädikativ, sondern nur als Attribut
bei einem Substantiv stehen können, gehören vor allem die Beziehungsadjektive (↑ 298):

> englisch (nicht möglich: Die Hauptstadt ist englisch, sondern
> nur: die englische Hauptstadt), polizeilich, heutig, hiesig.

Wenn solche Adjektige aber als „Eigenschafts"wörter, also zur
Kennzeichnung einer bestimmten Art, verwendet werden, können sie auch prädikativ gebraucht werden:

> Das ist typisch *bayrisch* (= bayrische Art). Sie wirkt sehr *mütter-
> lich* (= wie eine Mutter).

341 Das Adjektiv bei anderen Verben

In Verbindung mit Verben, die eine Handlung oder ein
Geschehen ausdrücken, steht das Adjektiv ebenfalls als selbständiges – allerdings nicht notwendiges – Satzglied (als Artangabe,
↑ 447). Es gibt an, in welcher Art und Weise das Geschehen vor
sich geht:

> Du sollst nicht so *schnell* fahren. Sie spielt *gut* Schach.

Dieser Gebrauch des Adjektivs heißt auch „adverbial" (= beim
Verb, auf das Verb bezogen). Im Unterschied zu vielen anderen
Sprachen ist das adverbial gebrauchte Adjektiv im Deutschen
nicht durch eine besondere Form gekennzeichnet (im Englischen
z. B. hat es in der Regel die Endung -*ly*); es ist immer undekliniert:

> Der Chef brüllte *laut*. Der Wagen rollte *langsam* aus. Er hatte
> sich *intensiv* vorbereitet. Wir haben *entsetzlich* gefroren. Er
> dachte *angestrengt* nach.

Es gibt keine Adjektive, die nur adverbial gebraucht werden können. Dagegen sind viele Adjektive nicht als nähere Bestimmung
zu einem Verb möglich, da sie nur Personen oder Gegenstände,
nicht aber ein Geschehen charakterisieren können, wie z. B.:

> viereckig, rund, blau, weiß, krank, ohnmächtig, blind.

Wenn solche Adjektive undekliniert, wie adverbial gebrauchte Adjektive im Satz stehen, beziehen sie sich nicht auf das Verb, sondern auf das Subjekt oder die Akkusativergänzung:

> Die Frau lag *ohnmächtig* auf dem Boden (nicht das Liegen ist ohnmächtig, sondern die Frau; entsprechend:) Er stolperte *blind* durch die Finsternis. Man brachte ihn *betrunken* nach Hause. Der Stoff hat sich *blau* verfärbt.

6 Das Adverb

6.1 Überblick

342 Der goldene Schlüssel

Zur Winterszeit, als *einmal* ein tiefer Schnee lag, mußte ein armer Junge hinausgehen und Holz auf einem Schlitten holen. Wie er es *nun* zusammengesucht und aufgeladen hatte, wollte er, weil er *so* erfroren war, *noch nicht* nach Hause gehen, sondern *erst* Feuer anmachen und sich *ein bißchen* wärmen. *Da* scharrte er den Schnee *weg*, und wie er *so* den Erdboden aufräumte, fand er einen kleinen goldenen Schlüssel. *Nun* glaubte er, *wo* der Schlüssel wäre, müßte *auch* das Schloß *dazu* sein, grub in der Erde und fand ein eisernes Kästchen. Wenn der Schlüssel *nur* paßt! dachte er, es sind *gewiß* kostbare Sachen in dem Kästchen. Er suchte, aber es war kein Schlüsselloch *da*, endlich entdeckte er eines, aber *so* klein, daß man es *kaum* sehen konnte. Er probierte, und der Schlüssel paßte glücklich. *Da* drehte er *einmal* herum, und *nun* müssen wir warten, bis er *vollends* aufgeschlossen und den Deckel aufgemacht hat, *dann* werden wir erfahren, was für wunderbare Sachen in dem Kästchen lagen.

(Brüder Grimm)

Die in der Geschichte hervorgehobenen Wörter gehören zur Wortart Adverb (Plural: Adverbien); die deutsche Bezeichnung heißt „Umstandswort".

343 Der lateinische Ausdruck „Adverb" bedeutet wörtlich „beim Verb", allgemeiner aber auch „bei einem Wort". Adverbien können jedoch nicht nur bei einzelnen Wörtern (oder Wortgruppen) stehen:

> so klein, das Schloß *dazu*, *vollends* aufschließen,

sondern sie können sich auch auf den ganzen Satz beziehen (↑ 358):

> *Nun* müssen wir warten. *Dann* werden wir erfahren, ...

Die deutsche Bezeichnung „Umstandswort" besagt, daß Adverbien die Umstände eines Geschehens bezeichnen (↑ 344ff.), z. B. zeitliche Umstände:

> einmal, erst, da, dann, nun.

Nach der Bildungsweise lassen sich abgeleitete und zusammengesetzte Adverbien unterscheiden (↑ 352ff.).

Das Adverb ist der Form nach unveränderlich; es gehört zu den undeklinierbaren Wortarten (den Partikeln). Nur einige wenige Adverbien können gesteigert werden (↑ 357).

6.2 Inhaltliche Bestimmung

344 Die Umstände, die mit Adverbien bezeichnet werden, lassen sich zu vier Hauptgruppen zusammenfassen:

Ort (lokal)	wo, hier, da, dort, oben, außen wohin, ostwärts, hin, her, hinab
Zeit (temporal)	wann, heute, morgens, nun, damals, sofort, bald, oft, immer, wieder
Art und Weise (modal)	wie, so, gern, eilends ganz, sehr, besonders, fast, nur, kaum vielleicht, sicherlich, zweifellos leider, hoffentlich, glücklicherweise denn, doch, aber, mal, etwa
Grund, Folge u. a. (kausal)	warum, deswegen, demnach, infolgedessen, somit, trotzdem

Die ersten drei Bedeutungsgruppen werden im folgenden näher beschrieben.

345 Adverbien des Ortes

Man kann zwei Arten von Ortsadverbien (Lokaladverbien) unterscheiden: Adverbien, die eine Lage bezeichnen (sie antworten auf die Frage „wo?"), und Adverbien, die eine Richtung angeben (sie antworten auf die Frage „wohin?" bzw. „woher?"):

Lage („wo?")	hier, da, dort, oben, unten, vorn, hinten, rechts, links, drin(nen), draußen
Richtung („wohin?"/„woher?")	hin, hierhin, hinab, hinunter, her, heran, heraus, d(a)rüber, vorwärts, ostwärts

Ortsadverbien sind, wie bestimmte Pronomen, hinweisende Ausdrücke. Sie „zeigen" räumliche Umstände, und zwar in Beziehung auf den Sprecher. Was z. B. für den Sprecher *rechts* ist, ist für sein Gegenüber *links*; in einem Hochhaus ist der 5. Stock für einen Bewohner des 2. Stockes *oben*, für einen Bewohner des 10. Stockes dagegen *unten*. Wörter wie *rechts*, *links*, *oben*, *unten*, *hier*, *dort* usw. haben also keine absolute, allgemein gültige Bedeutung, sondern ihre Bedeutung bestimmt sich jeweils vom Sprechort, d. h. vom Standort des Sprechers, aus.

Auch die Richtungsunterscheidung *her/hin* ist auf den Sprecher bezogen: *her* bezeichnet die Richtung auf den Sprecher zu, *hin* gibt die Richtung vom Sprecher weg an:

> Hört bitte alle mal *her*! Bring noch einen Stuhl *her*! Bier *her*! – Wo wollt ihr *hin*? Du mußt genau *hin*hören. Wir haben einen Vertreter *hin*geschickt. Geht ihr auch *hin*?

Bei Zusammensetzungen mit *her* und *hin* (*herab*, *herauf*, *hinaus*, *hinunter* usw.) wird jedoch diese Unterscheidung nicht streng durchgehalten; man benutzt *her-* oft auch für die Richtung vom Sprecher weg:

> Ich ging die Treppe *herunter*. Wir sollen ihr den Koffer *heraufbringen*. Ich schob ihm das Geld *rüber* (=*herüber*).

346 Adverbien der Zeit

Adverbien der Zeit (Temporaladverbien) geben den Zeitpunkt eines Geschehens an; mit bestimmten Zeitadverbien kann

auch ausgedrückt werden, wie lange ein Geschehen andauert
oder wie oft es sich wiederholt:

Zeitpunkt, Zeitabschnitt ("wann?")	jetzt, gerade, eben, heute, gestern, damals, dann, danach, vorher, inzwischen
Zeitdauer ("wie lange?")	lange, längst, seitdem, bisher, weiterhin
Wiederholung, Häufigkeit ("wie oft?")	einmal, zweimal, manchmal, oft, meistens, immer, nie, nochmal(s), wieder

Auch ein Teil der Zeitadverbien ist nicht aus sich heraus, sondern nur im Situations- oder Textzusammenhang zu verstehen:
Die Bedeutung von Adverbien wie *jetzt, eben, heute, gestern* ist
abhängig vom Sprechzeitpunkt; Adverbien wie *dann, danach,
seitdem* verweisen auf einen bereits vorher genannten Zeitpunkt.

Adverbien der Art und Weise

"Adverbien der Art und Weise" (Modaladverbien) ist ein zusam-
menfassender Begriff für Adverbien, die – im einzelnen auf sehr
unterschiedliche Weise – etwas "modifizieren".

347   Adverbien vom Typ *so*

Zur Bezeichnung der Art und Weise im engeren Sinne
(Frage: "wie?") gibt es nur wenige Adverbien; etwa:

> Er wurde *hinterrücks* überfallen. Sie sprangen *kopfüber* ins Was-
> ser. Sie tappte *blindlings* in ihr Unglück. Ich würde dir *gern(e)*
> helfen. *Irgendwie* werden wir es schon schaffen. *So* mußt du das
> machen.

Häufiger wird die Art und Weise eines Geschehens mit einem
Adjektiv ausgedrückt (↑ 447):

> Sie kamen *schnell* herbeigelaufen. Das hast du *gut* gemacht.

348   Adverbien vom Typ *sehr, nur, auch*

Eine Reihe von Adverbien bezeichnen einen Grad, ein

Maß; sie drücken z. B. eine Steigerung, eine Einschränkung oder eine Erweiterung aus:

> Die Aufführung hat mir *sehr* gefallen. Wir danken Ihnen *vielmals*. Endlich hatte er den Kasten *vollends* aufgeschlossen. Das ärgert mich immer *besonders* an ihr. *Fast/beinahe* wäre ich angefahren worden. So dürfte es *etwa* stimmen. Er hätte sich *zumindest/wenigstens* entschuldigen können. Das Loch war *kaum* zu sehen. Das Wetter war schön; wir konnten *auch/sogar* baden. Was habt ihr *außerdem/sonst/noch* gemacht?

Solche „Gradadverbien" sind in der Regel nicht durch „wie?" erfragbar. Sie können sich auf den gesamten Satz oder das Verb beziehen (wie in den Beispielen oben); viele von ihnen können aber auch auf einzelne Wörter oder Wortgruppen bezogen werden; sie stehen dann unmittelbar vor dem Bezugswort (↑ auch 360):

> Das war eine *sehr* gute Aufführung. *Besonders* die Musik fand ich toll. Das hätte ich *gerade* von ihm nicht erwartet. *Fast/beinahe* jeder kann heute Auto fahren. Wir warten schon *etwa* zwei Stunden. Sie will *höchstens/mindestens/wenigstens* vier Wochen bleiben. *Nur* wenige bringen es so weit wie er. *Auch* im Winter kann man hier gut Urlaub machen. Die Läden haben *sogar* sonntags geöffnet.

349 Adverbien vom Typ *vielleicht*

Modaladverbien wie *vielleicht*, *sicherlich*, *zweifellos* sind ebenfalls eine Art von Gradadverbien: Sie geben an, in welchem Grade ein Sachverhalt gilt, zutrifft:

> *Vielleicht/möglicherweise* hat sein Zug Verspätung. Er ruft *sicher(lich)* gleich an. Es sind *gewiß* kostbare Sachen in dem Kästchen. Dich trifft *zweifellos* keine Schuld.

Zu den Adverbien der Geltung gehört auch das Adverb *nicht*, das die Geltung verneint; vgl.:

> (Bejahung:) Du hast recht. (Abschwächung:) *Vielleicht* hast du recht. (Verneinung/Negation:) Du hast *nicht* recht.

Im Unterschied zu anderen Sprachen kann man im heutigen Deutsch einen Satz nicht doppelt, also mit zwei Negationswörtern (z. B. *kein*, *niemand*, *nie*, *nirgends*, *nicht*), verneinen; nur in bestimmten Dialekten kommen noch Bildungen vor wie z. B.:

> So was habe ich noch *nie nicht* gesehen.

Sonst heben sich zwei Verneinungen im selben Satz gewöhnlich auf, d.h., die Aussage wird bejahend:

> *Keiner* hat sich *nicht* darüber gefreut. = *Alle* haben sich darüber gefreut.

 Nach Verben, die bereits eine gewisse Verneinung in sich enthalten, darf ein Nebensatz nicht auch noch verneint werden. Solche „negativen" Verben sind z.B.:

bestreiten, leugnen, bezweifeln, verbieten, untersagen, abraten, warnen, hindern, abhalten, sich hüten, fürchten.

Es heißt also korrekt:

Er bestritt, daß er gestern dort war (nicht: Er bestritt, daß er gestern nicht dort war). Sie leugnete, dies getan zu haben (nicht: Sie leugnete, dies nicht getan zu haben). Der Arzt hat ihm verboten, Alkohol zu trinken (nicht: Der Arzt hat ihm verboten, keinen Alkohol zu trinken). Ich rate euch davon ab, diesen Weg zu fahren (nicht: Ich rate euch davon ab, diesen Weg nicht zu fahren). Sie hinderte ihn daran, noch mehr zu trinken (nicht: Sie hinderte ihn daran, nicht noch mehr zu trinken). Der Einbrecher hütete sich davor, Lärm zu machen (nicht: Der Einbrecher hütete sich davor, keinen Lärm zu machen).

350 Adverbien vom Typ *leider*

Mit Adverbien der Art *leider* kommentiert, bewertet der Sprecher einen Sachverhalt:

> Es war *leider/bedauerlicherweise* nichts mehr frei. *Hoffentlich* haben wir anderswo mehr Glück. *Dummerweise* habe ich den Fotoapparat vergessen. Sie ist *glücklicherweise* nur leicht verletzt. Du hast dich ganz *unnötigerweise* so beeilt.

Viele dieser Adverbien können in einen Satz mit einem entsprechenden Verb oder Adjektiv umgeformt werden; vgl. z.B.:

> *Hoffentlich* geht es dir bald wieder besser. = *Ich hoffe*, daß es dir bald wieder besser geht. Ebenso: *Bedauerlicherweise* = *Ich bedauere/Es ist bedauerlich*, daß ... *Dummerweise* = *Es ist dumm (von mir/dir/ihm ...)*, daß ...

351 Adverbien vom Typ *denn, doch*

Einige Adverbien, die vor allem in der gesprochenen Sprache viel verwendet werden, drücken bestimmte Einstellungen oder Gefühle des Sprechers aus, z.B. Anteilnahme, Interes-

se, Überraschung, Staunen, Ungeduld, Verärgerung, Zweifel
u. ä.:

> Warum weinst du *denn*? Seid ihr *denn* immer noch nicht fertig?
> Das habe ich dir *doch* schon dreimal gesagt! Bist du *aber* groß
> geworden! Haben Sie sich das *auch* gut überlegt? Sie kommt
> *aber auch* immer zu spät! Hast du das *etwa* geglaubt? Da seid
> ihr *ja* endlich! Wenn der Schlüssel *nur* paßt! Da kann man
> *eben/halt* nichts machen. Er ist *nun mal* so. Was fällt dir *eigent-*
> *lich* ein? Du bist *wohl* nicht recht gescheit! Der hat mir *vielleicht*
> einen Schrecken eingejagt! Können Sie das *nicht* etwas näher
> erklären?

Auch solche Adverbien bezeichnen also nicht Umstände des Geschehens; man kann sie nicht mit „wie?" erfragen, und wenn
man sie wegläßt, entsteht keine inhaltlich andere Aussage. Vielmehr geben sie der Aussage (bzw. der Frage, dem Ausruf) eine
bestimmte Färbung, Abtönung; deshalb werden sie auch „Abtönungspartikeln" genannt.
Es ist zu beachten, daß Wörter wie *aber, denn, etwa* usw. nur in
einer bestimmten Verwendung (in bestimmten Satzarten, in einer
bestimmten Stellung) Abtönungspartikeln sind; in anderen Verwendungen haben sie eine andere Bedeutung und gehören einer
anderen Gruppe von Adverbien oder sogar einer anderen Wortart an; vgl. z. B.:

> *aber:*
> (Abtönungspartikel:) Das ist *aber* nett von Ihnen! (Konjunk-
> tion, ↑ 382:) Er suchte, *aber* es war kein Schlüsselloch da.

> *etwa:*
> (Abtönungspartikel:) Hast du den Schlüssel *etwa* verloren?
> (Gradadverb, ↑ 348:) Wir mußten *etwa* eine Stunde warten.

> *eben:*
> (Abtönungspartikel:) Er ist *eben* nicht sehr intelligent. (Adverb
> der Zeit, ↑ 346:) Er ist *eben* noch hier gewesen.

> *vielleicht:*
> (Abtönungspartikel:) Du bist mir *vielleicht* ein Gauner! (Adverb
> der Geltung, ↑ 349:) *Vielleicht* komme ich noch vorbei.

6.3 Bildungsweise

Neben einfachen Adverbien wie *so, sehr, oft, gern* gibt es Adverbien, die durch Ableitung oder Zusammensetzung entstanden
sind.

352 Abgeleitete Adverbien

Die wichtigsten Ableitungsendungen, mit denen Adverbien aus anderen Wortarten gebildet werden, sind:

-s	morgens, sonntags, anfangs, frühestens
-wärts	ostwärts, talwärts, aufwärts, rückwärts
-weise	glücklicherweise, seltsamerweise, massenweise
-maßen	bekanntermaßen, zugegebenermaßen

Mit -s werden vor allem Zeitadverbien (*morgens, montags* usw.) und Zahladverbien zur Bezeichnung der Reihenfolge (*erstens, zweitens* usw.) gebildet.

 Zuweilen wird ein -s auch dort angehängt, wo es eigentlich nicht hingehört, etwa:

> In Berlin bin ich schon *öfters* (statt: *öfter*) gewesen. Die Produkte dieser Firma sind *durchwegs* (statt: *durchweg*) schlecht. *Weiters* (statt: *weiter(hin)/außerdem*) ist folgendes zu bedenken.

Solche Formen sind umgangssprachlich oder landschaftliche (vor allem österreichische) Eigenart.

Mit der Nachsilbe -wärts entstehen Ortsadverbien, die eine Richtung angeben *(westwärts = nach Westen)*.

Adverbien auf -weise sind entweder aus Substantiven abgeleitet; sie bezeichnen dann die Art und Weise des Geschehens *(schrittweise vorgehen, massenweise verkaufen)*. Oder sie gehen, wie auch Adverbien auf -maßen, auf Adjektive zurück *(dummerweise, bekanntermaßen)*; dann gehören sie zu den Adverbien, die eine Beurteilung, Stellungnahme des Sprechers zu dem Gesagten ausdrücken.

Zusammengesetzte Adverbien

353 Die größte Gruppe unter den zusammengesetzten Adverbien sind Adverbien, die aus *da, hier, wo* und einer Präposition gebildet sind. Beginnt die Präposition mit einem Vokal (Selbstlaut), wie z. B. *an, aus*, wird an *da* und *wo* ein *r* angefügt: *dar-an, wor-aus*.

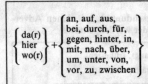

		daran, dabei, dahinter, danach, darüber, dazwischen
da(r) hier wo(r)	+ an, auf, aus, bei, durch, für, gegen, hinter, in, mit, nach, über, um, unter, von, vor, zu, zwischen	hierauf, hierdurch, hierfür, hiermit, hierunter, hiervor
		woraus, wobei, worin, worüber, wovon, wozu

 Die Adverbien werden in der Weise getrennt, wie sie zusammengesetzt sind, also nicht nach Sprechsilben:

Dar-auf (nicht: *da-rauf*) kannst du dich verlassen! *Hier-über* (nicht: *hie-rüber*) möchte ich nicht sprechen. *Wor-an* (nicht: *woran*) denkst du?

354 Adverbien wie *darauf, hierüber* usw. werden häufig, wie bestimmte Pronomen, stellvertretend für eine Substantivgruppe (mit Präposition) gebraucht:

Er glaubte, wo der Schlüssel wäre, müßte auch das Schloß *dazu* (= zu dem Schlüssel) sein.

Sie werden deshalb auch „Pronominaladverbien" genannt. Von ihrer Bildungsweise her sind sie besser als „Präpositionaladverbien" zu bezeichnen.

Präpositionaladverbien werden verwendet, wenn man sich auf eine Sache oder einen Sachverhalt bezieht; bei Bezug auf Personen steht dagegen ein entsprechendes Gefüge aus Präposition + Pronomen:

Präpositionaladverb (Bezug auf Sache)	Präposition + Pronomen (Bezug auf Person)
Wir sprechen gerade über die neue Arbeitszeitregelung. Wissen Sie etwas Genaueres *darüber*?	Wir sprechen gerade über den neuen Chef. Wissen Sie etwas Genaueres *über ihn*?
Kann ich mich *darauf* verlassen, daß die Arbeit morgen fertig ist?	Frau Meier ist eine gute Kraft. *Auf sie* kann man sich verlassen.
Hiermit will ich nichts zu tun haben.	*Mit dem/ihm/denen* ... will ich nichts zu tun haben.

Anstelle von *wo(r)-* + Präposition (z. B. *wozu*) wird in der Umgangssprache oft die Fügung Präposition + *was* (z. B. *zu was*) gebraucht. Standardsprachlich, vor allem in der geschriebenen Sprache, wird jedoch das Präpositionaladverb vorgezogen:

> *Wozu* (umgangssprachlich: *zu was*) soll das gut sein? *Woran* (umgangssprachlich: *an was*) arbeitest du gerade? Ich weiß nicht, *womit* (umgangssprachlich: *mit was*) ich das festmachen soll. *Worin* (umgangssprachlich: *in was*) besteht der Unterschied? *Worüber* (umgangssprachlich: *über was*) lachst du?

355 Zusammengesetzte Adverbien mit dem Erstglied *dar-* und *her-* werden, vor allem in der Umgangssprache, oft verkürzt; diese Kurzformen werden ohne Apostroph (Auslassungszeichen) geschrieben:

> Kommt *rein* (= *herein*)! Er reichte die Fotos *rum* (= *herum*). *Raus* (= *heraus*) aus den Betten! Ich habe nicht mehr *dran* (= *daran*) gedacht. Gleich komme ich wieder *drauf* (= *darauf*).

Dagegen werden Kurzformen von Adverbien mit *hin-*, wie sie in süddeutschen Mundarten gebräuchlich sind, als echte Kürzungen empfunden und deshalb mit Apostroph geschrieben:

> 'nauf (= *hinauf*), 'naus (= *hinaus*), 'nein (= *hinein*), 'nüber (= *hinüber*).

356 Bei bestimmten zusammengesetzten Adverbien können die Wortteile getrennt voneinander im Satz stehen. Diese Trennung ist sehr gängig bei den Richtungsadverbien *woher, wohin, daher, dahin*:

> *Wo* kommt der Neue eigentlich *her*? (Statt: *Woher* kommt der Neue eigentlich?) Ich weiß nicht, *wo* sie *hin*gefahren sind. (Statt: Ich weiß nicht, *wohin* sie gefahren sind.) *Da* gehe ich nie wieder *hin*. (Statt: *Dahin* gehe ich nie wieder.)

Die getrennten Formen von Zusammensetzungen aus *da* + Präposition sind vor allem in Norddeutschland üblich und stark umgangssprachlich gefärbt:

> *Da* weiß ich nichts *von* (standardsprachlich korrekt: *Davon* weiß ich nichts). *Da* kann man nichts *gegen* machen (standardsprachlich korrekt: *Dagegen* kann man nichts machen). *Da* kann er wirklich nichts *für* (standardsprachlich korrekt: *Dafür* kann er wirklich nichts). *Da* hast du kein Recht *zu* (standardsprachlich korrekt: *Dazu* hast du kein Recht).

| 357 | Steigerung |

Nur einige wenige Adverbien haben Steigerungs- oder Vergleichsformen, also Formen, mit denen ein höherer und ein höchster Grad ausgedrückt werden können. Meist werden die Höher- und die Höchststufe von einem anderen Wortstamm als dem der Grundstufe gebildet:

Grundstufe	Höherstufe	Höchststufe
oft	öfter	am {öftesten / häufigsten}
bald	eher	am ehesten
gern	lieber	am liebsten
sehr	mehr	am meisten
wohl (= gut)	{besser / wohler}	am {besten / wohlsten}

> Sie müssen uns *öfter* besuchen kommen. Mal sehen, wer von uns *am ehesten* zu Hause ist! Ißt du *lieber* Reis oder Nudeln? *Am liebsten* esse ich Kartoffeln. Über dein Geschenk habe ich mich *am meisten* gefreut. Wir fühlen uns hier viel *wohler* als in unserer früheren Wohnung.

6.4 Verwendung im Satz

Adverbien kommen im Satz als selbständige Satzglieder und als Attribute (Beifügungen), also Teile von Satzgliedern, vor.

| 358 | Ein Satzglied, und zwar eine adverbiale Bestimmung (Umstandsbestimmung), ist das Adverb, wenn es sich auf das Verb oder den ganzen Satz bezieht:

> *Hier* entstehen 5 Terrassenhäuser. *Gestern* ist unser Auto kaputt gegangen. *Deswegen* konnten wir *leider* nicht kommen. Das hat uns *sehr* geärgert.

Die Begriffe „Adverb" und „adverbiale Bestimmung" dürfen nicht gleichgesetzt werden. Zwar werden Adverbien häufig als adverbiale Bestimmung im Satz gebraucht, aber in dieser Rolle

kommen auch andere Wörter und Wortgruppen, vor allem Präpositionalgruppen († 378), vor:

> *Hier / an dieser Stelle / auf diesem Gelände / in der Talstraße*
> entstehen 5 Terrassenhäuser.

Man muß also unterscheiden:

Adverb (Wortartbezeichnung)	hier, gestern, deswegen
adverbiale Bestimmung (Satzgliedbezeichnung)	hier, an dieser Stelle, am Hang gestern, am Dienstag, nächste Woche deswegen, aus diesem Grunde

359 Als adverbiale Bestimmung – vor allem der Art und
Weise – kommen auch häufig Adjektive vor („adverbia-
ler" Gebrauch des Adjektivs, † 341):

> Er singt *laut* und *falsch.* Sie fährt *schnell. Endlich* fand er das
> Schlüsselloch. *Plötzlich* fing es an zu regnen.

Auch bei solchem Gebrauch bleiben aber Wörter wie *laut,
schnell, plötzlich* von der Wortart her Adjektive. Der Hauptunter-
schied zwischen den Wortarten Adjektiv und Adverb besteht
darin, daß Adjektive vor einem Substantiv stehen können und
dann dekliniert werden (– wenn sie auch nicht immer so im Satz
auftreten –), während Adverbien grundsätzlich nicht deklinierbar
sind.

 Es wird trotzdem gelegentlich versucht, Adverbien wie
ein attributives Adjektiv zu gebrauchen und zu deklinie-
ren; etwa:

> die *sogleiche* Erledigung, die *bislangen* Ergebnisse, eine groß *ge-
> nuge* Wohnung, ein *beinaher* Zusammenstoß.

Alle solche Verwendungen sind nicht korrekt.

Allerdings gibt es viele Adjektive, die aus Adverbien abgeleitet
sind; vgl. z. B.:

Adverb (undeklinierbar)	hier, dort, gestern, heute, bald, sofort, bis- her, einmal, nochmal(s)
Adjektiv (deklinierbar)	hiesig, dortig, gestrig, heutig, baldig, sofor- tig, bisherig, einmalig, nochmalig

360 Ein Adverb steht als Attribut (Beifügung), wenn es einzelnen Wörtern oder Wortgruppen zugeordnet ist. Adverbien als Attribut zu einem Adjektiv oder Adverb:

> Ich fand ihn *sehr* nett. Er ist ein *besonders/überaus* höflicher Mensch. Das Loch war *so* klein, daß man es kaum sehen konnte. Warum sagst du mir das *erst* jetzt? *Bald* danach ist sie weggezogen.

Adverbien zu einer Substantivgruppe werden meist nachgestellt:

> Die Vorstellung *gestern* war ausverkauft. Wie gefällt Ihnen dieses Modell *hier*? Die zweite Straße *links* ist die Schillerstraße. Er suchte das Schloß *dazu*.

Adverbien, die sich auf eine Präpositionalgruppe beziehen, stehen in der Regel vor oder hinter der gesamten Fügung:

> *Bald* nach dem Vorfall ist sie weggezogen. Die Läden schließen hier *schon* um 18 Uhr. In dem Haus *dort* haben wir früher einmal gewohnt. Vergleiche die Abbildung auf der nächsten Seite *unten*.

Bei Präpositionalgruppen, die eine Zahlangabe enthalten, können Gradadverbien jedoch auch innerhalb der Fügung, hinter der Präposition stehen:

> Ich bin *in spätestens einer Stunde/spätestens in einer Stunde* zurück. Sie kommt *in frühestens zwanzig Minuten/frühestens in zwanzig Minuten*. *Nach etwa acht Tagen/Etwa nach acht Tagen* ist er weitergereist. Die Preise sind *um fast 50%/fast um 50%* gestiegen.

361 Bestimmte Adverbien – vor allem solche, die eine Richtung angeben – kommen auch in enger Verbindung mit Verben vor. Sie sind dann Verbzusätze (Vorsilben), die in manchen Formen (im Infinitiv und im Partizip II) mit dem Verb zusammengeschrieben werden, in anderen dagegen vom Verb getrennt im Satz stehen († 100f.):

> Du sollst *herkommen*. – *Komm* sofort *her*. Er ist gerade *weggefahren*. – Er *fährt* gerade *weg*. Nicht *hinauslehnen*! – Sie *lehnte* sich weit aus dem Fenster *hinaus*.

7 Die Präposition

7.1 Überblick

| 362 |

Meldungen *zur* Verkehrslage: Rund *um* das Frankfurter Kreuz zähfließender Verkehr *durch* hohes Verkehrsaufkommen. *Auf* der A5 (Frankfurt Richtung Kassel) *zwischen* Friedberg und Bad Nauheim 3 km Stau *vor* einer Baustelle. *Im* weiteren Verlauf der A5 *zwischen* Gießen-Ost und Fernwald 7 km Stau *nach* einem Unfall. Umleitungsempfehlung: *Von* der Anschlußstelle Gießen-Ost *über* die U23 *nach* Reiskirchen, *von* dort zur Anschlußstelle Fernwald. *Auf* der Gegenfahrbahn (Kassel Richtung Frankfurt) kommt es *zu* Behinderungen *durch* Neugierige. Die Verkehrsteilnehmer werden gebeten, zügig *an* der Unfallstelle vorbeizufahren. *Von* den übrigen Bundesautobahnen liegen uns *zur* Zeit keine Meldungen *über* Verkehrsstörungen vor. *Am* Flughafen Frankfurt ist *mit* Verzögerungen und einzelnen Ausfällen *im* Flugverkehr *wegen* Nebels zu rechnen.

Die in dem Text hervorgehobenen Wörter sind Präpositionen (Verhältniswörter). Präpositionen sind ihrer Form nach unveränderlich; sie treten immer mit einem anderen Wort, in der Regel einem Substantiv oder Pronomen, zusammen auf, dessen Fall sie bestimmen („regieren"):

> *nach* einem Unfall (Dativ), *um* das Frankfurter Kreuz (Akkusativ), *wegen* eines Unfalls (Genitiv).

| 363 |

Der lateinische Fachausdruck „Präposition" (= das Vorangestellte) weist darauf hin, daß diese Wörter meist vor dem regierten Wort stehen († 375). Die deutsche Bezeichnung „Verhältniswort" deutet die inhaltliche Leistung der Präpositionen an: Sie bezeichnen bestimmte – z. B. räumliche oder zeitliche – Verhältnisse († 366 f.).

Viele neuere Präpositionen sind aus Wörtern anderer Wortarten gebildet, so z. B. *bezüglich, entsprechend, dank, zugunsten* († 365).

Die meisten Präpositionen regieren e i n e n Fall (den Genitiv, den Dativ oder den Akkusativ); viele können aber auch mit zwei Fällen stehen († 368 ff.):

> zügig *an der Unfallstelle* (Dativ) vorbeifahren – langsam *an die Unfallstelle* (Akkusativ) heranfahren.

Die Präposition bildet mit dem regierten Wort zusammen die Präpositionalgruppe (↑ 373 ff.). Präpositionalgruppen kommen in verschiedenen Verwendungsweisen im Satz vor (↑ 378 f.):

> *Auf der Gegenfahrbahn* kommt es *zu Behinderungen.* Ausfälle *im Flugverkehr,* Meldungen *über Verkehrsstörungen.*

7.2 Bildungsweise

364 Es gibt im heutigen Deutsch etwa 200 Präpositionen. Den Kernbestand bildet eine relativ kleine Gruppe von einfachen Präpositionen, die jedoch sehr häufig verwendet werden. Zu ihnen gehören z. B.

> an, auf, aus, bei, durch, hinter, in, mit, nach, unter, von, vor, zu.

Diese alten Präpositionen gehen zum größten Teil auf Ortsadverbien (↑ 345) zurück. Die Verwandtschaft zwischen den beiden Wortarten ist vielfach noch heute deutlich zu erkennen; vgl. z. B.:

Präposition	Adverb
vor	vorn
hinter	hinten
unter	unten
in	innen
aus	außen

Andere Adverbien, auch bestimmte Adjektive (bzw. Partizipien) können unverändert als Präpositionen verwendet werden:

> *Rechts* und *links* des Flusses erstrecken sich weite Wiesen. Unrasiert und *fern* der Heimat. Der Ort liegt 20 km *nordöstlich* der Hauptstadt. *Südlich* der Donau kann es zu Gewittern kommen. Wir haben die Angelegenheit *entsprechend* Ihrem Vorschlag geregelt.

365 Eine Reihe von Präpositionen ist aus Substantiven entstanden; z. B. *trotz* (aus: *Trotz*), *mittels* (aus: *Mittel*); ähnlich:

> angesichts, bezüglich, dank, kraft, zeit.

Viele neuere Präpositionen gehen auch auf eine Fügung aus Präposition + Substantiv (eine Präpositionalgruppe) zurück. So ist z. B. aus der Wortgruppe *in der Folge (von)* das Wort *infolge* (klein und zusammen geschrieben) geworden; ähnlich:

> anstatt, zufolge, zugunsten.

Vor allem bei diesem Bildungsmuster ist die Entwicklung noch nicht abgeschlossen, wie die Schreibweise zeigt: In einigen Fällen kann man noch groß und auseinander, aber auch schon klein und zusammen schreiben:

> an Hand/anhand, an Stelle/anstelle, auf Grund/aufgrund.

 Bildungen wie *behufs, betreffs, seitens, zwecks,* die vor allem in der Amtssprache verwendet werden, sollten nach Möglichkeit vermieden werden. Man kann sie meist durch einfache Präpositionen ersetzen; vgl. z. B.:

> *behufs* Eintragung in die Liste – (besser:) *zur* Eintragung in die Liste; *seitens* des Vorstands wurden Bedenken erhoben – (besser:) *vom* Vorstand wurden Bedenken erhoben; *zwecks* Feststellung der Personalien – (besser:) *zur* Feststellung der Personalien.

7.3 Inhaltliche Bestimmung

366 Mit Präpositionen werden die verschiedensten Verhältnisse und Beziehungen gekennzeichnet. Ähnlich wie bei den Adverbien (↑ 344) kann man vier Hauptbedeutungsgruppen unterscheiden:

Ort (lokal)	an (der Grenze), auf (der Autobahn), aus (Frankreich), in (der Stadt), neben (dem Haus), über (den Wolken), vor (der Baustelle)
Zeit (temporal)	an (diesem Tage), in (der nächsten Woche), seit (zwei Jahren), um (12 Uhr), während (des Krieges)
Grund, Folge u. a. (kausal)	wegen (Bauarbeiten), dank (seiner Hilfe), aus (Mitleid), durch (Neugierige), zu (Ihrer Information)
Art und Weise (modal)	ohne (mein Wissen), mit (ihrer Zustimmung), gemäß (den Vorschriften), gegen (seinen Rat)

367 Für sehr viele Präpositionen läßt sich eine einheitliche Bedeutung nicht angeben. Gerade die alten Präpositionen (*aus, in, vor* usw.) haben neben ihrer ursprünglichen lokalen Bedeutung auch andere Verwendungsweisen; vgl. z. B.:

> (lokal): Er nahm das Geld *aus* dem Safe. (kausal:) Das hat er nur *aus* Liebe zu ihr getan. (modal:) Sie wollte unbedingt ein Kleid *aus* reiner Seide. – (lokal:) Wir wohnen jetzt *in* Kiel. (temporal:) *In* dieser Woche habe ich keine Zeit. (modal:) *In* tiefer Trauer nehmen wir Abschied von unserem lieben Verstorbenen.

Man kann also eigentlich nicht den einzelnen Präpositionen eine Bedeutung zuschreiben, sondern nur der gesamten Wortgruppe, in der sie stehen.

Präpositionen, die von einem Verb gefordert werden, haben meist gar keine konkrete Bedeutung mehr:

> Die Mannschaft besteht *aus* elf Spielern. Sie verzichtete *auf* alle ihre Rechte. Ich denke noch oft *an* diese Zeit. Wer kümmert sich jetzt *um* die Kinder? Es ist *mit* Behinderungen zu rechnen.

Die Präposition ist hier inhaltlich leer; sie dient nur als Mittel der Verknüpfung, ähnlich wie die Endungen, die die verschiedenen Fälle anzeigen.

Deshalb machen gerade die Präpositionen besondere Schwierigkeiten beim Übersetzen in andere Sprachen: Man kann sie oft nicht „wörtlich" übertragen, sondern muß sie im Zusammenhang der ganzen Fügung lernen; vgl. z. B. deutsch-englische Entsprechungen wie

> denken *an* – to think *of*; teilnehmen *an* – to take part *in*; sich sehnen *nach* – to long *for*; *um* 12 Uhr – *at* 12 o'clock; *auf* Deutsch – *in* German.

7.4 Rektion

368 Die Präposition bestimmt den Fall des Substantivs oder Pronomens, bei dem sie steht. (Diese Eigenschaft, einen bestimmten Fall zu fordern, nennt man Rektion.) So steht z. B. *für* immer mit dem Akkusativ *(für den Freund)*, *bei* immer mit dem Dativ *(bei dem Freund)*, *zugunsten* immer mit dem Genitiv *(zugunsten des Freundes)*.

Eine Reihe von Präpositionen kann mit zwei, *entlang* sogar mit drei Fällen stehen; einige Präpositionen schwanken in der Rektion.

Allerdings läßt sich der von der Präposition geforderte Fall nicht immer erkennen, so vor allem nicht, wenn sich die Präposition mit Substantiven ohne Artikel verbindet:

> *nach* Frankfurt, *bei* Müllers, *bis* Dienstag, *von* Mann zu Mann, *aus* Furcht, *ab* Werk, *mangels* Masse.

369 Die wichtigsten Präpositionen und ihre Rektion
(Die Präpositionen mit zwei Fällen werden im Anschluß an diese Liste zusammenfassend besprochen.)

ab Dat./Akk.	infolge Gen.
abseits Gen.	inklusive Gen./Dat.
abzüglich Gen./Dat.	inmitten Gen.
an Dat./Akk.	innerhalb Gen./Dat.
angesichts Gen.	jenseits Gen.
anhand Gen.	kraft Gen.
anläßlich Gen.	längs Gen.
(an)statt Gen./Dat.	laut Gen./Dat.
anstelle Gen.	mangels Gen./Dat.
auf Dat./Akk.	mit Dat.
aufgrund Gen.	mittels Gen./Dat.
aus Dat.	nach Dat.
ausschließlich Gen./Dat.	neben Dat./Akk.
außer Dat.	oberhalb Gen.
außerhalb Gen./Dat.	ohne Akk.
bei Dat.	seit Dat.
bezüglich Gen.	trotz Gen./Dat.
binnen Gen./Dat.	über Dat./Akk.
bis Akk.	um Akk.
dank Gen./Dat.	um – willen Gen.
diesseits Gen.	ungeachtet Gen.
durch Akk.	unter Dat./Akk.
einschließlich Gen./Dat.	unterhalb Gen.
entgegen Dat.	von Dat.
entlang Gen./Dat./Akk. (↑ 375)	vor Dat./Akk.
entsprechend Dat.	während Gen./Dat.
exklusive Gen./Dat.	wegen Gen./Dat.
für Akk.	wider Akk.
gegen Akk.	zeit Gen.
gegenüber Dat.	zu Dat.
gemäß Dat.	zufolge Gen./Dat. (↑ 375)
halber Gen.	zuliebe Dat.
hinsichtlich Gen.	zu(un)gunsten Gen.
hinter Dat./Akk.	zuzüglich Gen./Dat.
in Dat./Akk.	zwischen Dat./Akk.

370 Präpositionen mit dem Dativ und dem Akkusativ

Die Präpositionen

an, auf, hinter, in, neben, über, unter, vor, zwischen

können mit dem Dativ oder dem Akkusativ stehen, wenn sie in räumlicher Bedeutung gebraucht werden. Dabei kennzeichnet der Dativ die Lage, der Akkusativ die Richtung:

Lage („wo?"): Dativ	Richtung („wohin?"): Akkusativ
Das Bild hängt *an der Wand*.	Sie hängt das Bild *an die Wand*.
Die Kinder spielten *auf der Straße*.	Die Kinder liefen *auf die Straße*.
In dem Regal standen drei Bücher.	Er stellte die Bücher *in das Regal*.
Über dem Bett lag eine Decke.	Sie legte eine Decke *über das Bett*.

Manchmal sind auch beide Fälle bei einem Verb möglich:

> Sie hat sich *in ihrem Zimmer/in ihr Zimmer* eingeschlossen. Er ließ sich erschöpft *auf dem Sofa/auf das Sofa* nieder. Tragen Sie die Ergebnisse *in der Tabelle/in die Tabelle* ein.

Meist wird, je nach dem Zusammenhang, einer der beiden Fälle bevorzugt:

> (Dativ:) Die Wanderer kehrten *in einem Gasthaus* (seltener: *in ein Gasthaus*) ein. Sie versteckt ihr Geld *unter der Wäsche*. Wir wurden sehr freundlich *in seinem Haus* aufgenommen. Er verstaute alles *in einer Kiste*.
>
> (Akkusativ:) Sie bauten eine Garage *an das Haus* an. Die Verletzten wurden *in die Unfallklinik* eingeliefert.

ab steht bei räumlicher Bedeutung immer mit dem Dativ; in Zeitangaben u. ä. kann der Dativ oder der Akkusativ stehen:

> Unser Geschäft ist *ab erstem Juni/ab ersten Juni* geschlossen. Ich bin *ab nächster Woche/ab nächste Woche* in Urlaub. Für Kinder *ab 6 Jahren/ab 6 Jahre* geeignet.

371 Präpositionen mit dem Genitiv und dem Dativ

Nach Präpositionen wie z. B.

> abzüglich, zuzüglich, ausschließlich, einschließlich, außerhalb, innerhalb, mangels, mittels, trotz, während, wegen

steht im allgemeinen der Genitiv:

> abzüglich *des bereits gezahlten Betrages*, innerhalb *der nächsten Monate*, trotz *fehlender Beweise*, während *seines Vortrags*, wegen *des dichten Nebels*.

Unter bestimmten Bedingungen (– wenn die Wortform nicht als Genitiv erkennbar wäre oder wenn die Präpositionalgruppe einen weiteren Genitiv enthält –), wird aber der Dativ verwendet:

> abzüglich *Steuerfreibeträgen*, innerhalb *fünf Monaten*, trotz *Beweisen*, während *Herrn Meiers langem Vortrag*, wegen *Lisas schlechtem Gesundheitszustand*.

 Nach *während* und *wegen* wird in der Umgangssprache auch sonst häufig der Dativ gebraucht:

> während *unserem Urlaub*, wegen *den Kindern*.

Dieser Gebrauch ist standardsprachlich nicht korrekt.

Bei *trotz* ist neben dem Genitiv auch der Dativ korrekt; er wird aber heute im allgemeinen seltener gebraucht:

> trotz *des schlechten Wetters* – trotz *dem schlechten Wetter*.

372 Rektion bei gereihten Präpositionen

Präpositionen, die den gleichen Fall regieren, können ohne weiteres gereiht und auf ein Substantiv oder Pronomen bezogen werden:

> Sie suchte *in und unter dem Schrank*. *Vor, hinter und neben uns* tauchten plötzlich finstere Gestalten auf. Die Deutschen *diesseits und jenseits der Grenze* wollen den Frieden.

Bei unterschiedlicher Rektion wählt man den Fall der zuletzt stehenden Präposition:

> Kommt ihr *mit oder ohne* (+Akk.) *Kinder*? Wir kommen *teils ohne, teils mit* (+Dat.) *Kindern*. Sie macht Übersetzungen *aus und in* (+Akk.) *romanische Sprachen*.

7.5 Die Präpositionalgruppe

373 Eine Präposition kommt nie allein im Satz vor, sondern immer mit einem oder mehreren anderen Wörtern zusammen als Wortgruppe. Der Kern, das regierende Element, dieser Wortgruppe ist die Präposition, weil sie den Fall der anderen Wörter bestimmt; deshalb heißt die Wortgruppe „Präpositionalgruppe".

In der Regel besteht die Präpositionalgruppe aus der Präposition und einem Substantiv (bzw. einer Substantivgruppe) oder einem Pronomen:

> vor Angst, hinter der Tür, kraft seines Amtes, in dem großen weißen Haus, bei uns, zu mir, für alle, gegen jeden.

Auch Adverbien können in Verbindung mit einer Präposition vorkommen:

> nach oben, bis morgen, von dort.

Hier kann man natürlich nicht davon sprechen, daß die Präposition den Fall des nachfolgenden Wortes bestimmt, da Adverbien unveränderlich sind.

374 Das Substantiv in einer Präpositionalgruppe kann durch verschiedenartige Beifügungen zu einer umfangreichen Substantivgruppe ausgebaut sein, die in sich wiederum Präpositionalgruppen enthält (zum Aufbau der Substantivgruppe ↑ 230 ff.). Dabei kann es dazu kommen, daß zwei (oder sogar drei) Präpositionen nebeneinander stehen:

> *Mit vor* Angst zitternder Stimme sagte sie: ...

 Solche Fügungen erschweren meist das Verständnis; sie sollten nach Möglichkeit vermieden werden:

> *für im* vergangenen Jahr geleistete Arbeit – (besser:) für die im vergangenen Jahr geleistete Arbeit (oder: für die Arbeit, die ...); *in mit* allem Komfort ausgestatteten Wohnungen – (besser:) in Wohnungen, die mit allem Komfort ausgestattet sind; *über auf* dem Boden herumliegende Kabel – (besser:) über Kabel, die auf dem Boden herumlagen.

| 375 | Die Stellung der Präposition |

Die meisten Präpositionen stehen am Anfang der Präpositionalgruppe, also vor dem regierten Wort; nur einige wenige werden nachgestellt:

> dem Pressesprecher *zufolge*, der Ehrlichkeit *halber*.

Manche Präpositionen können sowohl vor als auch hinter dem regierten Wort stehen; zum Teil verbinden sie sich je nach der Stellung mit verschiedenen Fällen:

vorangestellt	nachgestellt
entgegen den Vorschriften	den Vorschriften *entgegen*
entlang dem Fluß/des Flusses (Dativ/Genitiv)	den Fluß *entlang* (Akkusativ)
entsprechend den Richtlinien	den Richtlinien *entsprechend*
gegenüber seinem Freund	seinem Freund *gegenüber*
nach meiner Meinung	meiner Meinung *nach*
wegen des Kindes	des Kindes *wegen*
zufolge der Nachrichten (Genitiv)	den Nachrichten *zufolge* (Dativ)

Die „Doppelpräpositionen" *um – willen* und *von – an* schließen das regierte Element ein:

> *um* des lieben Friedens *willen*, *von* morgen *an*.

Die Verschmelzung von Präposition und Artikel

| 376 | Einige Präpositionen können mit Formen des bestimmten Artikels zu einer Wortform verschmelzen, z. B.: |

an + dem → am, zu + der → zur, in + das → ins.

Diese Verschmelzungen sind ursprünglich in der gesprochenen Sprache entstanden; viele von ihnen gehören aber auch der geschriebenen Sprache an, so vor allem:

am, beim, im, vom, zum, zur, ans, ins.

Daneben gibt es eine Vielzahl weiterer Verschmelzungen, die hauptsächlich im mündlichen Sprachgebrauch üblich sind, z. B.:

> hinterm, vorm, überm, untern, aufs, durchs, fürs, hinters, übers, ums.

377 In vielen Fügungen und festen Wendungen sind nur die verschmolzenen Formen möglich; sie können nicht in die volle Form aufgelöst werden. Vgl. z. B.:

> Hier ist es doch *am* schönsten. Er forderte sie *zum* Tanzen auf. Der Zweite Weltkrieg begann *im* September 1939. Da mußt du *aufs* Ganze gehen. Sie haben uns *hinters* Licht geführt. Er war pünktlich *zur* Stelle. Die Kinder sind mir *ans* Herz gewachsen. Das darf man nicht *übers* Knie brechen. Ich komme jetzt *zum* Schluß.

Wenn beide Formen möglich sind, kennzeichnet die Verschmelzung eher etwas Allgemeines, nicht näher Bestimmtes; vgl. z. B.:

> Brötchen kaufe ich nur *beim* Bäcker. Aber: Ich kaufe die Brötchen immer *bei dem* Bäcker in der Hügelstraße. Seine Tochter geht *aufs* Gymnasium. Aber: Seine Tochter geht *auf das* Goethe-Gymnasium. Er arbeitet gern *im* Garten. Aber: Er arbeitet oft *in dem* Garten, den er letztes Jahr gepachtet hat. Ich muß unbedingt mal wieder *zum* Zahnarzt. Aber: Er geht *zu dem* Zahnarzt, den sein Kollege ihm empfohlen hat.

 Eine Verschmelzung kann man nur dann auf mehrere Substantive beziehen, wenn die gleichen Artikelformen zugrunde liegen:

> Die Geschichte erzählt *vom Leben und Sterben* Siegfrieds (= *vom* Leben und *vom* Sterben = *von dem* Leben und *von dem* Sterben).

Wenn die Artikelformen unterschiedlich sind, muß man die Präposition wiederholen:

> Die Geschichte erzählt *vom Leben* und *von den Taten* Siegfrieds (nicht: vom Leben und den Taten Siegfrieds). Wie komme ich am besten *zum Markt* und *zur Marienkirche* (nicht: zum Markt und der Marienkirche)?

Zur Verschmelzung von Präpositionen mit den Adverbien *da, hier, wo (dabei, hiermit, wodurch)* ↑ 353 ff.

Die Verwendung der Präpositionalgruppe im Satz

Präpositionalgruppen kommen im Satz als selbständige Satzglieder und als Attribute (Beifügungen), also Satzgliedteile, vor.

378 In der Rolle eines Satzglieds stehen die Präpositionalgruppen z. B. in folgenden Sätzen:

> *Auf der Gegenfahrbahn* kommt es zu Behinderungen. *Im Urlaub* fahren wir *ans Meer. Bei schlechtem Wetter* findet die Veranstaltung *in der Halle* statt. *Wegen Bauarbeiten* ist die Römerstraße *vom 15. September bis zum 3. Oktober* gesperrt.

Die Präpositionalgruppe gibt hier Umstände des Ortes, der Zeit, des Grundes usw. an; sie ist eine (notwendige oder freie) adverbiale Bestimmung (Umstandsbestimmung).

Ein Satzglied ist die Präpositionalgruppe auch in den folgenden Fällen, in denen sie eng mit dem Verb verknüpft ist:

> Das hängt ganz *vom Wetter* ab. *Auf Gabi* kann man sich verlassen. Sie kümmert sich *um alles.* Nehmen Sie *an der Veranstaltung* teil? Wir würden uns *über Ihre Zusage* freuen. Ich kann mich nicht mehr *an diese Zeit* erinnern. Es kommt *zu Behinderungen.*

Verben wie *abhängen, sich verlassen, sich kümmern* verlangen eine Ergänzung mit einer ganz bestimmten Präposition; zu solchen präpositionalen Ergänzungen ↑ 437.

379 Als Attribut (Beifügung) steht die Präpositionalgruppe, wenn sie sich nicht auf den ganzen Satz oder das Verb bezieht, sondern von einem Substantiv oder einem Adjektiv (in Verbindung mit *sein*) abhängt; sie ist dann Teil einer Substantivgruppe (↑ 239) oder einer Adjektivgruppe (↑ 337):

> Der Rundfunk meldet Verzögerungen *im Flugverkehr.* Das Konzert *am Freitag* ist ausverkauft. Es liegen uns keine Meldungen *über Verkehrsstörungen* vor. Er verdrängt die Erinnerung *an diese Zeit.* Ich bin froh *über deine Entscheidung.* Das ist *vom Wetter* abhängig.

 Bei attributiven Präpositionalgruppen besteht oft große Unsicherheit, mit welcher Präposition die Fügung an das Substantiv anzuschließen ist. Es heißt z. B.:

> Sie hat eine Abneigung *gegen* ihn (nicht: *vor* ihm); mit der Bitte *um* Erledigung (nicht: *zur* Erledigung); unsere Hilfe *für* die dritte Welt (nicht: *an* die dritte Welt); sein Stolz *auf* die

Erfolge (nicht: *über* die Erfolge); ihre Teilnahme *an* dem Wettkampf (nicht: *bei* dem Wettkampf); seine Verdienste *um* die Firma (nicht: *für* die Firma).

In vielen Fällen kann man sich daran orientieren, welche Präposition von dem Verb oder dem Adjektiv gefordert wird, das dem Substantiv zugrunde liegt: Es heißt *die Bitte um etwas,* weil die entsprechende verbale Fügung *um etwas bitten* lautet. Ebenso:

die Teilnahme *an* ← teilnehmen *an*
der Stolz *auf* ← stolz sein *auf*
der Verdienst *um* ← sich verdient machen *um*

In anderen Fällen dagegen kann man die richtige Präposition nicht auf diese Weise erschließen, weil das entsprechende Verb keine Präpositionalergänzung (sondern z. B. eine Dativ- oder eine Akkusativergänzung) regiert; vgl. z. B.:

unsere Hilfe *für die dritte Welt* ← Wir helfen *der dritten Welt.*
mein Rat *an dich* ← Ich rate *dir.*
ihre Liebe *zu dem Kind* ← Sie liebt *das Kind.*
Meldungen *über Verkehrsstörungen* ← (Der Rundfunk) meldet *Verkehrsstörungen.*

8 Die Konjunktion

8.1 Überblick

380 Die Geschichte der Kartoffel

Obwohl die Kartoffel heute *sowohl* in Westeuropa *als auch* in weiten Gebieten Osteuropas und Asiens eines der Hauptnahrungsmittel ist, stammt sie nicht aus diesen Gegenden. Ihre Heimat ist Südamerika, vor allem Peru, wo sie schon seit frühester Zeit als Kulturpflanze angebaut wurde. *Als* die Spanier im 16. Jahrhundert Südamerika eroberten, lernten sie die Kartoffel bei den Inkas kennen *und* brachten sie nach Europa mit. In Italien wurden die neuen Knollen „tartufuli" genannt, *weil* man sie anfangs mit Trüffeln verwechselte. Von Italien gelangte die

Kartoffel – *und* mit ihr der Name – nach Deutschland. Sie wurde hier zwar im 17. Jahrhundert schon vereinzelt angebaut, *aber* es dauerte noch lange, *bis* sie zu einem Volksnahrungsmittel wurde. *Denn* die Menschen damals standen der ausländischen Pflanze sehr mißtrauisch gegenüber. Sie konnten sich nicht vorstellen, *daß* ihre Knolle wirklich eßbar sein sollte, *da* ja alle über der Erde wachsenden Teile giftig sind. Erst *nachdem* die preußischen Könige im 18. Jahrhundert den Anbau vorantrieben, fand die Kartoffel stärkere Beachtung. Friedrich der Große soll eine besondere Methode angewandt haben, *um* seine Untertanen für das neue Nahrungsmittel zu interessieren: Er verkündete, Kartoffeln seien ausschließlich für die Tafel des Königs bestimmt, *und* das hatte zur Folge, *daß* die Knollen bald aus den königlichen Äckern gestohlen wurden. Es ist die Frage, *ob* die Kartoffel mehr durch diese List *oder* eher durch die Zwangsmaßnahmen des Königs allgemein verbreitet wurde; auf jeden Fall gehört sie seitdem zur typisch deutschen Küche.

Die in dem Text gekennzeichneten Wörter sind Konjunktionen; die deutsche Bezeichnung für diese Wortart lautet „Bindewort".

| **381** | Konjunktionen gehören zu den unveränderlichen Wörtern (den Partikeln). Sie haben die Aufgabe, Sätze und Teile von Sätzen miteinander zu verbinden. |

Man unterscheidet zwei Arten von Konjunktionen (↑ 382 ff.):

nebenordnende Konjunktionen	und, oder, aber, denn
unterordnende Konjunktionen	weil, obwohl, daß, ob

Die Konjunktionen stellen eine bestimmte inhaltliche Beziehung zwischen den verbundenen Sätzen bzw. Satzteilen her (↑ 391 ff.); z. B. kennzeichnen sie ein zeitliches Verhältnis:

Als die Spanier Südamerika eroberten, lernten sie die Kartoffel kennen.

Neben einfachen Konjunktionen wie *oder*, *aber*, *ob* gibt es mehrteilige wie z. B. *sowohl – als auch*, *entweder – oder*.

8.2 Verwendung im Satz
(Nebenordnende und unterordnende Konjunktionen)

Die Konjunktionen verhalten sich bei der Verknüpfung von Sätzen unterschiedlich; darauf beruht die Einteilung in neben- und unterordnende Konjunktionen (↑ auch 484).

Nebenordnende Konjunktionen

382 Nebenordnende Konjunktionen wie *aber, und, oder* verbinden gleichrangige Sätze miteinander, also einen Hauptsatz mit einem Hauptsatz:

> Die Kartoffel wurde schon im 17. Jh. vereinzelt angebaut, *aber* es dauerte noch lange bis zu ihrer allgemeinen Verbreitung.

oder einen Nebensatz mit einem Nebensatz:

> Wir hoffen, daß es dir besser geht *und* (daß) du bald wieder nach Hause kommst.

Die miteinander verbundenen Sätze haben den gleichen Bau; die Konjunktion hat keinen Einfluß auf die Stellung des Verbs und die Abfolge der Satzglieder im angeschlossenen Satz.

 Nach *und* wurde früher oft (besonders in der Amts- und Geschäftssprache) die Wortstellung verändert:

> Die neue Ware ist eingetroffen, *und bitten wir Sie* nun um Ihre Bestellung.

Dieser Gebrauch gilt heute als falsch; es muß heißen:

> Die neue Ware ist eingetroffen, *und wir bitten Sie* nun um Ihre Bestellung.

383 Nebenordnende Konjunktionen können nicht nur Sätze, sondern auch kleinere Einheiten miteinander verbinden:

Wortgruppen:

> *sowohl* in Westeuropa *als auch* in weiten Gebieten Osteuropas; durch diese List *oder* durch Zwangsmaßnahmen;

Wörter:

> Osteuropa *und* Asien; arm, *aber* glücklich; rechts *oder* links;

Wortteile:

> West- *und* Osteuropa; be- *und* entladen; an- *oder* abstellen.

Allerdings gibt es hier Einschränkungen für einzelne Konjunktionen. So kann z. B. das begründende *denn* nur Sätze verbinden; *sowie* und *sowohl – als auch* verbinden keine Sätze, und mit *aber* können keine Wortteile verbunden werden.

384 Zu den nebenordnenden Konjunktionen zählen auch die Wörter *als* und *wie*, wenn sie bei den Vergleichsformen des Adjektivs stehen; sie verbinden die beiden verglichenen Elemente miteinander:

> Kartoffeln sind gesünder *als* Nudeln. In Süddeutschland werden nicht so viele Kartoffeln gegessen *wie* in Norddeutschland.

Neben *als* gibt es eine veraltete Vergleichskonjunktion *denn*; sie kommt fast nur noch in bestimmten Verbindungen in gehobener Ausdrucksweise vor:

> Sie war schöner *denn* je. In diesem Augenblick haßte er ihn mehr *denn* je.

Außerdem gebraucht man *denn*, um doppeltes *als* bei einem Vergleich zu vermeiden:

> Er war als Geschäftsmann erfolgreicher *denn* als Künstler (statt: *als* als Künstler).

Unterordnende Konjunktionen

385 Mit Konjunktionen wie *daß*, *weil*, *nachdem*, *bis* werden immer Sätze angeschlossen. Dabei bewirkt die Konjunktion, daß das Verb (bzw. die Verbgruppe) ans Ende des Satzes tritt:

> Man konnte sich nicht vorstellen, *daß* die Kartoffel wirklich eßbar sein *sollte*. Es dauerte lange, *bis* sie zu einem Volksnahrungsmittel *wurde*.

Die Endstellung des Verbs ist das Hauptkennzeichen eines Nebensatzes; Konjunktionen wie *daß*, *weil* usw. verbinden also nicht gleichrangige Teile, sondern schließen einen untergeordneten Satz an; deshalb heißen sie unterordnende Konjunktionen.

386 Das unterschiedliche Verhalten von neben- und unterordnenden Konjunktionen machen die beiden nahezu gleichbedeutenden Konjunktionen *denn* und *weil* deutlich:

> Die Kartoffel war früher kaum verbreitet,
> *denn* die Menschen *standen* ihr mißtrauisch gegenüber.
> (nebenordnend)
> *weil* die Menschen ihr mißtrauisch gegenüber*standen*.
> (unterordnend)

 Weil wird bisweilen in der gesprochenen Umgangssprache auch als nebenordnende Konjunktion gebraucht:

> Ich konnte nicht mitkommen, *weil ich hatte keine Zeit*.

Dieser Gebrauch gilt in der Standardsprache als nicht korrekt; es muß heißen:

> Ich konnte nicht mitkommen, *weil ich keine Zeit hatte*.

387 Eine Sondergruppe der unterordnenden Konjunktionen bilden *um zu, ohne zu, (an)statt zu*; sie leiten Nebensätze ein, in denen das Verb nicht in einer Personalform, sondern im Infinitiv steht:

> Friedrich der Große wandte eine List an, *um* seine Untertanen für die Kartoffel zu interessieren. Sie gingen weg, *ohne* sich zu verabschieden.

Konjunktion – Adverb – Präposition

388 Nicht alle Wörter, die Sätze miteinander verknüpfen, sind Konjunktionen. Vgl. z. B. folgende Satzpaare:

> Sie macht das Abitur nach. *Denn* sie will studieren.
> Sie macht das Abitur nach. Sie will *nämlich* studieren.
> Sie will studieren. *Deshalb/deswegen/daher/darum* macht sie das Abitur nach.

Alle diese Satzpaare sagen etwa das gleiche aus; sie sind durch ein Wort miteinander verbunden, das eine Begründung anzeigt. Aber nur *denn* ist eine nebenordnende Konjunktion: Es wird dem gesamten Satz vorangestellt, ohne die Stellung der Satzglieder zu verändern.

Wörter wie *nämlich, deshalb, daher* usw. sind dagegen Adverbien. Ein Adverb ist (in der Regel) ein Satzglied und verändert

die Stellung der übrigen Satzglieder, wenn es an den Anfang des
Satzes tritt:

> Sie macht das Abitur nach.
>
> *Deswegen* macht sie das Abitur nach.
> (Nicht möglich: Deswegen sie macht das Abitur nach.)

Entsprechend:

nebenordnende Konjunktion	Adverb
Es ist schon spät, *und* ich habe keine Lust.	Es ist schon spät; *außerdem* habe ich keine Lust.
Ich mache jetzt das Essen, *und* ihr räumt auf.	Ich mache jetzt das Essen. *Inzwischen* räumt ihr auf.
Klaus ist ein Fußballfan. *Aber* Karin interessiert sich überhaupt nicht für Sport.	Klaus ist ein Fußballfan. *Dagegen* interessiert sich Karin überhaupt nicht für Sport.
Sie stellen jetzt sofort die Musik leiser, *oder* ich rufe die Polizei!	Sie stellen jetzt sofort die Musik leiser! *Andernfalls* rufe ich die Polizei.

389 Die Wörter *(je)doch* und *entweder* (in *entweder – oder*)
können sowohl als nebenordnende Konjunktion (ohne
Wortstellungsveränderung) wie als Adverb (mit Wortstellungsveränderung) gebraucht werden:

nebenordnende Konjunktion	Adverb
..., *(je)doch* alle Hilfe kam zu spät.	..., *(je)doch* kam alle Hilfe zu spät.
Entweder er ist verreist, oder er ist krank.	*Entweder* ist er verreist, oder er ist krank.

390 Es gibt auch einige Wörter, die als Adverb und als unterordnende Konjunktion verwendet werden, z. B. *seitdem*:

> (unterordnende Konjunktion:) *Seitdem* wir Streit mit ihr hatten,
> kommt sie nicht mehr. (Adverb:) Wir hatten Streit mit ihr. *Seit-
> dem* kommt sie nicht mehr.

Gelegentlich wird auch das Adverb *trotzdem* als unterordnende Konjunktion gebraucht:

Er spielte weiter, *trotzdem* er sich verletzt hatte.

In gutem Deutsch wird *obwohl* vorgezogen:

Er spielte weiter, *obwohl* er sich verletzt hatte. (Oder: Er hatte sich verletzt. Trotzdem spielte er weiter.)

Wörter, die sowohl als unterordnende Konjunktion wie als Präposition gebraucht werden können, sind *bis, seit, während*; vgl.:

unterordnende Konjunktion	Präposition
Es dauerte noch lange, *bis* die Kartoffel allgemein verbreitet war.	Es dauerte noch lange *bis* zur allgemeinen Verbreitung der Kartoffel.
Seit sie umgezogen sind, habe ich nichts mehr von ihnen gehört.	*Seit* ihrem Umzug habe ich nichts mehr von ihnen gehört.
Während wir miteinander sprachen, lief die ganze Zeit der Fernseher.	*Während* des ganzen Gesprächs lief der Fernseher.

8.3 Inhaltliche Bestimmung

391 Bei den nebenordnenden Konjunktionen unterscheidet man vier Bedeutungsgruppen:

Reihung, Zusammenfassung	und, (so)wie, sowohl – als/wie, sowohl – als auch/wie auch
verschiedene Möglichkeiten	oder, entweder – oder, bzw. (= beziehungsweise)
Gegensatz, Einschränkung	aber, (je)doch, allein, sondern
Grund	denn

| 392 | *und* |

Mit *und* werden zwei oder mehr Gegenstände (Personen, Sachverhalte) aneinandergereiht und zusammengefaßt. Bilden die zusammengefaßten Einzeldinge das Subjekt des Satzes, muß das Verb in der Regel im Plural stehen (Einzelheiten ↑ 428 ff.):

> Die Kartoffel *und* die Tomate *gehören* zu den Nachtschattengewächsen. Morgen *kommen* meine Schwester *und* mein Schwager zu Besuch.

und kann auch zur Steigerung und Verstärkung eines Ausdrucks dienen, wenn es gleiche Wörter verbindet:

> Er *läuft und läuft und läuft* ... Ich habe es ihm *wieder und wieder* gesagt, aber er wollte nicht hören. Der Ballon stieg *höher und höher*, bis er nicht mehr zu sehen war.

sowie und die mehrteilige Konjunktion *sowohl – als auch* sind nachdrücklicher als das einfache *und*. Mit ihnen wird besonders betont, daß noch etwas „hinzukommt"; sie werden also im Sinne von *und auch*, *und außerdem* gebraucht:

> Wir haben alle Mitglieder des Vereins *sowie* ihre Angehörigen eingeladen. *Sowohl* in Westeuropa *als auch* in Osteuropa ist die Kartoffel ein wichtiges Nahrungsmittel.

| 393 | *oder* |

oder drückt aus, daß es zwei (oder mehr) Möglichkeiten, Alternativen, gibt:

> Rufen Sie morgen *oder* übermorgen noch einmal an. Der Vorsitzende *oder* sein Stellvertreter leitet die Sitzung. Ist jetzt alles klar, *oder* hat noch jemand Fragen?

Dabei kann gemeint sein, daß nur eine der Möglichkeiten in Betracht kommt. Dieses „ausschließende" *oder* kann durch *entweder* verstärkt werden:

> Du mußt dich jetzt entscheiden: *(entweder)* er *oder* ich. Wir fahren im Urlaub *(entweder)* nach Österreich *oder* nach Spanien. Wenn der Hahn kräht auf dem Mist, ändert sich's Wetter, *oder* es bleibt, wie's ist.

oder kann aber auch „einschließend" gebraucht werden. Es bedeutet dann, daß alle angegebenen Möglichkeiten zutreffen können:

> Jeder Verkehrsteilnehmer hat sich so zu verhalten, daß kein anderer geschädigt, gefährdet *oder* mehr, als nach den Umständen unvermeidbar, behindert *oder* belästigt wird. (StVO, § 1) Haben Sie *oder* Ihr Ehegatte weitere Einkünfte? Anna fährt oft zu Freunden *oder* Bekannten nach Frankreich.

Zur Verbform bei *oder*-Verbindungen im Subjekt ↑ 429, 432.

---

394 *aber, sondern*

aber drückt allgemein eine Entgegensetzung aus:

> Es war eine schöne, *aber* anstrengende Reise. Ihn finde ich nett, *aber* sie mag ich nicht. Fahre mit Herz, *aber* ohne Promille. Klein, *aber* oho!

Mit *sondern* wird dagegen ein Widerspruch, eine Korrektur ausgedrückt; der erste Teil der *sondern*-Verbindung muß immer eine ausdrückliche Verneinung enthalten:

> Ich meinte *nicht* Sie, *sondern* Ihren Nebenmann. *Nicht* für die Schule, *sondern* für das Leben lernen wir. Das war *kein* Unfall, *sondern* Mord.

---

395 Unterordnende Konjunktionen geben inhaltlich sehr verschiedenartige Verhältnisse an. Die wichtigsten Bedeutungsgruppen:

Zeit (temporal)	als, nachdem, bis, während, ehe, bevor, sobald, solange, wenn
Grund (kausal)	weil, da, zumal
Zweck (final)	damit, daß, um zu
Bedingung (konditional)	wenn, falls, sofern, soweit
Gegensatz (konzessiv)	obwohl, obgleich, obschon, wenn auch
Art und Weise (modal)	indem, wie, als ob, ohne daß
ohne eigene Bedeutung	daß, ob

nachdem hat heute nur noch zeitliche Bedeutung. Der in Süddeutschland noch übliche Gebrauch als begründende Konjunktion ist standardsprachlich nicht korrekt. Es heißt also z. B.

nicht: Nachdem es so neblig war, konnte das Flugzeug nicht landen. Sondern: Weil/da es so neblig war, konnte das Flugzeug nicht landen.

 Die Infinitivkonjunktion *um zu* leitet Nebensätze ein, die einen Zweck, eine Absicht ausdrücken. Es ist deshalb nicht korrekt, mit *um zu* nur einen weiterführenden Satz anzuschließen; also

nicht: Er fuhr im Urlaub nach Rom, um dort krank zu werden. Sondern: Er fuhr im Urlaub nach Rom. Dort wurde er krank.

396 Die unterordnenden Konjunktionen (außer *daß* und *ob*) leiten Nebensätze ein, die adverbialen Bestimmungen (Umstandsbestimmungen) entsprechen:

Nachdem es drei Tage lang geregnet hatte (= *nach drei Tagen Regen*; adverbiale Bestimmung der Zeit), schien heute endlich wieder die Sonne. *Wenn alle mithelfen* (adverbiale Bestimmung der Bedingung), sind wir in zwei Stunden fertig. Beeil dich, *damit wir bald losfahren können* (adverbiale Bestimmung des Zwecks).

Solche Nebensätze heißen Adverbialsätze; zu den einzelnen Arten ↑ 471 ff.

daß und *ob* leiten dagegen Nebensätze ein, die eine Ergänzung (das Subjekt oder die Akkusativergänzung) des übergeordneten Satzes vertreten:

Daß er die Prüfung bestanden hat (Subjekt), wundert mich. Ich weiß nicht, *ob sie noch kommt* (Akkusativergänzung). Man konnte sich nicht vorstellen, *daß die Kartoffel eßbar war* (Akkusativergänzung).

Zu den Ergänzungssätzen im einzelnen ↑ 468 ff.

daß- und *ob*-Sätze können auch als Attribut (Beifügung) an ein Substantiv angeschlossen werden:

Die Tatsache, *daß er verschwunden ist*, beweist noch nichts. Die Frage, *ob die Kartoffel durch die List oder die Zwangsmaßnahmen Friedrichs des Großen allgemein verbreitet wurde*, läßt sich nicht mehr entscheiden.

Zu den Attributsätzen ↑ 479 ff.

9 Die Interjektion

9.1 Überblick

397

Claudia: *Hallo*, Andrea!
Andrea: *Ach*, Claudia, du bist's! Wir haben uns ja ewig nicht gesehen. Wie geht's dir?
Claudia: *Oh*, mir geht's prima. Und dir?
Anrea: *Och*, es geht so – nicht besonders.
Claudia: *Ja*, wieso denn? Ist was passiert?
Andrea: *Nein ... ja ... also ...*
Claudia: Sag mal, hast du 'ne halbe Stunde Zeit? Wir könnten einen Kaffee trinken gehen, und du erzählst mir, was los ist, *ja*?
Andrea: *Nee*, das geht leider nicht. Ich hab' nur gerade kurz Mittagspause.
Claudia: *Ach so! Na*, da kann man nichts machen. – Aber wie wär's denn, *eh*, sagen wir, morgen abend? Komm doch morgen mal bei uns vorbei!
Andrea: *Hm, ja*, das ginge. Wann würde es euch denn passen?
Claudia: So gegen sechs wäre gut. Du weißt doch, wo wir wohnen, *nich*?
Andrea: *Ja*, klar. – *Oje*, schon ein Uhr; jetzt muß ich aber laufen. *Also*, dann bis morgen!
Claudia: *Ja, tschüs*; ich freu' mich.

Die in dem Gespräch gekennzeichneten Wörter sind Beispiele für Interjektionen; die üblichste deutsche Bezeichnung für diese Wortart ist „Ausrufewörter".

398 Die Interjektionen gehören zu den unveränderlichen Wörtern, den Partikeln. Sie sind nicht Teil eines Satzes, sondern stellen eigene, selbständige Äußerungen dar:

Du weißt doch, wo wir wohnen? – *Ja.* (= Ich weiß es.)

Auch wenn Interjektionen einem anderen Satz zugeordnet sind, stehen sie abgetrennt von diesem Satz: vorangestellt, nachgestellt oder als Einschub – in jedem Fall ohne grammatischen Zusammenhang mit den Satzteilen:

> *Oh*, mir geht's prima. Du erzählst mir, was los ist, *ja*? Wie wär's denn, *eh*, morgen abend?

Auf diese Besonderheit weist die lateinische Fachbezeichnung „Interjektion" (wörtlich: „das Dazwischengeworfene") hin.

399 Die deutsche Bezeichnung „Ausrufewörter" hebt die inhaltliche Verwendungsweise hervor. Interjektionen kommen fast ausschließlich in spontaner gesprochener Sprache vor; deshalb gibt es auch viele umgangssprachliche und mundartliche Varianten. Sie drücken oft als Ausrufe eine Empfindung oder eine Haltung des Sprechers aus:

> (Überraschung, Freude:) *Ach*, du bist's! (Überlegen, Zögern:) *Hm*, das ginge. (Schreck:) *Oje*, schon ein Uhr!

Daneben gibt es andere Arten von Interjektionen; man kann grob fünf Gruppen unterscheiden:

Empfindungswörter	ach, ah, au, hurra, igitt, oh
Aufforderungswörter	he, hü, na, pst, sch
Lautnachahmungen	boing, haha, miau, peng, rums
Gesprächswörter	eh, hm, ja, tja
Antwortpartikeln	ja, nein, doch

9.2 Bedeutungsgruppen

400 Empfindungswörter

Mit Empfindungswörtern kann der Sprecher die verschiedensten Gefühle und Einstellungen ausdrücken, z.B.:

> Freude: ach, ah, hei, heißa, hurra, juchhe, juhu, oh
> Verwunderung: ach, ah, aha, ha, nanu, oh, oho
> Kummer: ach, oh, oje, ojemine, o weh
> Furcht: hu, huch, huhu, uh
> Schmerz: au, aua, autsch
> Ekel: äh, bäh, brr, igitt, i, pfui, puh
> Spott: ätsch, bätsch
> Geringschätzung: ach, bah, p, pah, papperlapapp.

Eine Reihe dieser Wörter, wie z.B. *ätsch*, *pfui*, gibt jeweils eine bestimmte Empfindung wieder:

> *Ätsch*, das hast du jetzt davon! *Pfui*, wirf sofort das dreckige Papier weg! Wir haben im Lotto gewonnen, *juhu*! *Nanu*, was machen Sie denn hier? *Aua*, hör auf, du tust mir weh! *Ojemine*, wie kommen wir bloß aus dieser Klemme wieder raus?

Andere Interjektionen können zum Ausdruck unterschiedlicher Gefühle verwendet werden; vgl. z.B. *ach* in folgenden Äußerungen:

> (Freude:) *Ach*, ist das schön hier! (Verwunderung:) *Ach*, das habe ich ja gar nicht gewußt! (Kummer:) *Ach*, wie soll es jetzt bloß weitergehen! (Geringschätzung:) *Ach*, der – der hat uns doch gar nichts zu sagen!

401 Aufforderungswörter

Interjektionen wie z.B.

> hallo, he, heda, hey, tschüs, dalli, hü, husch-husch, pscht, pst

geben nicht ein Gefühl des Sprechers wieder, sondern sind ein Anruf, ein Gruß oder eine Aufforderung (an Menschen oder Tiere):

> *Hallo*, ist da jemand? *He*, Sie da, kommen Sie doch mal her! *Hey*, Fans! *Pst*, ihr weckt ja das ganze Haus auf! *Husch-husch*, jetzt aber schnell ins Bett! *Hü*, Schimmel, *hü*!

402 Lautnachahmungen

Mit bestimmten Interjektionen werden menschliche oder tierische Laute und andere Geräusche nachgeahmt:

> *hahaha* (Lachen), *huah* (Gähnen), *hatschi* (Niesen), *miau* (Katze), *iah* (Esel), *kikeriki* (Hahn), *piep* (Vogel), *ticktack* (Uhr), *peng, peng* (Schließen), *ritsch(e), ratsch(e)* (Zerreißen), *klingelingeling, ding-dong* (Klingeln), *tatütata* (Polizei-, Feuerwehrauto), *klirr, knacks, kracks* (Zerbrechen), *boing, bums, rums, p(f)latsch* (Aufprall).

In solchen Wörtern sind ganze Szenen in knapper Form lautmalend zusammengefaßt. In ähnlicher Weise werden auch – in der Sprache der Comics und in der Jugendsprache – Verkürzungen von Verben gebraucht, wie etwa

> heul, kreisch, keuch, ächz, würg, kotz, hüstel, grummel, schluck, schlürf, mampf-mampf, bibber-bibber.

403 Gesprächswörter

Einige Interjektionen sind besonders typisch für Gespräche; sie haben vor allem zu tun mit dem Sprecher-Hörer-Verhältnis.

Mit Wörtern wie

> hm, ja, aha, genau, richtig, bitte?, was?

reagiert der Hörer auf Äußerungen des Sprechers. Er gibt z. B. zu verstehen, daß er zuhört *(hm, ja)*, daß er den Sprecher verstanden hat *(hm, ja, aha)*, daß er ihm zustimmt *(hm, ja, genau, richtig)*; oder er fragt zurück, wenn er etwas nicht verstanden hat *(bitte?, was?)*.

Umgekehrt bittet der Sprecher um eine Reaktion, eine Rückmeldung, des Hörers, indem er z. B.

> hm?, ja?, nicht?

an seine Äußerungen anhängt.

Mit einem vorangestellten oder eingeschobenen

> ja, tja, also, nun, eh, hm

werden oft Sprechpausen überbrückt; der Sprecher will so deutlich machen, daß er anfangen oder fortfahren möchte zu sprechen, wenn er auch im Augenblick noch nicht die richtige Formulierung parat hat. Eine Äußerung mit einleitendem *also* kann auch anzeigen, daß der Sprecher das Gespräch beenden möchte.

404 Antwortpartikeln

ja, nein und *doch* sind Antworten auf Entscheidungsfragen (↑ 494); sie stehen für entsprechende Sätze, die den Inhalt der Frage bestätigen oder verneinen:

> Ist er schon weg? – *Ja.* (= Er ist schon weg.) Hast du mit ihm gesprochen? – *Nein.* (= Ich habe nicht mit ihm gesprochen.)

 Auf Entscheidungsfragen, die eine Verneinung enthalten, antwortet man mit *doch* (nicht mit *ja*) oder *nein*:

> Haben Sie das nicht gewußt? – *Doch.* (= Ich habe es gewußt.) *Nein.* (= Ich habe es nicht gewußt.) Hat sie keine Nachricht hinterlassen? – *Doch.* (= Sie hat eine Nachricht hinterlassen.) *Nein.* (= Sie hat keine Nachricht hinterlassen.)

SÄTZE

1 Grundbegriffe der Satzlehre

1.1 Äußerung und Satz

405
A: Morgen!
B: Morgen! Na, wie war das Wochenende? Wart ihr weg?
A: Nein. Das heißt, meine Frau hat am Samstag den Jungen zu ihren Eltern gebracht; bei uns sind ja jetzt Schulferien. Ich hab' die ganze Zeit tapeziert.
B: Oje, das müssen wir demnächst auch. Aber du hast doch wenigstens die Sportschau gesehen?
A: Klar. Wetten, daß Bremen jetzt Meister wird, wo sie die Bayern geschlagen haben?
B: Im Leben nicht!
A: Das glaube ich aber wohl. Wart's ab!
B: Übrigens, Reifen-Schmitt hat eben angerufen. Sie wollten unbedingt dich sprechen.
A: Wieso denn?
B: Weiß ich auch nicht. Sag ihnen jedenfalls, wenn du zurückrufst, daß wir die neuen Preise brauchen. Die Liste, die wir hier haben, ist ja noch vom letzten Jahr.
A: In Ordnung. Jetzt mache ich aber erst mal Kaffee. Willst du auch einen?
B: Ja, gern. Aber mach ihn nicht zu stark!

406 Ein Gespräch, wie z. B. dieser Dialog zwischen zwei Arbeitskollegen, aber auch die Rede eines einzelnen Sprechers oder ein schriftlicher Text ist in Abschnitte gegliedert. Man erkennt die Gliederung in der gesprochenen Sprache an Pausen und an einer bestimmten Stimmführung, in der geschriebenen Sprache an Zeichen wie dem Punkt, Fragezeichen oder Ausrufezeichen. Solche abgeschlossenen, selbständigen Rede- oder Textabschnitte sind Äußerungen. Mit Äußerungen kann man sprachlich etwas tun, z. B.

etwas mitteilen:

> Reifen-Schmitt hat eben angerufen. Ich hab' die ganze Zeit tapeziert.

etwas fragen:

> Wart ihr weg? Willst du auch einen Kaffee?

antworten:

> Nein. Weiß ich auch nicht. Klar.

seine Meinung sagen:

> Wetten, daß Bremen jetzt Meister wird, wo sie die Bayern geschlagen haben? Im Leben nicht!

Man kann auch einen Wunsch, eine Bitte, Bedenken, sein Erstaunen und vieles mehr „äußern".

407 Äußerungen sind manchmal sehr kurz, manchmal aber auch ziemlich umfangreich; sie können vor allem unterschiedlich gebaut sein; vgl. z. B. die folgenden Äußerungen:

> In Ordnung.
> Das glaube ich aber wohl.
> Sag ihnen jedenfalls, wenn du zurückrufst, daß wir die neuen Preise brauchen.

Meist, aber nicht immer besteht eine Äußerung aus einem Satz. Unter einem Satz versteht man einen Rede- bzw. Textabschnitt, der ein Verb (bzw. eine Verbgruppe) enthält, also z. B.:

> Wie *war* das Wochenende?
> Bei uns *sind* ja jetzt Schulferien.
> Sie *wollten* unbedingt dich *sprechen*.
> wenn du *zurückrufst*
> die wir hier *haben*
> wo sie die Bayern *geschlagen haben*.

Sätze sind also im Unterschied zu Äußerungen grammatisch bestimmte Einheiten.

408 In vielen Fällen entsprechen sich „Satz" und „Äußerung". Je nachdem, was der Sprecher in einem Satz äußert, unterscheidet man vor allem drei Satzarten (↑ 491 ff.):

Aussagesätze:

> Ich hab' die ganze Zeit tapeziert. Das müssen wir demnächst auch.

Fragesätze:

> Wart ihr weg? Aber du hast doch wenigstens die Sportschau gesehen?

Aufforderungssätze:

> Wart's ab! Mach ihn nicht zu stark!

409 Nicht jeder Satz ist aber zugleich eine Äußerung. So kann etwa der Satz *die wir hier haben* nicht für sich allein stehen; er braucht einen weiteren Satz, mit dem zusammen er erst eine Äußerung bilden kann:

> Die Liste, die wir hier haben, ist noch vom letzten Jahr.

Eine solche Verknüpfung von Sätzen zu einer Äußerung nennt man ein Satzgefüge (↑ 487f.). In einem Satzgefüge stehen die einzelnen Sätze nicht gleichberechtigt nebeneinander, sondern ein Satz ist der Hauptsatz (in diesem Fall ist das der Satz *Die Liste ist noch vom letzten Jahr*). Ein Hauptsatz kann häufig auch allein, als selbständige Äußerung stehen. Der andere Satz *(die wir hier haben)* ist dem Hauptsatz untergeordnet, er ist ein Nebensatz. Nebensätze stehen für einen Teil des Hauptsatzes (in diesem Fall ist der Nebensatz eine nähere Bestimmung, eine Beifügung, zu dem Subjekt *die Liste*). Man kann Nebensätze also danach untergliedern, welchen Teil des Hauptsatzes sie vertreten (↑ 465ff.).

Auch selbständige Hauptsätze können zu einer Äußerung verknüpft werden; dann spricht man im Unterschied zu einem Satzgefüge von einer Satzreihe (↑ 485f.).

410 Auf der anderen Seite bestehen Äußerungen nicht immer aus Sätzen. In bestimmten Situationen kann man sich auch mit kleineren Einheiten, zum Teil mit einzelnen Wörtern, verständigen:

> Morgen! Wieso denn? Im Leben nicht! Klar. Ja, gern.

Auch ein unvollständiger Satz (z. B. *Weiß ich auch nicht*) oder sogar ein unkorrekter Satz kann durchaus als Äußerung gelten: Wenn z. B. ein Ausländer fragt *Du morgen nach Bahnhof kommen?*, können wir trotz des falschen Satzbaus gut verstehen, was er meint, und darauf reagieren.

Für die Satzlehre oder Syntax (das heißt wörtlich: die Lehre von der Zusammenstellung) steht der Satz als grammatische Einheit im Vordergrund. Die Satzlehre beschreibt einerseits, wie kleinere Einheiten (Wörter und Wortgruppen) so zu einem Satz zusammengebaut werden, daß man mit ihm einen Gedanken, einen ganzen Sachverhalt ausdrücken kann, und sie beschreibt andererseits, wie Sätze selbst zu größeren Einheiten miteinander verbunden werden, damit eine abgeschlossene Äußerung entsteht.

1.2 Der Bau des Satzes

411 Ein Satz setzt sich – äußerlich betrachtet – aus einzelnen Wörtern zusammen. Wörter sind aber nicht schon die Bauteile des Satzes; sie stellen nur das Baumaterial dar, das, in bestimmter Weise geformt und zusammengefügt, die Bauteile des Satzes ergibt. So wie z. B. aus einzelnen unzusammenhängenden Materialstücken noch keine funktionierende Maschine entsteht, so bildet eine bloße Ansammlung von Wörtern noch keinen Satz; vgl. z. B.:

Meine am ihren Frau bringt Jungen zu den Samstag Eltern.

Erst wenn zusammengehörige Wörter (also Wortgruppen) auch zusammen stehen, ergibt sich ein sinnvoller Satz:

⌊Meine Frau⌋ bringt ⌊den Jungen⌋ ⌊am Samstag⌋ ⌊zu ihren Eltern⌋.

Bauteile des Satzes sind also bereits „vorgefertigte" Teilstücke, d. h. Einheiten, die in sich schon aus kleineren, fest miteinander verbundenen Einheiten zusammengesetzt sind.

412 Aus welchen Bauteilen ein bestimmter konkreter Satz aufgebaut ist, kann man durch die sogenannte Umstell- oder Verschiebeprobe ermitteln: Was bei der Umstellung zusammenbleiben muß, damit wieder ein sinnvoller Satz entsteht, ist ein Bauteil des Satzes:

Meine Frau	bringt	den Jungen	am Samstag	zu ihren Eltern
Meine Frau	bringt	am Samstag	den Jungen	zu ihren Eltern
Am Samstag	bringt	meine Frau	den Jungen	zu ihren Eltern
Den Jungen	bringt	meine Frau	am Samstag	zu ihren Eltern

Ein Satzteil läßt sich nicht verschieben; er behält bei der Umstellung der anderen Satzteile seinen festen Platz. Dieser Satzteil,
der immer aus einem Verb besteht, heißt **Prädikat** (↑ 416ff.);
die übrigen Satzteile nennt man **Satzglieder**.

413 Die Art der einzelnen Satzglieder kann man feststellen,
indem man andere passende Satzglieder an die gleichen
Stellen setzt, z. B. so:

Meine Frau Susanne Sie Wer	bringt	den Jungen Stefan ihn wen	am Samstag nächste Woche heute wann	zu ihren Eltern. nach Köln. dorthin. wohin?

Diese **Ersatzprobe** zeigt, daß ein Satzglied immer nur durch
ein Satzglied der gleichen Art ersetzt werden kann; das Wortma-
terial, aus dem es besteht, kann allerdings verschieden sein. So
kann ein Satzglied auch aus einem einzelnen Wort, z. B. einem
Pronomen *(sie, ihn)* oder einem Adverb *(heute, dorthin)* bestehen.
Man muß aber grundsätzlich unterscheiden zwischen Wörtern –
die in Wortarten eingeteilt werden – und Satzgliedern, die in anderer Weise untergliedert werden und deshalb auch andere Bezeichnungen haben. So darf man insbesondere nicht „Substantiv" und „Subjekt" verwechseln: *Susanne* etwa ist von der Wortart her ein Substantiv, als Satzglied des Satzes *Susanne bringt
Stefan nach Köln* ist *Susanne* dagegen das Subjekt.

Man unterscheidet im wesentlichen zwei Arten von Satzgliedern:
Die einen nennen Personen oder Gegenstände, von denen in
dem Satz die Rede ist, über die im Prädikat etwas ausgesagt
wird; sie sind durch einen bestimmten Fall (z. B. Nominativ, Akkusativ) oder durch eine bestimmte Präposition gekennzeichnet.
Die andere Art von Satzgliedern gibt Umstände des Geschehens
an; diese **adverbialen Bestimmungen** (Umstandsbestimmungen) treten in unterschiedlichen Formen auf.

414 Bestimmte Satzglieder sind jeweils für den Bau des Satzes besonders wichtig; sie gehören enger zum Prädikat
und sind notwendig, damit überhaupt ein Satz zustande kommt.
So braucht etwa das Prädikat *machen* ein Satzglied, das denjeni-

gen nennt, der etwas macht, und ein Satzglied, das nennt, was
gemacht wird, z. B.:

Solche notwendigen Satzglieder heißen **Ergänzungen**
(↑ 419 ff.); sie bilden mit dem Prädikat zusammen die Grundbe-
standteile des Satzes. Da nicht alle Prädikate die gleichen Ergänzungen brauchen, gibt es mehrere „Satzmodelle", die nach jeweils einem anderen Plan konstruiert sind; diese unterschiedlichen Konstruktionspläne, die dem Bau der einzelnen Sätze zugrunde liegen, nennt man **Satzbaupläne** (↑ 442 f.).

Das Prädikat und seine Ergänzungen ergeben zwar einen grammatisch vollständigen, korrekten Satz, aber oft möchte der Sprecher über das Notwendigste hinaus weitere Informationen geben, z. B. über den Ort oder den Zeitpunkt:

Jetzt mache ich *erst mal* Kaffee.

Solche Satzglieder, die zusätzliche Bestimmungen zu dem Geschehen geben, heißen **Angaben** (↑ 444 ff.).

415 Die Bauteile des Satzes können nicht in beliebiger Reihenfolge zusammengesetzt werden. So kann man z. B. im
Deutschen nicht sagen:

Jetzt ich mache erst mal Kaffee.

Für den Bau des Satzes spielt also auch die Anordnung der Satzteile, die **Wortstellung**, eine Rolle (↑ 450 ff.). Das gilt in besonderer Weise für das Verb (genauer muß man hier sagen: für die
Verbform im Prädikat, die Person und Zahl anzeigt). Die Stellung des Verbs in einem bestimmten konkreten Satz ist fest; es
kann seine Stelle nicht wechseln, sonst wird der Satz falsch, oder
es entsteht eine andere Äußerung; vgl.:

Susanne *bringt* den Jungen nach Köln. – (Nicht möglich z. B.:)
Susanne den Jungen *bringt* nach Köln. – (Frage statt Aussage:)
Bringt Susanne den Jungen nach Köln?

Es gibt aber mehrere – und zwar genau drei – Möglichkeiten für
die feste Stelle des Verbs: es kann an der ersten, an der zweiten
oder an der letzten Stelle in einem Satz stehen.

Sätze mit dem Verb an erster Stelle:

> *Willst* du auch einen Kaffee? *Mach* ihn nicht zu stark!

Sätze mit dem Verb an zweiter Stelle:

> Ich *hab'* die ganze Zeit tapeziert. Das *glaube* ich aber wohl.

Sätze mit dem Verb an letzter Stelle:

> ..., daß Bremen jetzt Meister *wird*. ..., wo sie die Bayern ge-
> schlagen *haben.*

Die Stellung des Verbs gibt den Sätzen eine unterschiedliche
Bauform. Mit der Bauform ist weitgehend festgelegt, wie ein
Satz verwendet werden kann: Sätze mit dem Verb an letzter
Stelle bilden Nebensätze, Sätze mit dem Verb an erster und zweiter Stelle können als Hauptsätze stehen. Dabei zeigt die Verbstellung – zusammen mit anderen Merkmalen – an, ob es sich um
einen Aussagesatz (Verb an zweiter Stelle) oder um einen Frage-
bzw. Aufforderungssatz (Verb an erster Stelle) handelt.

2 Das Prädikat

416 Der wichtigste Teil eines Satzes ist das Prädikat (die Satzaussage, der Satzkern); ohne Prädikat kann kein Satz entstehen. Mit dem Prädikat wird etwas über Personen oder Gegenstände ausgesagt, z.B. was sie tun oder was mit ihnen geschieht:

> Was tut Peter? – Peter *arbeitet*. Was geschieht mit dem Haus? –
> Das Haus *wird renoviert*.

Im Prädikat steht immer ein Verb in der Personalform, also ein
Verb, das in Person und Zahl bestimmt ist. (Dadurch wird gekennzeichnet, über welche Person oder welchen Gegenstand etwas ausgesagt wird: die Satzaussage stimmt mit dem „Satzgegenstand" in Person und Zahl überein, ↑ 427ff.)

417 Wenn das Prädikat nur aus einer Personalform besteht,
spricht man von einem einteiligen Prädikat:

> Das Telefon *klingelt*. Er *zeigte* mir seinen neuen Computer. Der
> Bundestag *verabschiedete* das Gesetz.

Sehr häufig ist das Prädikat aber auch mehrteilig; es besteht aus einer Verbgruppe (↑ 163 ff.):

> Das Telefon *hat geklingelt*. Er *will* mir seinen neuen Computer *zeigen*. Das Gesetz *ist* vom Bundestag *verabschiedet worden*.

Ein mehrteiliges Prädikat entsteht vor allem, wenn ein Verb in bestimmten Zeitformen (z. B. im Perfekt) oder im Passiv steht, wenn also zu einem Vollverb weitere Verben (Hilfsverben: *haben*, *sein*, *werden*) hinzutreten. Das Prädikat besteht dann aus einer Personalform und unbestimmten Verbformen (Infinitiv- oder Partizipformen).

Ein mehrteiliges Prädikat kann aber auch Teile enthalten, die kein Verb sind. So gehört zum Prädikat vor allem der Verbzusatz, d. h. die Vorsilbe der trennbaren Verben (wie z. B. *auf-stehen*, *abwarten*):

> *Stehst* du immer erst so spät *auf*? Ich *warte* noch den nächsten Zug *ab*.

Auch andere Teile, die mit dem Verb zusammen eine inhaltliche Einheit bilden, zählen zum Prädikat. So bilden z. B. Fügungen wie

> Gefahr laufen, Fuß fassen, der Meinung sein

zusammen das Prädikat, ebenso Funktionsverbgefüge (↑ 92) wie

> zum Ausdruck bringen, in Erwägung ziehen, zur Anwendung kommen.

Ein mehrteiliges Prädikat tritt in bestimmten Sätzen auseinander:

> Er *will* mir seinen neuen Computer *zeigen*. *Stehst* du immer erst so spät *auf*?

Die Teile des Prädikats bilden dann eine „Klammer" um den übrigen Satz; zur Stellung des Prädikats und seiner Teile im einzelnen ↑ 454 ff.

---

418 Das Prädikat stellt in zweierlei Hinsicht den „Kern", das Zentrum, des Satzes dar: Es bestimmt zum einen (durch das Vollverb), welche „Rollen" oder Stellen im Satz besetzt sein müssen, damit der Satz etwas Sinnvolles ausdrücken kann

(↑ 419), und es legt zum anderen (durch die Stellung der Personalform) die Art des Satzes fest (↑ 415). Ein Beispiel:

> Er *hat* mir seinen neuen Computer *gezeigt.*

Das Vollverb in diesem Satz ist *zeigen;* das bedeutet, daß der Satz eine Ergänzung im Nominativ, im Dativ und im Akkusativ haben muß. Die Personalform (*hat*) an der zweiten Stelle zeigt an, daß es sich um einen Hauptsatz, und zwar um einen Aussagesatz, handelt.

3 Die Ergänzungen

3.1 Bestimmung und Einteilung der Ergänzungen

419 Das Prädikat, die Satzaussage, setzt voraus, daß etwas da ist, worüber die Aussage gemacht wird. Ein Prädikat allein kann in der Regel keinen ganzen Sachverhalt ausdrücken; es müssen weitere Teile hinzukommen, die die Personen oder Gegenstände nennen, von denen die Rede ist. Diese Satzteile, die das Prädikat zu einem Satz „ergänzen", vervollständigen, heißen Ergänzungen. Wie viele und welche Ergänzungen notwendig sind, damit ein vollständiger Satz entsteht, richtet sich nach dem Vollverb im Prädikat. So verlangt z. B. das Verb *kaufen* eine Ergänzung, die den Käufer nennt, und eine Ergänzung, die angibt, was gekauft wird, z. B.:

> *Gerhard* kauft *drei Kästen Bier.*

Andere Verben brauchen andere Ergänzungen; *schlafen* z. B. verlangt nur eine Ergänzung (*Er schläft.*), *stellen* dagegen drei (*Sie stellte die Vase auf den Tisch.*).

Die Ergänzungen bilden – zusammen mit dem Prädikat – die „Grundausstattung" des Satzes; sie sind die grammatisch notwendigen Teile, d. h. die Satzglieder, die erforderlich sind, damit überhaupt ein Satz zustande kommt, mit dem man etwas ausdrücken kann.

Über diese Grundausstattung hinaus kann der Satz weitere Teile (man könnte sagen: „Extras") enthalten; z. B.:

> *Für die Grillparty* kauft Gerhard drei Kästen Bier. Gerhard kauft *jede Woche* drei Kästen Bier. Er schläft *fest.* Sie stellte die Vase *vorsichtig* auf den Tisch.

Solche zusätzlichen Teile können für das, was der Sprecher in einem bestimmten Zusammenhang sagen will, genauso wichtig und unentbehrlich sein wie die notwendigen Satzglieder; sie sind aber keine grammatisch notwendigen Teile wie die Ergänzungen, weil der Satz auch ohne sie ein möglicher, korrekter Satz ist.

420 Welche Satzglieder in einem bestimmten Satz Ergänzungen sind, kann man durch die Weglaßprobe ermitteln. Dazu streicht man ein Satzglied nach dem anderen weg und prüft jedesmal, ob der Rest noch ein möglicher, sinnvoller Satz ist (wenn er dann natürlich auch eine andere Gesamtbedeutung hat). Die Satzglieder, die am Ende noch stehenbleiben, die also nicht weggelassen werden können, sind Ergänzungen, die weglaßbaren sind Angaben. Ein Beispiel:

> Ich bin gestern im Park einem Löwen begegnet.

Nicht möglich:

| ~~Ich~~ | bin | gestern | im Park | einem Löwen | begegnet. |

Möglich:

| Ich | bin | ~~gestern~~ | im Park | einem Löwen | begegnet. |

Möglich:

| Ich | bin | ~~im Park~~ | einem Löwen | begegnet. |

Nicht möglich:

| Ich | bin | ~~einem Löwen~~ | begegnet. |

Die in diesem Satz notwendigen Satzglieder sind also *ich* und *einem Löwen*, d.h., das Verb *begegnen* hat zwei Ergänzungen (eine im Nominativ und eine im Dativ).

421 In bestimmten Fällen kann auch eine Ergänzung weggelassen werden; dann erhält das Verb aber meist einen etwas anderen Sinn. Vgl. z.B.:

> Er liest *einen Krimi.* Sie ißt *einen Apfel.*

gegenüber:

> Er liest. Sie ißt.

Mit den Sätzen ohne Akkusativergänzung wird mehr die Tätigkeit des Lesens bzw. Essens – im Gegensatz zu anderen Tätigkeiten – betont. Ein anderes Beispiel ist *sitzen:* Wenn man nicht sagt, wo oder wie jemand sitzt (z. B. *auf dem Sofa, bequem*), wenn man das Verb also nur mit einem Subjekt gebraucht, drückt es entweder den Gegensatz z. B. zu *stehen* aus *(Er saß, während wir stehen mußten.),* oder es kann die Bedeutung von „im Gefängnis sein" haben.

---

422 Die Ergänzungen werden – hauptsächlich nach ihrer Form, zum Teil aber auch nach ihrer Bedeutung – in Klassen eingeteilt. Man kann die einzelnen Ergänzungsklassen oder -arten mit bestimmten Fragewörtern ermitteln:

Subjekt (wer oder was?)	*Der Hund* bellt.
Akkusativergänzung (wen oder was?)	Der Junge füttert *den Hund.*
Dativergänzung (wem?)	Sie hilft *ihrem Freund.*
Genitivergänzung (wessen?)	Wir gedenken *unserer Verstorbenen.*
Ergänzung mit einer Präposition (Präposition + Fragewort)	Die Spieler warten *auf den Anpfiff.*
Gleichsetzungsergänzung (was?)	Sie ist *Fremdsprachensekretärin.*
adverbiale Ergänzungen (wo?/wohin?/wann?/ wie?)	Sein Onkel wohnt *in Bremen.* Er fährt *nach Bremen.* Das Unglück geschah *frühmorgens.* Die Lage ist *ernst.*

Die ersten sechs Ergänzungsarten sind dadurch gekennzeichnet, daß sie in einem bestimmten Fall (Nominativ, Akkusativ, Dativ, Genitiv) stehen bzw. eine Präposition haben, die einen bestimmten Fall verlangt. Diese Ergänzungen – außer dem Subjekt und der Gleichsetzungsergänzung – werden auch häufig „Objekte" genannt. Die adverbialen Ergänzungen sind nicht durch eine bestimmte Form gekennzeichnet; sie geben verschiedenartige Umstände an, sind also Umstandsbestimmungen (adverbiale Bestimmungen).

3.2 Das Subjekt

423 Das Subjekt (deutsche Bezeichnung: „Satzgegenstand") steht im Nominativ; es läßt sich mit „wer oder was?" erfragen:

> Bei Meiers war heute nacht *der Notarzt.*
> *Wer* war heute nacht bei Meiers? – *Der Notarzt.*

Als Subjekt steht meist eine Substantivgruppe oder ein Pronomen:

> | Seine Art | |
> | Diese Krawatte | |
> | Das | gefällt mir nicht. |
> | Es | |

Auch Sätze können an der Subjektstelle stehen (↑ 468):

> *Was er zu diesem Problem gesagt hat,* leuchtet mir ein.

424 Das Subjekt ist die bei weitem häufigste Ergänzung. Nahezu alle Verben verlangen ein Subjekt, und fast jeder Satz besteht mindestens aus Subjekt und Prädikat.

Die wenigen Verben, die ohne Subjekt stehen, sind vor allem die sogenannten unpersönlichen Verben (↑ 94) wie

> es regnet / schneit / friert / donnert / blitzt,

die nur in Verbindung mit *es* vorkommen. Dieses *es* ist zwar verschiebbar (vgl. z. B.: *Es regnet heute. – Heute regnet es.*), aber man kann es nicht erfragen und nicht gegen irgendein anderes Wort austauschen; deshalb gilt *es* nicht als Satzglied, in diesem Fall: als Subjekt.

Auch das *es* in folgenden Fällen ist nicht Subjekt:

> *Es* kamen nur wenige Leute zu dem Vortrag. *Es* sind tolle Preise zu gewinnen.

Dieses *es* nimmt das im Satz folgende Subjekt nur voraus; es wird deshalb oft als „vorläufiges Subjekt" oder „Scheinsubjekt" bezeichnet. Es kann nur an der ersten Stelle in Aussagesätzen stehen und fällt weg, wenn das eigentliche Subjekt oder ein anderes Satzglied an die erste Stelle gerückt wird:

> Tolle Preise sind zu gewinnen. Zu dem Vortrag kamen nur wenige Leute.

425 In bestimmten Satztypen wird das Subjekt nicht ausgedrückt, so vor allem in Aufforderungssätzen mit dem Prädikat in Imperativform:

> Geh schon vor! Kommt mal her!

Das Subjekt *(du/ihr)* kann aber hinzugefügt werden, wenn man eine bestimmte Person oder Personengruppe besonders anspricht:

> Karin, geh *du* vor! Kommt *ihr* mal her!

Auch Infinitivsätze haben kein Subjekt:

> Wir beeilten uns, *um den Zug nicht zu verpassen.* (Dagegen: ..., damit *wir* den Zug nicht verpaßten.)

Schließlich ist in bestimmten Passivsätzen kein Subjekt möglich, weil das Verb keine Akkusativergänzung hat, die im Passiv zum Subjekt werden könnte (↑ 159):

> Hier wird hart gearbeitet. Dem kann leicht abgeholfen werden.

426 Das Subjekt hat auch von allen Ergänzungen die weiteste Bedeutung; d. h., es kann die meisten und verschiedenartigsten inhaltlichen „Rollen" im Satz übernehmen. Welche Rolle es in einem bestimmten Satz spielt, hängt von dem jeweiligen Verb ab. So bezeichnet das Subjekt bei Verben, die einen Zustand oder Vorgang ausdrücken, den Träger dieses Zustands oder Geschehens (eine Person oder eine Sache):

> *Der Kranke* schläft unruhig. *Er* atmet schwer. Leise rieselt *der Schnee*; still und starr liegt *der See*.

In Sätzen, die eine Tätigkeit oder Handlung beschreiben, nennt das Subjekt meist den „Täter" (in der Regel eine Person):

> *Ein Dieb* hat die Schaufensterscheibe eingeschlagen. *Die Polizei* kontrollierte alle Autofahrer. *Sie* brät das Fleisch an.

In Passivsätzen bezeichnet das Subjekt dagegen die Person oder Sache, die von der Handlung betroffen ist:

> *Die Schaufensterscheibe* ist (von einem Dieb) eingeschlagen worden. *Alle Autofahrer* wurden (von der Polizei) kontrolliert. *Das Fleisch* wird angebraten.

Auch das Mittel einer Tätigkeit oder die Ursache eines Geschehens kann durch das Subjekt ausgedrückt werden:

> *Ein Geräusch an der Tür* weckte sie auf. (= Sie wachte *von einem Geräusch an der Tür* auf.) *Der Beifall der Zuschauer* unterbrach die Vorstellung immer wieder. (= Die Zuschauer unterbrachen die Vorstellung immer wieder *mit Beifall*.)

Die Übereinstimmung (Kongruenz) zwischen Subjekt und Prädikat

427 Das Subjekt nimmt unter den Ergänzungen eine Sonderstellung ein: Es ist die einzige Ergänzung, die in Person und Zahl mit dem Prädikat übereinstimmen (kongruieren) muß:

> *Ich* (1. Person Singular) *habe* (1. Person Singular) Kaffee getrunken.

Wenn das Subjekt in einer anderen Person und Zahl auftritt, ändert sich auch die Personalform im Prädikat:

> *Du* (2. Person Singular) *hast* (2. Person Singular) Tee getrunken. *Die Kinder/sie* (3. Person Plural) *haben* (3. Person Plural) Limo getrunken.

Die Übereinstimmung zwischen Subjekt und Prädikat ist ein wichtiges Mittel, durch das der Satz zusammengehalten wird. (Auch in anderen Bereichen macht die Kongruenz deutlich, welche Teile im Satz zusammengehören; so müssen vor allem bestimmte Beifügungen mit ihrem Bezugswort übereinstimmen, ↑ 231 f.)

Normalerweise fällt es nicht schwer, zu einem Subjekt die richtige Form des Prädikats zu wählen; Schwierigkeiten entstehen aber dann, wenn im Subjekt unterschiedliche Personen genannt sind (↑ 428 f.), z. B.:

> er und ihr, meine Frau oder ich, weder Karl noch du,

und wenn zweifelhaft ist, ob das Subjekt eine Einheit oder eine Mehrheit von Gegenständen ausdrückt (↑ 430 f.), z. B.:

> eine Reihe von Diebstählen, zwei Drittel der Bevölkerung.

428 Bei einem Subjekt, in dem verschiedene Personen durch *und* (auch: *sowohl – als auch, weder – noch*) verknüpft sind, wird das Prädikat grundsätzlich in den Plural gesetzt. Dabei gilt:

Wenn in dem mehrteiligen Subjekt eine 1. Person *(ich, wir)* genannt wird, steht das Prädikat in der 1. Person Plural (das Gesamtsubjekt ist durch *wir* ersetzbar). Kommt in dem Satz ein Reflexivpronomen vor, steht es entsprechend in der Form *uns* (nicht: *sich*):

> ich/wir und du
> ich/wir und er
> ich/wir und ihr
> ich/wir und sie (Pl.) } (= wir) *haben uns* sehr gefreut.

Beispiele:

> Ich und du *werden uns* darum kümmern. Meine Frau und ich *möchten uns* herzlich bedanken. Unsere Freunde und wir *haben uns* verfehlt. Wir und ihr *werden uns* jetzt verabschieden.

Wenn in dem mehrteiligen Subjekt eine 2. und 3. Person miteinander verbunden sind, steht das Prädikat (und gegebenenfalls das Reflexivpronomen) in der 2. Person Plural; das Gesamtsubjekt ist durch *ihr* ersetzbar:

> du/ihr und er
> du/ihr und sie (Pl.) } (= ihr) *habt euch* sehr gefreut.

Beispiele:

> Du und Wolfgang *wart* immer meine besten Freunde. Die Eltern und ihr *habt euch* ja nie gut verstanden. Wann *habt* du und die Krauses *euch* eigentlich kennengelernt?

Häufig wird zur Verdeutlichung das zusammenfassende Pronomen (*wir* bzw. *ihr*) eingefügt:

> Ich und du, *wir* werden uns darum kümmern. Wann habt *ihr*, du und die Krauses, euch eigentlich kennengelernt?

429 Bei einem Subjekt, in dem unterschiedliche Personen durch (*entweder -*) *oder* verknüpft sind, richtet sich die Form des Prädikats nach dem am nächsten stehenden Subjektteil:

> Er oder *ich werde* verlieren. Ich oder *er wird* verlieren. *Hast du* oder Anne das gemacht? *Hat Anne* oder du das gemacht?

 Solche Konstruktionen wirken meist unschön; sie sollten nach Möglichkeit vermieden werden. Besser könnte man z. B. sagen:

> Einer (von uns beiden) - er oder ich - wird verlieren. Er oder ich - einer wird verlieren. Wer hat das gemacht, du oder Anne?

430 Wenn in einem Subjekt eine Menge von Gegenständen genannt wird, treten oft Zweifel auf, ob das Prädikat im Singular oder im Plural zu stehen hat. Das ist besonders der Fall bei unbestimmten Mengenangaben wie

> Anzahl, Gruppe, Handvoll, Haufen, Masse, Menge, Reihe, Schar, Teil, Unmasse

und bei bestimmten Mengenbezeichnungen wie Prozent- und Bruchzahlen und

> Gramm, Pfund, Kilo, Liter, Meter, Pfennig, Mark.

Häufig sind beide Prädikatformen (Singular und Plural) möglich: Wenn man mehr die Gesamtheit der Menge betonen will, wählt man die Singularform des Prädikats; wenn man mehr die einzelnen Gegenstände sieht, aus denen die Menge besteht, setzt man das Prädikat in die Pluralform:

> Eine Menge leere Flaschen *stand* auf dem Tisch. – Eine Menge leere Flaschen *standen* auf dem Tisch.

Als Grundregel gilt: Der Satz ist immer korrekt, wenn das Prädikat grammatisch mit dem Subjekt übereinstimmt; das heißt: Ist die Mengenbezeichnung im Subjekt eine Singularform (*eine Reihe, eine Gruppe*), kann das Prädikat ebenfalls immer in der Singularform stehen; ist die Mengenangabe im Subjekt ein Plural (*500 g, 30 Prozent*), kann das Prädikat ebenfalls immer im Plural stehen (oft ist dies auch die einzig mögliche Form):

> (Subjekt im Singular:) Eine Gruppe von Kindern *stand* abseits von den anderen. Zu diesem Punkt *liegt* eine Reihe von Anträgen vor. Ein Teil der Bücher *war* schon ganz vergilbt. Über dem Wasser *schwirrte* eine Unmasse Mücken. Ein Haufen alter Lumpen *lag* in der Ecke. Am Unfallort *hatte* sich eine Schar Neugieriger versammelt. Ein Pfund Zwiebeln *wird* in Ringe geschnitten. Ein Kilo Tomaten *kostet* jetzt vier Mark.

> (Subjekt im Plural:) 500 g Zwiebeln *werden* in Ringe geschnitten. Zwei Kilo Tomaten *kosten* acht Mark. 3 m Stoff *reichen* für ein Kleid. Bei einem Wannenbad *werden* etwa 150 Liter Wasser verbraucht; zum Duschen dagegen *werden* nur rd. 50 Liter benötigt. 2,50 DM für ein solches Heft *sind* (auch: *ist*) ein bißchen viel. Fünfzig Pfennig *reichen* (auch: *reicht*) als Belohnung. Zehn Mark Taschengeld *sind* (auch: *ist*) ihm zu wenig. 0,80 DM in Briefmarken *sind* beigefügt. 30% des Materials *waren* unbrauchbar. Zehn Prozent der Wahlberechtigten *gingen* nicht zu den Urnen. Zwei Drittel der Bevölkerung *konnten* sich noch in Sicherheit bringen.

431 Wenn ein Subjekt aus zwei oder mehr Teilen im Singular besteht, die durch *und* miteinander verbunden sind, wird das Prädikat in der Regel in den Plural gesetzt, weil eine Mehrzahl von Personen oder Gegenständen bezeichnet wird. Das gilt auch, wenn Teile im Subjekt ausgespart werden, z. B.:

> *Der kleine und der große Klaus* (= der kleine Klaus und der große Klaus) *gingen* spazieren.

Es gibt aber Fügungen, deren Teile als eng zusammengehörig empfunden werden. In solchen Fällen kann das Prädikat auch im Singular stehen; das mehrteilige Subjekt ist dann als Einheit aufgefaßt:

> Dafür *fehlt* mir Zeit und Geld. Viel Glück, Freude und Gesundheit *möge* Ihnen im Neuen Jahr beschieden sein. Da *geht* doch Hinz und Kunz hin. Für diese Aufgabe *ist* berufliche und persönliche Qualifikation erforderlich. Das erste und zweite Kapitel *war* nicht leicht zu lesen.

Das Prädikat steht auch oft im Singular, wenn die Einzelteile des Subjekts besonders betont werden, z. B. durch Pronomen wie *kein, jeder* oder durch Konjunktionen wie *nicht nur – sondern auch, weder – noch:*

> Jeder Junge und jedes Mädchen *soll* einen Beruf erlernen können. Kein Brief, keine Karte, kein Anruf *kam* von ihm. Nichts und niemand *kann* mich davon abbringen! Nicht nur der Vorsitzende, sondern auch sein Stellvertreter *mußte* zurücktreten. Weder Müller noch ein anderer *wußte* von den Unterschlagungen.

432 Sind Subjektteile im Singular mit *oder, entweder – oder, bzw.* verbunden, wird das Prädikat in die Singularform gesetzt:

> Ich weiß nicht, ob Goethe oder Schiller das geschrieben *hat.* Entweder Herr Blum oder Herr Altmann *wird* Sie am Flughafen abholen. Der Vater bzw. die Mutter *muß* das Zeugnis unterschreiben.

Wenn einer der Subjektteile im Plural steht, richtet sich die Form des Prädikats nach dem Subjektteil, der am nächsten steht:

> Entweder keiner oder *alle bekommen* einen Preis. – Entweder alle oder *keiner bekommt* einen Preis.

3.3 Die Ergänzungen im Akkusativ, Dativ und Genitiv

Die Akkusativergänzung

433 Die Akkusativergänzung läßt sich mit der Frage „wen oder was?" erschließen:

> Die Firma hat *einen neuen Buchhalter* eingestellt.
> *Wen* hat die Firma eingestellt? – *Einen neuen Buchhalter.*

Als Akkusativergänzung kommen vor allem Substantivgruppen und Pronomen vor:

| Hast du | das Mädchen dort
die neuen Fotos
jemanden
nichts
sie | gesehen? |

Bei bestimmten Verben kann als Akkusativergänzung auch ein Nebensatz stehen (↑ 468 f.):

| Ich weiß, | daß ich nichts weiß.
wer das gewesen ist. |

Nicht immer ist eine Wortgruppe im Akkusativ eine Akkusativergänzung; vgl. z. B.:

> Er hat *den ganzen Tag* gearbeitet. Er will unbedingt *diesen Monat* damit fertig werden.

Diese Akkusativgruppen können nicht durch „wen oder was?" erfragt werden; sie sind Angaben, und zwar Zeitangaben, die auch in Form einer präpositionalen Fügung stehen könnten *(während des ganzen Tages, in diesem Monat).*

434 Wie das Subjekt hat auch die Akkusativergänzung keine einheitliche Bedeutung. Häufiger als eine Person wird in der Akkusativergänzung eine Sache genannt; sie bezeichnet im weitesten Sinne ein „Objekt", d. h. einen Gegenstand, der von einer Handlung betroffen ist, auf den eine Handlung gerichtet ist:

> Er mäht *den Rasen* / repariert *die Lampe* / putzt *die Schuhe* / wäscht *das Auto.*

Bei bestimmten Verben bezeichnet die Akkusativergänzung das Resultat einer Tätigkeit, die hervorgebrachte Sache:

> Sie backt *einen Kuchen*. Schulzes bauen *ein Haus*. Er schreibt *einen Brief*.

Einige Verben können nur mit einer „persönlichen" Akkusativergänzung stehen:

> *Mich* friert. Bei dem Gedanken daran schauderte/ekelte es *ihn*. Das interessiert *dich* wohl nicht. Sein Verhalten hat *mich* gewundert/geärgert/gefreut/erschreckt.

Hier bezeichnet die Akkusativergänzung eine Person, über deren körperlichen oder seelischen Zustand etwas ausgesagt wird. Meist kann bei diesen Verben die Person auch im Subjekt stehen; vgl.:

> *Ich* friere. *Er* schauderte/ekelte sich bei dem Gedanken daran. *Du* interessierst dich wohl nicht dafür.

---

435 | **Die Dativergänzung**

Die Dativergänzung läßt sich mit der Frage „wem?" ermitteln:

> Sie hat das Auto *ihrem Freund* geliehen.
> *Wem* hat sie das Auto geliehen? – *Ihrem Freund*.

Als Dativergänzungen kommen fast nur Substantivgruppen und Pronomen vor:

Das Land gehört	den Indianern.
	der katholischen Kirche.
	ihm.
	niemandem.
	allen.

Die Dativergänzung bezeichnet meist eine Person, die im weitesten Sinne an dem Geschehen beteiligt ist, oft den Empfänger:

> Wir gratulieren *dir* zum Geburtstag. Ich danke *euch allen*. Der Meister erklärt *dem Lehrling* die Maschine. Oma erzählt *den Kindern* von früher. Sie gab *ihm* einen Kuß. Wir senden *Ihnen* unsere neueste Angebotsliste zu.

436 | Die Genitivergänzung

Das Fragewort zur Ermittlung der Genitivergänzung lautet „wessen?":

> Sie nahm sich *des Waisenkindes* an.
> *Wessen* nahm sie sich an? – *Des Waisenkindes*.

Eine Genitivergänzung verlangen nur sehr wenige Verben (z. B. *bedürfen*, *gedenken*, *sich entledigen*); sie gehören meist einem gehobenen Stil an und kommen in der Gegenwartssprache kaum noch vor. Manche der ursprünglichen Genitivverben werden heute mit einer präpositionalen Ergänzung gebraucht, z. B.:

> Sie erinnert sich nicht gern *an ihre Schulzeit*. (Früher: Sie erinnert sich nicht gern *ihrer Schulzeit*.) Ich schäme mich *für sein Verhalten*. (Früher: Ich schäme mich *seines Verhaltens*.)

In einigen festen Wendungen hat sich die Genitivergänzung aber noch erhalten, z. B.:

> seines Amtes walten, sich seiner Haut wehren, jeder Grundlage entbehren, sich der Stimme enthalten, sich eines Besseren besinnen.

Ungleich häufiger als Genitivergänzungen kommen Genitivattribute (Beifügungen im Genitiv, ↑ 233) vor, z. B.:

> das Wohl *des Kindes*, in allen Farben *des Regenbogens*.

Diese beiden Arten von Genitivwortgruppen dürfen nicht verwechselt werden: Die Genitivergänzung ist ein selbständiges Satzglied, das Genitivattribut dagegen ist immer nur Teil eines Satzgliedes, es kann also nie allein, sondern nur zusammen mit seinem Bezugswort im Satz verschoben werden:

> Vorrang hat *das Wohl des Kindes*. – *Das Wohl des Kindes* hat Vorrang. (Nicht möglich z. B.: *Des Kindes* hat *das Wohl* Vorrang.)

3.4 Ergänzungen mit einer Präposition

437 | Viele Verben fordern eine Ergänzung mit einer Präposition. In solchen Ergänzungen kommen verschiedene Präpositionen vor, z. B.:

> Ich warte *auf dich*. Ich denke *an dich*. Ich rechne *mit dir*.

Deshalb gibt es keine einheitliche Frage, mit der man diese Ergänzungen ermitteln kann, sondern man muß immer von dem jeweiligen Verb ausgehen; denn jedes Verb mit einer präpositionalen Ergänzung verlangt in der Regel eine ganz bestimmte Präposition (*sich verlassen* z. B. steht mit der Präposition *auf*):

> Er verläßt sich auf seine Mitarbeiter.
> *Auf wen* (oder *auf was*) verläßt er sich? – *Auf seine Mitarbeiter.*

Eine präpositionale Ergänzung hat also eine feste, nicht austauschbare Präposition; das unterscheidet sie von anderen Satzgliedern, die ebenfalls als präpositionale Fügungen vorkommen können. So kann etwa das Verb *liegen* mit *auf*, aber auch mit anderen Präpositionen stehen; vgl. z. B.:

> Das Buch liegt *auf* dem Tisch / *im* Regal / *neben* der Lampe / *unter* der Zeitung.

Entsprechend fragt man auch nicht „auf was / in was ... liegt das Buch?", sondern „wo?": die Präpositionalgruppe ist hier eine Ergänzung, die den Ort angibt.
In Ergänzungen mit einer Präposition kommen neben Wortgruppen auch Adverbien vor, die die jeweilige Präposition enthalten (Präpositional- oder Pronominaladverbien, ↑ 353 f.):

Udo kümmert sich	um die Gäste. um sie. um die Organisation. darum.

Zu präpositionalen Ergänzungen in Form eines Nebensatzes ↑ 470.

3.5 Die Gleichsetzungsergänzung

438 Ergänzungen, die eine Person oder Sache mit einer anderen gleichsetzen oder sie in eine bestimmte Klasse, Gattung, einordnen, heißen Gleichsetzungsergänzungen. Sie kommen nur bei wenigen, aber häufig gebrauchten Verben vor, vor allem bei *sein*, *werden* und *bleiben* (soweit sie als Vollverben stehen):

> Bonn ist *die Hauptstadt der Bundesrepublik Deutschland*. Ingo und Ina sind *Zwillinge*. Ingo ist *mein bester Freund*. Ina will *Kfz-Mechanikerin* werden. Er bleibt *Landesvorsitzender seiner Partei*. Ich bin *ein Berliner*. Katzen sind *Raubtiere*.

Im allgemeinen bezieht sich die Gleichsetzungsergänzung auf das Subjekt des Satzes. Sie steht deshalb auch im Nominativ, wird aber nicht mit „wer oder was?" erfragt, sondern in der Regel nur mit „was?", auch wenn es sich um eine Person handelt:

> Er ist ein *echter Rheinländer.*
> *Was* ist er? - *Ein echter Rheinländer.*

Die Gleichsetzungsergänzung unterscheidet sich noch in einer anderen Hinsicht vom Subjekt: Nur das Subjekt bestimmt, in welcher Person und Zahl das Prädikat steht (↑ 427); die Gleichsetzungsergänzung muß dagegen nicht mit der Form des Prädikats übereinstimmen; vgl. z. B.:

> Die Assmann-Werke (Subjekt: Plural) sind (Prädikat: Plural) ein aufstrebendes Unternehmen (Gleichsetzungsergänzung: Singular).

Als Gleichsetzungsergänzung steht in der Regel ein Substantiv bzw. eine Substantivgruppe:

> Kurt ist | Polizist.
> | ein netter Mensch.
> | unser bester Spieler.

Einige Verben verlangen auch eine Gleichsetzungsergänzung, die sich nicht auf das Subjekt, sondern auf die Akkusativergänzung bezieht. Entsprechend steht dann auch die Gleichsetzungsergänzung im Akkusativ; daneben kommen auch Anschlüsse mit einer Präposition und mit *als* vor:

> Er hat mich *einen Lügner* genannt. Ich halte ihn *für einen Schwätzer.* Man bezeichnet solche Satzglieder *als Ergänzungen.*

3.6 Adverbiale Ergänzungen

439 Adverbiale Bestimmungen, die Umstände des Geschehens (Ort, Zeit, Grund usw.) angeben, kommen in vielen Sätzen vor. Meist sind sie freie, weglaßbare Satzglieder, also Angaben. Bei bestimmten Verben aber ist eine adverbiale Bestimmung ein notwendiges Satzglied, eine Ergänzung, ohne die der Satz nicht korrekt wäre; vgl. z. B.:

(Adverbiale Bestimmung als Ergänzung:) Er wohnt *in Mannheim*. – Nicht möglich: Er wohnt.

(Adverbiale Bestimmung als Angabe:) Er studiert *in Mannheim* Betriebswirtschaft. – Auch möglich: Er studiert Betriebswirtschaft.

Als Ergänzungen kommen Umstandsbestimmungen des Raumes, der Zeit, des Grundes und der Art und Weise vor. Welchen Umstand eine adverbiale Ergänzung bezeichnet, hängt von dem jeweiligen Verb ab. Bei manchen Verben mit einer sehr allgemeinen Bedeutung (wie z. B. *sein*, *geschehen*) können allerdings verschiedenartige Adverbialergänzungen stehen.

440 Verben wie z. B. *sich befinden*, *wohnen*, *liegen*, *stehen*, *sitzen* haben meist eine Ergänzung, die den Ort bezeichnet (Frage: „wo?"). Bei Verben wie *fahren*, *gehen*, *kommen*, *legen*, *stellen* steht eine adverbiale Ergänzung, die die Richtung („wohin?", „woher?") angibt. Orts- und Richtungsergänzungen kommen in Form von präpositionalen Wortgruppen und von Adverbien vor, z. B.:

Wir fahren nächstes Jahr wieder

> an die Ostsee.
> zu unseren Freunden.
> nach Italien.
> dorthin.

Einige wenige Verben verlangen eine Adverbialergänzung der Zeit oder des Grundes; z. B.:

Die Sitzung dauerte *bis Mitternacht / lange*. Das Verbrechen geschah *aus Eifersucht*. Die meisten Unfälle passieren *wegen überhöhter Geschwindigkeit*.

441 Eine adverbiale Ergänzung der Art und Weise (Artergänzung) steht bei Verben wie *sein*, *werden*, *bleiben*, *scheinen*, *wirken* u. ä.:

Die Prüfung war *schwer*. Das Essen wird *kalt*. Sie bleibt immer *cool*. Er wirkte *nervös*. Du siehst *schlecht* aus. Sie tritt *sehr selbstbewußt* auf. Die Lösung scheint *einfach*. Er stellt sich *ganz geschickt* an.

Die Artergänzung ist mit „wie?" erfragbar und besteht in der Regel aus einem Adjektiv (oder Partizip) bzw. einer Adjektivgruppe:

	wunderbar.
	sehr schön.
Der Urlaub war	völlig verregnet.
	ziemlich teuer.
	viel zu kurz.

Bestimmte Artergänzungen bei *sein* haben ihrerseits eine Ergänzung bei sich. Man nennt solche Ergänzungen, die nicht unmittelbar vom Verb gefordert werden, Ergänzungen 2. Grades:

| Er | ist | *seinem Vater* | ähnlich. |

> Das ist *mir* gleichgültig. Leider sind wir *auf ihre Unterstützung* angewiesen. In seiner Wut ist er *zu allem* fähig. Das Land ist reich *an Rohstoffen*.

Zu den einzelnen Arten von Ergänzungen, die bei Adjektiven möglich sind, ↑ 337.

4 Die Satzbaupläne

442 | Wenn man eine größere Anzahl von Sätzen in ihrem Aufbau miteinander vergleicht, kann man feststellen, daß manche von ihnen die gleichen notwendigen Bauteile enthalten; sie sind offensichtlich vom selben „Typ"; so z. B. die folgenden Sätze:

> Vor lauter Aufregung steckte sie den Schlüssel verkehrt ins Schloß. Der Einbrecher zog mit einer blitzschnellen Bewegung eine Pistole aus der Tasche. Bei ihrem nächsten Treffen legen die Unterhändler vermutlich ihre Karten auf den Tisch. Du bringst doch morgen das Auto zur Reparatur in die Werkstatt?

Zwar stehen hier im Prädikat und in den Ergänzungen andere Wörter, und die Sätze sind mit unterschiedlichen zusätzlichen Angaben aufgefüllt (sie haben also natürlich alle eine andere Bedeutung); die Art des Prädikats und der Ergänzungen ist aber die gleiche, und zwar folgende:

Sie	steckte	den Schlüssel	ins Schloß.
Der Einbrecher	zog	eine Pistole	aus der Tasche.
Die Unterhändler	legen	ihre Karten	auf den Tisch.
Du	bringst	das Auto	in die Werkstatt.

Allen diesen Sätzen (und vielen weiteren Sätzen) liegt also ein und derselbe Bauplan zugrunde. Man nennt einen solchen abstrakten Plan, der die notwendigen Bauteile für einen bestimmten Satztyp verzeichnet, den Satzbauplan. Er ist mit einem Konstruktionsplan für eine Maschine, z. B. ein Auto, vergleichbar: So wie man nach einem Konstruktionsplan unendlich viele Autos bauen kann, können nach einem Satzbauplan beliebig viele Sätze gebaut werden.

Und so wie es verschiedene Typen oder Modelle von Autos gibt, gibt es auch verschiedene Satzmodelle, die nach unterschiedlichen Satzbauplänen gebaut sind. Unterschiedliche Satzbaupläne entstehen dadurch, daß die Verben Ergänzungen unterschiedlicher Anzahl und Art verlangen. Es kommen aber nur bestimmte Kombinationen von Ergänzungen vor, und die allermeisten Verben haben höchstens drei Ergänzungen. So ergibt sich eine relativ kleine, jedenfalls begrenzte Zahl von Satzbauplänen, die den unendlich vielen konkreten Sätzen zugrunde liegen.

443 Das Deutsche hat rund 30 verschiedene Satzbaupläne. Die wichtigsten von ihnen werden im folgenden mit einigen Beispielen aufgeführt.

Das Kind schläft. Die Sterne leuchteten. Die Sonne geht auf. Die Blumen sind verwelkt. Eisen rostet. Der Käse stinkt. Das Telefon hat geklingelt. Ich verdurste.

Alle lieben Stefan. Die größeren Kinder beaufsichtigten die kleinen. Du kannst dein Geld behalten. Sie strickt einen Pullover. Er verschenkt seinen alten Kassettenrecorder. Der Zeuge beschreibt den Unfallhergang.

Ich danke dir. Dem Mutigen hilft Gott. Zu viel Sonne schadet der Haut. Mir ist etwas Schreckliches passiert. Gefällt dir die neue Frisur? Das leuchtet mir ein. Ihm gehören große Ländereien.

Das hängt von den Umständen ab. Er achtet auf seine Figur. Ich richte mich nach Ihnen. Sie regt sich über jede Kleinigkeit auf. Dieter bemüht sich um eine neue Stelle. Wasser besteht aus Wasserstoff und Sauerstoff.

Karl ist Handelsfachpacker. Silvia wird Floristin. Das war ein hartes Stück Arbeit. Er bleibt ein Träumer. Das Stück wurde ein Flop. Ali ist mein bester Freund geblieben.

Herr Direktor Schneider ist im Ausland. Mein Bruder lebt in München. Das Kind rannte über die Straße. Die Vögel fliegen nach Süden. Das Unglück ereignete sich gegen Mitternacht. Der Brand entstand aus Unachtsamkeit. Das Spiel war langweilig. Ihr habt euch unmöglich benommen.

Der Arzt gibt dem Kranken eine Spritze. Er verschreibt ihm ein neues Medikament. Rüdiger schenkt seiner Freundin einen Ring. Ich empfehle Ihnen dieses Modell. Er teilt uns seine Ankunft mit.

Ich erinnere dich an dein Versprechen. Er hält mich von der Arbeit ab. Darf ich Sie um einen Gefallen bitten? Er wies uns auf die Gefahren des Weges hin. Wir informieren Sie über den neuen Termin.

Er legt die Füße auf den Tisch. Sie räumt das Geschirr in den Schrank. Die Einbrecher haben alle Bücher aus den Regalen gerissen. Meier schießt den Ball ins Tor. Sie hängt ein Tuch vor das Bild.

Das kostet mich ein Vermögen. Die Eltern haben die Kinder Pflichterfüllung gelehrt. Sie fragt ihren Bruder das Gedicht ab. Der Lehrer hört die Schüler die Vokabeln ab.

Bei *lehren, abfragen* und *abhören* wird die Person auch oft in den Dativ gesetzt:

Die Eltern haben *den Kindern* Pflichterfüllung gelehrt. Sie fragt *ihrem Bruder* das Gedicht ab. Der Lehrer hört *den Schülern* die Vokabeln ab.

 Falsch ist der Gebrauch von *lernen* anstelle von *lehren:*

Nicht: Die Mutter lernt der Tochter das Stricken. Sondern: Die Mutter lehrt die Tochter das Stricken. Oder (mit einem anderen Verb): Die Mutter bringt der Tochter das Stricken bei.

Der Betriebsrat verhandelt mit der Geschäftsleitung über die Arbeitszeitregelung. Ich wette mit dir um eine Flasche Sekt. Er einigte sich mit ihm über die Höhe des Schadensersatzes. Sie wollte sich für das Unrecht an allen rächen.

5 Angaben

5.1 Bestimmung und Einteilung der Angaben

444 Mit einem Prädikat und seinen Ergänzungen kann man einen grammatisch vollständigen, korrekten Satz bilden, und für manche Zwecke der Verständigung reicht eine solche „Grundausstattung" des Satzes auch aus. Oft will man aber mehr als das unbedingt Erforderliche ausdrücken; man möchte z. B. örtliche und zeitliche Umstände eines Geschehens nennen, man möchte eine Handlung begründen oder näher beschreiben, man möchte seine Meinung und seine persönliche Einstellung zu etwas kundtun. Diese „Extras", die man für bestimmte Mitteilungszwecke braucht, liefern die Angaben. Angaben sind also Satzglieder, die grammatisch nicht notwendig, für die Verständigung aber unter Umständen sehr wichtig sind; sie stellen sozusagen die „Sonderausstattung" dar, durch die der Satz inhaltlich reicher und aussagekräftiger wird.

Man kann vier Hauptgruppen von Angaben unterscheiden:

Ortsangaben (Lokalangaben)	hier, drüben, auf der Straße, am See, in England, unter der Erde
Zeitangaben (Temporalangaben)	heute, diese Woche, nach dem Essen, im Jahre 2000, seitdem, oft, immer
Angaben des Grundes (Kausalangaben)	deshalb, wegen Bauarbeiten, bei diesem Wetter, zur Belohnung
Angaben der Art und Weise (Modalangaben)	sorgfältig, gut, total, mit allen Mitteln, vielleicht, leider, nicht

5.2 Orts- und Zeitangaben

445 Angaben des Ortes (Lokalangaben) antworten auf die Frage „wo?" (Richtungsbestimmungen – Frage: „wohin?" – sind immer Ergänzungen); sie kommen in Form von Adverbien und Präpositionalgruppen vor:

> Rat mal, wen ich *in der Stadt* getroffen habe! *In Griechenland* hat es uns sehr gut gefallen. Wir hatten *dort* nur schönes Wetter. *Auf dem Land* ist eben vieles noch ganz anders.

Angaben der Zeit (Temporalangaben) können mit „wann?", „wie lange?" oder „wie oft?" erfragt werden; sie geben also den Zeitpunkt, die Zeitdauer oder die Häufigkeit eines Geschehens an (↑ auch 346):

> *Heute* gehe ich nicht zur Arbeit. *Nach dem Essen* sollst du ruh'n oder tausend Schritte tun. Wir haben *lange* nichts mehr von ihm gehört. Er ist *seit Monaten* unauffindbar. Sabine ist *meistens* sehr beherrscht, aber *manchmal* verliert auch sie die Geduld. Sie sind *zum dritten Mal* zu spät zur Arbeit gekommen.

Neben Adverbien und Präpositionalgruppen kommen bei bestimmten Zeitangaben auch Substantivgruppen im Akkusativ oder Genitiv vor:

> *Jeden Tag* kommen wir ein Stückchen weiter. Sie hat *die ganze Nacht* wach gelegen. Du wirst es *eines Tages* noch bereuen.

Als Zeitangaben stehen auch häufig Nebensätze (Temporalsätze, ↑ 472).

5.3 Angaben des Grundes

446 In dieser Gruppe werden Angaben zusammengefaßt, die im weiteren Sinne etwas mit Begründungen zu tun haben. Sie nennen u. a.

einen Grund, eine Ursache im engeren Sinne („warum?"):

> *Wegen Inventur* bleibt unser Geschäft heute geschlossen. *Aufgrund/infolge der schlechten Auftragslage* wurde die Produktion eingeschränkt. Die Firma meldete *deshalb* Kurzarbeit an.

eine Bedingung („unter welcher Bedingung?", „in welchem Fall?"):

> *Bei Frost* müssen die Bauarbeiten unterbrochen werden. *Im günstigsten Fall* wird das Haus Ende April fertig. *Dann* können Sie im Mai einziehen.

einen Zweck („wozu?"):

> Frau Brenner fährt *zur Kur* nach Bad Ems. *Für die Reise* kauft sie sich einen neuen Koffer. *Dazu* geht sie in ein Lederwarengeschäft.

einen Gegensatz („trotz welchen Umstands?"):

> Er lief *trotz seiner Verletzung* weiter. Aber *bei aller Anstrengung* erreichte er das Ziel doch nur als dritter. *Dennoch* war es eine großartige Leistung.

Kausale Angaben kommen in Form von Präpositionalgruppen und Adverbien vor, sehr häufig auch als Nebensätze (↑ 473 ff.).

5.4 Angaben der Art und Weise

447 Die Bezeichnung „Angaben der Art und Weise" bedeutet zweierlei. Zum einen handelt es sich um Angaben, die beschreiben, wie etwas vor sich geht oder wie jemand etwas tut, z. B.:

> *Langsam* verschwand die Sonne hinter den Bergen. Er spielt *gut* Tennis.

Zum anderen sind Angaben gemeint, die die Art und Weise bezeichnen, wie der Sprecher zu einem Geschehen steht, wie er es einschätzt; z. B.:

> Unsere Mannschaft hat *leider* verloren. Er kommt *bestimmt* noch.

Angaben, die einen Vorgang oder eine Handlung charakterisieren, können mit „wie?" erfragt werden:

> *Wie* spielt er Tennis? – *Gut.*

Als Artangaben in diesem engeren Sinne stehen meist Adjektive (oder Partizipien):

> Julia arbeitet im Unterricht *rege* mit. Sie schreibt meist *fehlerfrei*, liest aber noch nicht *flüssig*. Das kleine Einmaleins be-

herrscht sie *sicher*. Sie begreift Zusammenhänge *rasch* und kann die meisten Arbeiten *selbständig* ausführen. Ihre Hausaufgaben erledigt sie stets *sorgfältig*.

Bei bestimmten Verben bezeichnet die Artangabe den Grad, die Intensität; hier kommen auch Adverbien vor:

Das würde mich *sehr* freuen. Ich verlasse mich *ganz* auf Sie. Er hat sich *völlig* verausgabt. Da haben wir uns wohl alle *total* geirrt. Sie hat schon *ziemlich* abgenommen. Er kümmert sich *wenig* um seine Familie.

Zu den Artangaben zählen auch Umstandsbestimmungen, die ein Mittel oder eine Methode bezeichnen:

Sie schlug den Nagel *mit dem Absatz ihres Schuhes* in die Wand. Ich fahre immer *mit dem Bus* zur Arbeit. Er ließ *durch einen Freund* Grüße ausrichten. *So* kommen wir nie zu einem Ende. Man muß das Problem zunächst *theoretisch* lösen.

Eine weitere Untergruppe bilden Vergleichsangaben:

Das Metall glänzte *wie Gold*. Der Alkohol brennt *wie Feuer* in der Kehle. Er ist schlau *wie ein Fuchs*. Sie ist so alt *wie ich*. Michael ist größer *als sein Vater*.

448 Angaben, mit denen der Sprecher seine Einstellung zu einem Geschehen bekundet, können nicht mit „wie?" (oder irgendeinem anderen Fragewort) erfragt werden; vgl.:

Hoffentlich kommt er. – Nicht möglich: *Wie* kommt er?

Der Sprecher drückt mit solchen Angaben seine Gefühle aus (z. B. Erstaunen, Ärger, Anteilnahme), er gibt also seiner Äußerung eine bestimmte Abtönung (↑ 351), oder er beurteilt, bewertet einen Sachverhalt (↑ 350); es kommen fast ausschließlich Adverbien vor:

Er hat *aber auch* immer Pech! Stell dich *doch* nicht so an! Hast du das *etwa* gestohlen? *Gottseidank* ist niemandem etwas passiert. Es hat *leider* nicht geklappt. *Merkwürdigerweise* waren alle auf einmal verschwunden.

449 Mit bestimmten Angaben kann der Sprecher auch deutlich machen, inwieweit, in welchem Umfang das, was er in einem Satz ausdrückt, gelten soll. Solche Angaben (wie z. B. *vielleicht, wahrscheinlich*) spielen im sprachlichen Umgang eine wichtige Rolle; sie zeigen an, in welchem Maße der Sprecher sich für das, was er sagt, verpflichtet. Für eine Behauptung – z. B.

> Herr Meier hat das Geld gestohlen. –

muß er Beweise anführen können; wenn er sich also seiner Sache nicht ganz sicher ist, wird er seine Äußerung vorsichtiger formulieren und z. B. sagen:

> *Vielleicht/möglicherweise* hat Herr Meier das Geld gestohlen.

Er kann dann nicht in dem Maße für seine Aussage zur Rechenschaft gezogen werden wie für eine uneingeschränkte Behauptung.

Es gibt eine ganze Reihe von Angaben, mit denen der Sprecher die Geltung in verschiedenen Abstufungen einschränken kann – bis hin zur Verneinung; auf der anderen Seite kann er sie aber auch ausdrücklich bestätigen und bekräftigen. Neben Adverbien kommen auch Adjektive und präpositionale Fügungen vor:

> Sie war *zweifellos/ohne Zweifel* der Star des Abends. Bis Freitag ist die Ware *bestimmt/sicher/mit Sicherheit* eingetroffen. *Mit an Sicherheit grenzender Wahrscheinlichkeit/mit großer Wahrscheinlichkeit/höchstwahrscheinlich* werden die Tarifpartner heute noch zu einem Abschluß kommen. Er wird *vermutlich/möglicherweise/vielleicht/eventuell* diese Woche mit der Arbeit fertig. Vor Sonntag werde ich *kaum* zurück sein. Das stimmt *nicht.*

Zum Bezug und zur Stellung dieser Angaben, insbesondere von *nicht,* ↑ 462.

6 Die Wortstellung

6.1 Allgemeines

450 Man äußert und versteht einen Satz immer als eine Gesamtheit, als inhaltliche Einheit, aber man kann ja seine Bestandteile nicht gleichzeitig sagen oder schreiben, sondern muß sie nacheinander anordnen. Die Bedeutung eines Satzes ergibt sich also aus seinen einzelnen Teilen und ihrer Anordnung.

Der üblichste Begriff für die Anordnung der Satzteile ist „Wortstellung". Dabei muß man sich aber bewußt sein, daß es hier nicht um die Stellung einzelner Wörter geht, sondern um die Stellung von Satzeinheiten, also um „Satzgliedstellung" und um die Stellung des Prädikats. Allerdings spielt „Wortstellung" auch in anderen Bereichen eine Rolle: beim Aufbau von Wortgruppen (↑ z.B. 230 ff.) und beim Aufbau eines Satzgefüges aus Haupt- und Nebensatz (↑ 488).

451 Im Unterschied zu anderen Sprachen, etwa dem Englischen, hat das Deutsche eine relativ freie Wortstellung. Die meisten Satzglieder können an verschiedenen Stellen im Satz stehen (nur deshalb ist es auch möglich, die Satzglieder mit Hilfe der Umstellprobe, ↑ 412, zu ermitteln); vgl. z.B. die Stellung der Zeitangabe *morgen* in folgenden Sätzen:

> *Morgen* bringe ich das Auto in die Werkstatt.
> Ich bringe *morgen* das Auto in die Werkstatt.
> Ich bringe das Auto *morgen* in die Werkstatt.

In bestimmten Fällen hat die Wortstellung die Aufgabe, die Art eines Satzglieds deutlich zu machen, z.B. in einem Satz wie

> Endlich fanden sie die Kinder.

Hier ist an der Form der Ergänzungen nicht zu erkennen, welches das Subjekt und welches die Akkusativergänzung ist, wer also wen fand – *sie* (Subjekt) *die Kinder* (Akkusativergänzung) oder umgekehrt *die Kinder* (Subjekt) *sie* (Akkusativergänzung). Solche eigentlich mehrdeutigen Sätze versteht man aber automatisch so, daß die erste Ergänzung (hier: *sie*) das Subjekt ist, weil allgemein die Regel gilt, daß das Subjekt vor der Akkusativergänzung steht. Wenn man die andere Satzbedeutung ausdrücken wollte, würde man entsprechend sagen:

> Endlich fanden die Kinder sie.

Wirklich mehrdeutige Fälle dieser Art sind aber sehr selten; in der Regel wird nicht erst durch die Wortstellung, sondern schon aus dem Zusammenhang deutlich, was gemeint ist.

452 Die Wortstellung kann also weitgehend andere Aufgaben beim Bau des Satzes übernehmen. Der Sprecher kann mit ihrer Hilfe den Satz nach seinen Absichten und Zwecken organisieren, indem er den einzelnen Teilen ein unterschiedliches Gewicht gibt. Gewöhnlich baut man eine Äußerung so auf, daß man vom Bekannten zum Neuen, zur eigentlichen Aussage fortschreitet. Bei einer solchen „normalen" Wortstellung liegt also der Schwerpunkt der Äußerung am Satzende:

> Die 50-Jahr-Feier unseres Vereins erhielt ihren sportlichen Höhepunkt *mit dem Spiel gegen die deutsche Nationalmannschaft*.

Man kann die Hauptinformation aber auch besonders hervorheben, indem man sie an den Anfang des Satzes stellt:

> *Mit dem Spiel gegen die deutsche Nationalmannschaft* erhielt die 50-Jahr-Feier unseres Vereins ihren sportlichen Höhepunkt.

So wird die Aufmerksamkeit des Hörers bzw. Lesers sofort auf den wichtigsten, interessantesten Punkt der Äußerung gelenkt. (Von dieser Satzbauweise wird deshalb vor allem in der Pressesprache viel Gebrauch gemacht.)

Die Wortstellung kann also „Akzente setzen" – und das ist sogar wörtlich zu verstehen: Sie leistet in der geschriebenen Sprache das, was in der gesprochenen Sprache durch den Akzent, die Betonung, ausgedrückt wird. In mündlicher Rede kann man fast jeden Satzteil durch entsprechende Betonung hervorheben (↑ 50), in schriftlichen Äußerungen muß man zur Hervorhebung in der Regel eine andere Wortstellung wählen. Wenn man z.B. betonen möchte, daß man das Auto seinem Freund (und nicht etwa irgendeinem flüchtigen Bekannten) geliehen hat, kann man mündlich mit normaler Wortstellung und Betonung auf dem Dativ sagen:

> Ich habe meinem Fréund das Auto geliehen.

Wenn man dasselbe schriftlich ausdrücken will, muß man die
Dativergänzung an eine Schwerpunktstelle im Satz stellen, also
zum Ende hin oder an den Anfang:

> Ich habe das Auto *meinem Freund* geliehen.
> *Meinem Freund* habe ich das Auto geliehen.

453 Daß die Wortstellung im Deutschen relativ frei ist, bedeutet jedoch nicht, daß sie beliebig wäre. Es gibt vielmehr Gesetzmäßigkeiten, Regeln, für die Anordnung der Satzteile, und sie gelten in bestimmten Bereichen uneingeschränkt, d. h.,
es entsteht ein unkorrekter Satz, wenn sie nicht beachtet werden.

Sprecher, die Deutsch als Muttersprache sprechen, machen im
allgemeinen keine Fehler in der Wortstellung; Ausländern dagegen bereiten die Stellungsregeln oft große Schwierigkeiten, da sie
sich zum Teil erheblich von denen anderer Sprache unterscheiden. Die wichtigsten Besonderheiten der deutschen Wortstellung
haben mit der Stellung des Prädikats zu tun:

Das Prädikat tritt in bestimmten Sätzen auseinander (↑ 454):

> Wir *können* morgen ins Kino *gehen*.
>
> (engl.: We *can go* to the cinema tomorrow.)

Im Nebensatz steht das Prädikat am Ende (↑ 454):

> Ich hoffe, daß wir morgen ins Kino *gehen können*.
> (engl.: I hope that we *can go* to the cinema tomorrow.)

Vor dem Prädikat im Aussagesatz kann nur ein Satzglied stehen
(↑ 457):

> *Morgen* gehen wir ins Kino. Oder: *Wir* gehen morgen ins Kino.
> – Nicht möglich: *Morgen wir* gehen ins Kino.
> (engl.: *Tomorrow we* go to the cinema.)

6.2 Die Stellung des Prädikats und die Satzklammer

454 Das Prädikat hat in jedem Satz eine feste Stelle; es kann
innerhalb dieses Satzes nicht verschoben werden. Es gibt
aber verschiedene Möglichkeiten für diese feste Stelle. Ein ein-
teiliges Prädikat (also ein Prädikat, das nur aus einem Verb in

der Personalform besteht) kann die erste, die zweite oder die letzte Stelle im Satz einnehmen (↑ auch 415):

> *Erscheint* er heute wieder nicht zur Arbeit?
> Er *erscheint* heute wieder nicht zur Arbeit.
> ..., weil er heute wieder nicht zur Arbeit *erscheint*.

Ein mehrteiliges Prädikat (Personalform + unbestimmte Verbformen bzw. Verbzusatz) kann sich aufspalten, so daß die Teile getrennt voneinander im Satz stehen. Dabei ist aber nur die Personalform beweglich; die unbestimmten Verbformen stehen immer an ein und derselben Stelle am Ende des Satzes.

In Hauptsätzen nimmt die Personalform die erste oder die zweite Stelle ein:

> *Ist* er heute wieder nicht zur Arbeit *erschienen?*
> Er *ist* heute wieder nicht zur Arbeit *erschienen.*

Nur in Nebensätzen steht das gesamte Prädikat am Ende des Satzes, die Personalform tritt an die letzte Stelle (hinter die unbestimmten Verbformen):

> ..., weil er heute wieder nicht zur Arbeit *erschienen ist.*

455   Man nennt die auseinandertretenden Prädikatsteile die „Satzklammer" (oder Verbklammer), weil sie den übrigen Satz wie eine Klammer umschließen:

> | Ist | er heute wieder nicht zur Arbeit | erschienen | ?
> Satzklammer

Die Klammerteile stehen getrennt voneinander, gehören aber inhaltlich eng zusammen. Das bedeutet, daß man den Satz nicht stückweise verstehen kann, sondern ihn erst vom Ende her überschaut, wenn man auch den letzten Prädikatsteil erfaßt hat. Das gilt auch für Nebensätze – und sogar in besonderem Maße, da hier ja nicht nur ein Teil der Verbformen, sondern das gesamte Prädikat am Ende steht. Man kann auch in Nebensätzen von einer Klammer sprechen; allerdings handelt es sich nicht um eine reine Verbklammer wie in Hauptsätzen. Die Satzklammer in Nebensätzen besteht aus der einleitenden Konjunktion (z. B. *weil*) und dem Prädikat am Ende:

> | weil | er heute wieder nicht zur Arbeit | erschienen ist | .
> Satzklammer

Auch die Konjunktion und das Prädikat gehören eng zusammen; sie bedingen einander: Eine unterordnende Konjunktion bewirkt immer, daß das Prädikat am Ende steht, und umgekehrt steht das Prädikat nur dann am Ende, wenn eine unterordnende Konjunktion vorkommt.

456 Die Satzklammer umschließt nicht immer den gesamten übrigen Satz. In Aussage- und bestimmten Fragesätzen steht ein Satzglied vor der Klammer:

Er	ist	heute wieder nicht zur Arbeit	erschienen	.
Heute	ist	er wieder nicht zur Arbeit	erschienen	.
Warum	ist	er heute wieder nicht zur Arbeit	erschienen	?

Unter bestimmten Bedingungen kann auch ein Satzglied hinter der Klammer stehen; man spricht dann von „Ausklammerung":

Er | ist | wieder nicht zur Arbeit | erschienen | *heute.*

So wird der Satz durch die Satzklammer in drei Abschnitte gegliedert, auf die sich die Satzglieder verteilen. Man nennt diese Satzabschnitte auch „Felder" und bezeichnet den Abschnitt vor der Klammer als „Vorfeld", den Abschnitt zwischen den Klammerteilen als „Mittelfeld" und den Abschnitt hinter der Klammer als „Nachfeld".

Nicht in jedem Satz sind alle Felder besetzt, auch haben nicht alle Sätze eine Satzklammer. Die einzelnen Satzabschnitte haben aber jeweils eine bestimmte Funktion, Aufgabe, die für alle Sätze, in denen sie vorkommen, gleich ist.

6.3 Die erste Stelle in Hauptsätzen

457 Einen Satzabschnitt vor der Satzklammer gibt es nur in bestimmten Hauptsätzen: in Aussagesätzen und einem Teil der Fragesätze. In diesem Abschnitt steht in der Regel nur ein Satzglied:

> *Wegen Krankheit* fällt der Unterricht diese Woche aus.
> *Der Unterricht* fällt diese Woche wegen Krankheit aus.
> *Diese Woche* fällt der Unterricht wegen Krankheit aus.

Vor dem Satzglied kann eine nebenordnende Konjunktion stehen (Konjunktionen sind aber selbst keine Satzglieder; sie verbinden nur Sätze oder Satzglieder miteinander):

> *Aber* nächste Woche findet der Unterricht statt. *Denn* dann ist der Lehrer wieder gesund.

Bei dem Satzglied an der ersten Stelle können auch Wörter wie *fast, besonders, auch, sogar, nur* (Gradadverbien, ↑ 348) und *nicht* stehen; sie beziehen sich dann aber nur auf dieses Satzglied, bilden also praktisch eine Einheit mit ihm:

> *Nicht diese Woche* fällt der Unterricht aus, sondern nächste. *Fast jede Woche* fallen Stunden aus.

458 Nahezu alle Satzglieder können die erste Stelle im Satz besetzen; vgl. z. B.:

> (Ergänzungen:) *Wir* melden uns wieder um 22.30 Uhr. *Die Botschaft* hör' ich wohl, allein *mir* fehlt der Glaube. *Damit* konnte niemand rechnen. *In München* steht ein Hofbräuhaus. *Politiker* wollte er eigentlich nie werden. – (Angaben:) *Morgen* können wir endlich einmal ausschlafen. *In der Firma* gab es heute viel Ärger. *Wegen eines schweren Unfalls* war die Autobahn bis in die Abendstunden gesperrt. *Hoffentlich* sind wir bald da. *Vielleicht* komme ich heute abend noch vorbei.

Besonders häufig steht an der ersten Stelle das Subjekt; man spricht in diesem Fall auch von „Grundstellung" oder „gerader Wortstellung" und von „Umstellung" (Inversion) oder „ungerader Wortstellung", wenn das Subjekt hinter der Personalform des Verbs, also in der Satzmitte, steht. Man darf diese Bezeichnungen aber nicht so verstehen, daß nur die Stellung am Satzanfang die „richtige", „normale" Stellung des Subjekts sei. Daß das Subjekt häufiger als andere Satzglieder an der ersten Stelle vorkommt, erklärt sich einfach daraus, daß es überhaupt das bei weitem häufigste Satzglied ist. Von allen Subjekten, die in Hauptsätzen vorkommen, steht rund die Hälfte an der ersten Stelle, die andere Hälfte steht in der Satzmitte.

459 Die erste Stelle im Aussagesatz hat vor allem die Aufgabe, den Satz mit dem vorhergehenden Satz zu verbinden. Der Sprecher knüpft mit dem ersten Satzglied an etwas an, was schon bekannt ist oder bereits erwähnt wurde; deshalb stehen hier besonders häufig stellvertretende oder hinweisende Ausdrücke; vgl. z. B.:

> *Thomas* hat oft Ärger zu Hause. *Er* fühlt sich bevormundet. *Deshalb* will er ausziehen. *Das* verstehen seine Eltern nicht. *Sie* meinen es doch nur gut mit ihm.

Das erste Satzglied nennt also häufig den Ausgangspunkt der Äußerung, das „Thema", zu dem dann im weiteren Verlauf des Satzes etwas ausgesagt wird.

Der Sprecher kann aber auch seine Äußerung gerade mit dem Neuen, für ihn Wichtigen, also dem Kern der Aussage, beginnen:

> *In ihrem Zimmer* ist Katrin nicht. *Nach Afrika* will er fahren! *Gut* siehst du aus! *So viel Geld* habe ich noch nie auf einem Haufen gesehen.

Auf dem Satzanfang liegt dann der Schwerpunkt der Äußerung. Das ist auch in Fragesätzen der Fall: Das Fragewort steht deshalb an der ersten Stelle, weil es eben das bezeichnet, was der Sprecher wissen möchte, worauf sein Interesse gerichtet ist:

> *Wo* sind meine Zigaretten? *Wie teuer* ist das? *Was* hat er dazu gesagt? *Mit wem* gehst du heute abend aus? *Warum* ist die Banane krumm?

6.4 Die Stellung der Satzglieder in der Satzmitte

460 Zwischen den Klammerteilen, im Mittelfeld des Satzes, spielt sich das Hauptgeschehen ab; hier wird im allgemeinen die eigentliche Aussage in ihren einzelnen Teilen entfaltet. Nur in diesem Abschnitt können also mehrere „Mitspieler" (Ergänzungen und Angaben) zusammen vorkommen; sie werden entsprechend ihrer Art und Aufgabe aufgestellt. Für die Abfolge der Satzglieder im Mittelfeld gelten im einzelnen ziemlich komplizierte Regeln; zusammenfassend kann man sagen, daß die Ergänzungen, die notwendigen Satzglieder, eine andere, vor allem eine festere Stellung haben als die freien Satzglieder, die Angaben.

Wenn mehrere Ergänzungen in der Satzmitte vorkommen, stehen in der Regel zunächst diejenigen, die schon vorher erwähnte oder bekannte Personen bzw. Gegenstände bezeichnen. Das sind die persönlichen und hinweisenden Pronomen (*ich, ihm, euch, das* usw.). Sie nehmen die schwächste Stelle im Satz, den Platz unmittelbar hinter der Personalform, ein. Innerhalb der Pronomen gilt die Reihenfolge Subjekt – Akkusativergänzung – Dativergänzung:

> Heute habe *ich es ihm* endlich gesagt. Kannst *du ihn mir* mal zeigen? Warum hat *er es euch* verboten? Wann könnt *ihr sie uns* schicken?

Auf die Pronomen folgen die gewichtigeren, umfangreicheren Ergänzungen (Substantive und Substantivgruppen), zunächst diejenigen, die in einem bestimmten Fall stehen (Subjekt, Dativergänzung, Akkusativergänzung). Unter den substantivischen Ergänzungen gilt bei „normaler" Wortstellung, also ohne besondere Hervorhebung eines Gliedes, eine andere Reihenfolge als bei den Pronomen; der Dativ steht hier vor dem Akkusativ:

> Gestern hat *die Kommission der Regierung ihren Bericht* vorgelegt. Zwei Stunden lang zeigte *Norbert den Gästen die Urlaubsdias.* Wenn *die Bank dem Kunden das Geld* nicht aushändigt ...

Die übrigen Ergänzungen (also die Präpositional-, Adverbial- und Gleichsetzungsergänzung) stehen als letzte Satzglieder unmittelbar vor dem hinteren Klammerteil bzw. am Ende des Satzes:

> Habe ich euch in den letzten Tagen nicht mehrfach *daran* erinnert? Wußtest du, daß Stefan schon seit drei Jahren *in Irland* lebt? ..., weil sie nach ihrer Operation nie wieder *ganz gesund* geworden ist. Er will trotz der schlechten Berufsaussichten unbedingt *Lehrer* werden.

461 Die Stellung der freien Satzglieder, der Angaben, richtet sich in erster Linie danach, auf welchen Teil des Satzes sie sich beziehen. Adverbiale Bestimmungen (der Zeit, des Ortes, des Grundes usw.) geben meist Umstände des gesamten Geschehens an, beziehen sich also auf den ganzen Satz; sie stehen vorwiegend in der Mitte des mittleren Satzabschnitts, häufig zwischen den Pronomen und den übrigen Ergänzungen:

> Sie hat uns *stundenlang* von ihrem Urlaub erzählt. Angeblich hatte sie *in Österreich* immer schönes Wetter. Sollen wir *zur Feier des Tages* eine Flasche Sekt aufmachen?

Artangaben, d.h. Angaben, die die Art und Weise eines Geschehens oder einer Handlung bezeichnen, beziehen sich auf das Prädikat; sie stehen deshalb unmittelbar vor oder jedenfalls nahe bei dem rechten Klammerteil:

> Er kann seit seinem Skiunfall nicht mehr *gut* laufen. Ich habe ihm die Papiere doch gestern *eigenhändig* übergeben. Sie müssen diese Zahlen bitte noch einmal *sorgfältig* überprüfen.

462 Angaben, mit denen ausgedrückt wird, inwieweit ein Sachverhalt gilt (wie z.B. *vielleicht*, ↑ 449), haben verschiedene Stellungsmöglichkeiten. Man kann nämlich die Geltung insgesamt oder nur für bestimmte Teile bestätigen bzw. einschränken, und das bringt man durch die entsprechende Stellung der Angabe zum Ausdruck. Besonders deutlich wird dies bei der Verneinung (Negation) *nicht*; vgl. z.B.:

> Jedenfalls hat sie ihn gestern *nicht* besucht.
> Jedenfalls hat sie ihn *nicht* gestern besucht.
> Jedenfalls hat sie *nicht* ihn gestern besucht.
> Jedenfalls hat *nicht* sie ihn gestern besucht.

Nur der erste Satz ist eine Verneinung der gesamten Aussage, die übrigen Sätze sind jeweils nur in einem Teil verneint (in Gegenüberstellung zu einem anderen Teil, z.B.: *nicht gestern, sondern vor drei Tagen*). Man spricht hier auch von „Wort-" oder „Satzgliedverneinung" im Unterschied zur „Satzverneinung".

Als Satzverneinung hat *nicht* eine ziemlich feste Stellung, vor allem in bezug auf die übrigen Angaben; es steht immer nach anderen Angaben der Geltung oder Bewertung, aber vor Artangaben:

> Er kommt heute *wahrscheinlich nicht*. Ich kann *nicht gut* singen. Du hast *vielleicht nicht fest genug* draufgedrückt. Sie fährt *sicher nicht* Auto (=sicherlich/bestimmt nicht). Sie fährt *nicht sicher* Auto (=Ihre Fahrweise ist nicht sicher).

6.5 Die Ausklammerung

463 Im allgemeinen verteilen sich alle Satzglieder auf die Abschnitte vor und zwischen der Satzklammer; der Satz schließt also in der Regel mit dem rechten Klammerteil ab. Manchmal wird aber auch ein Satzglied hinter die Klammer gestellt, „ausgeklammert", so daß noch ein weiterer Satzabschnitt entsteht. Ein Satzabschnitt hinter der Klammer ist in keiner Satzart notwendig (dagegen muß z. B. ein Aussagesatz einen Abschnitt vor der Klammer haben). Dieser letzte Satzabschnitt ist also ein „Ausweichplatz", der vor allem benutzt wird, damit die Satzklammer nicht von zu vielen Satzgliedern überdehnt wird.

Es können auch bei weitem nicht alle Satzglieder ausgeklammert werden; möglich ist dies im allgemeinen nur für präpositionale Ergänzungen und manche Umstandsbestimmungen; vgl. z. B.:

> Wir haben lange warten müssen *auf seine Entscheidung.* Sie hat sich riesig gefreut *über dein Geschenk.* Eva ist in die Stadt gegangen *zum Einkaufen.* Bei uns hat es geschneit *heute morgen.* Viele sind zu spät zur Arbeit gekommen *wegen der schlechten Straßenverhältnisse.*

Vergleichsangaben werden allerdings fast immer ausgeklammert:

> Heute hat es mehr geschneit *als gestern.* (Seltener: Heute hat es mehr *als gestern* geschneit.) Ich werde das nie so gut hinbekommen *wie du.* Nichts ist schwerer zu ertragen *als eine Reihe von schönen Tagen.*

464 In der gesprochenen Alltagssprache wird oft mit dem ausgeklammerten Satzglied etwas nachgetragen, was man bei der Planung des Satzes vergessen hat; solche Ausklammerungen sind nicht besonders betont und hervorgehoben:

> Hast du schon die Nachrichten gesehen *heute abend?* Ihr könnt ruhig mitkommen *zu den Schneiders.*

Häufig wird aber auch – in der gesprochenen wie in der geschriebenen Sprache – ein Satzglied aus der Klammer herausgestellt, dem der Sprecher ein besonderes Gewicht geben möchte (dieses Stilmittel macht sich vor allem auch die Werbung zunutze):

> Ich muß ihn wiederfinden, *unter allen Umständen!* Wir sind für Sie da. *Jederzeit.* Machen Sie mit *bei unserem großen Gewinnspiel!* Sie können uns auch anrufen, *zum Ortstarif.*

Das ausgeklammerte Satzglied erhält dann oft eine gewisse Eigenständigkeit; das ist in gesprochenen Äußerungen daran erkennbar, daß vor dem Satzglied eine Pause gemacht wird; in schriftlichen Texten wird es oft durch ein Satzzeichen (Komma, Punkt) von dem übrigen Satz abgetrennt.

Ein wichtiges Satzglied wird vor allem dann ausgeklammert,
wenn es besonders umfangreich ist, also z. B. längere Beifügungen bei sich hat oder aus einer Aufzählung besteht:

> In Gleis drei fährt jetzt ein *der verspätete Schnellzug D 537 von*
> *Stuttgart nach Köln über Mannheim, Mainz, Koblenz, Bonn.* Für
> das leibliche Wohl der Gäste war bestens gesorgt *mit Kaffee und*
> *Kuchen, Bratwurst, Steaks, vielen Salaten, Bier und Wein.*

Durch die Ausklammerung wird erreicht, daß der Hörer bzw.
Leser nicht zu lange auf das vollständige Prädikat zu warten
braucht, daß also der Satz übersichtlicher und leichter verständlich ist. Man macht besonders dann von der Ausklammerung
Gebrauch, wenn der zweite Klammerteil nur aus der abgetrenn-
ten Verbvorsilbe besteht. So verhindert man, daß dieses kleine
Wort am Ende eines langen Satzes „nachklappt":

> In Gleis drei *fährt* jetzt der verspätete Schnellzug D 537 von
> Stuttgart nach Köln über Mannheim, Mainz, Koblenz, Bonn
> *ein.* → In Gleis drei *fährt* jetzt *ein* der verspätete Schnell-
> zug...

Besonders umfangreich sind meist Satzglieder, die durch einen
Relativsatz erweitert sind oder selbst in Form eines Satzes auftre-
ten; Nebensätze stehen deshalb hauptsächlich außerhalb der
Satzklammer (↑ dazu 481, 488).

7 Nebensätze

7.1 Bestimmung und Einteilung der Nebensätze

465 Einfache Sachverhalte, in denen es um einzelne bestimmte Personen, Gegenstände und Umstände geht,
kann man in einem einfachen Satz darstellen. Will man aber
kompliziertere Zusammenhänge, etwa zeitliche Verhältnisse zwischen zwei Ereignissen, Begründungen oder Bedingungen für ein
Geschehen darlegen, reicht ein einfacher Satz oft nicht aus, weil
Teile von Sätzen, also Wörter und Wortgruppen, solche größeren
Zusammenhänge nur begrenzt wiedergeben können.

An die Stelle von Satzteilen treten deshalb vielfach Sätze. Solche Sätze, die ein Satzteil eines anderen Satzes vertreten, heißen Nebensätze. Sie können nicht für sich allein stehen, sondern sind dem anderen Satz, dem Hauptsatz, untergeordnet und bilden nur mit ihm zusammen eine Äußerung.

466 Nebensätze können ein Satzglied des Hauptsatzes (eine Ergänzung oder bestimmte Angaben, nämlich adverbiale Bestimmungen) vertreten; man spricht dann auch von „Gliedsätzen". Ein Gliedsatz ist der Nebensatz z. B. in folgendem Fall:

> *Weil das Wetter schlecht war*, wurde der Ausflug verschoben.

Er steht hier an Stelle einer adverbialen Bestimmung des Grundes, die in dem entsprechenden einfachen Satz so lauten würde:

> *Wegen des schlechten Wetters* wurde der Ausflug verschoben.

Nebensätze können aber auch als Beifügung (Attribut) stehen; sie vertreten dann nicht ein Satzglied insgesamt, sondern nur einen Teil eines Satzglieds:

> das Auto, *das meinem Bruder gehört* – das Auto *meines Bruders*.

Man kann also Nebensätze danach einteilen, welchen Teil des Hauptsatzes sie vertreten; es ergeben sich drei Arten:

Ergänzungssätze	*Wer nicht hören will*, muß fühlen. Ich weiß, *daß du das kannst*.
Adverbialsätze	*Wenn es regnet*, fahren wir nicht. Er kommt morgen, *um sich zu verabschieden*.
Attributsätze	Hunde, *die bellen*, beißen nicht. Mein Entschluß, *morgen abzureisen*, steht fest.

467 Nebensätze kommen in verschiedenen Formen vor. In ihrer typischen Form haben sie ein bestimmtes Einleitewort, das sie mit dem Hauptsatz verknüpft, und das Prädikat steht am Ende. Die wichtigsten Nebensatzformen:

unterordnende Konjunktion als Einleitewort (Konjunktionalsatz)	Es ist nicht sicher, *ob sie noch kommt.* *Als es dunkel wurde,* kehrten sie um.
Relativpronomen als Einleitewort (Relativsatz)	Kennst du den Mann, *der dort steht*? Ich habe alles gesagt, *was ich weiß.*
w-Wort (*wer, wo, wie ...*) als Einleitewort (*w*-Satz, indirekter Fragesatz)	Zeig ihr, *wie man das macht.* Wissen Sie, *wo Herr Müller ist*?
Verb in Infinitivform (Infinitivsatz)	*Vater werden* ist nicht schwer. Ich freue mich, *euch wiederzusehen.*
Verb in Partizipform (Partizipialsatz)	*Vor Aufregung zitternd,* brachte sie kein Wort heraus. *Von Buhrufen begleitet,* verließ er den Saal.

7.2 Ergänzungssätze

468 Nebensätze, die an Stelle einer Ergänzung, also eines notwendigen Satzgliedes, stehen, faßt man als Ergänzungssätze zusammen. Eine Ergänzung wird immer dann zu einem Satz ausgebaut, wenn sie nicht nur Personen oder Gegenstände bezeichnen, sondern einen ganzen Sachverhalt ausdrücken soll. Am häufigsten kommen das Subjekt und die Akkusativergänzung in Form eines Satzes vor. Nebensätze in der Rolle des Subjekts heißen Subjektsätze:

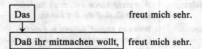

Nebensätze, die an Stelle einer Akkusativergänzung stehen, werden auch Objektsätze genannt:

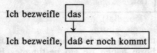

Subjekt- und Objektsätze werden oft mit *daß* eingeleitet; daneben kommen auch *ob*- und *w*-Sätze und Infinitivsätze vor, vgl. z. B.:

Ob wir bis morgen fertig werden, ist sehr zweifelhaft. Er prüfte, *ob noch genug Öl im Tank war. Wer sich in Gefahr begibt*, kommt darin um. Stellen sie bitte mal fest, *wann wir den Kunden das letztemal gemahnt haben. Bei diesem Wetter schneller als 100 zu fahren* kann gefährlich werden. Der Angeklagte behauptete, *zur fraglichen Zeit nicht am Tatort gewesen zu sein.*

---

469 Objektsätze stehen besonders häufig bei Verben des Sagens und Meinens wie z. B.:

antworten, behaupten, berichten, erwidern, erzählen, glauben, meinen, sagen, vermuten, versichern, versprechen.

In dem Objektsatz wird wiedergegeben, was jemand sagt („indirekte Rede", ↑ 145). Ein solcher Objektsatz wird mit *daß* eingeleitet; er kann aber auch in der Form stehen, wie sie in der Regel nur (Aussage-)Hauptsätze haben, nämlich mit dem Verb an zweiter Stelle:

Der Angeklagte behauptete, *er sei zur fraglichen Zeit nicht am Tatort gewesen.* Die Gefangenen berichteten, *sie seien gefoltert worden.* Wir glaubten schon, *du hättest uns ganz vergessen.* Ich meine, *wir sollten es noch einmal versuchen.* Er sagt, *er müsse gleich wieder gehen.*

Man spricht in diesen Fällen auch von einem „abhängigen Hauptsatz". Daß es sich um einen abhängigen, untergeordneten Satz handelt, kommt hier nur in der Konjunktivform des Verbs (*sei, hättest, müsse*) zum Ausdruck.

---

470 Von den übrigen Ergänzungen kommt nur die Präpositionalergänzung noch relativ häufig in Form eines Satzes vor. Der Hauptsatz muß dann aber in der Regel ein Adverb mit der entsprechenden Präposition enthalten; mit diesem Präpositionaladverb wird auf den Nebensatz hingewiesen:

Alles hängt *davon* ab, *wie er sich entscheidet.* Sie kümmert sich *darum, daß die Gäste etwas zu trinken bekommen.* Wir freuen uns (*darüber*), *daß es doch noch geklappt hat.* Kann ich mich *darauf* verlassen, *daß der Termin eingehalten wird*?

Ein solches Bezugswort (Korrelat), das den Nebensatz vorwegnimmt oder wiederaufnimmt, gibt es auch bei anderen Ergänzungssätzen, vgl. z. B.:

Wem Gott ein Amt gibt, dem gibt er auch Verstand. Endlich war er (*das*), *was er schon immer werden wollte.* Bleib (*so*), *wie du bist.*

Sehr häufig werden Subjektsätze vorweggenommen, und zwar durch *es*:

> *Es* wundert mich nicht, *daß er immer müde ist. Es* ist nicht sicher, *ob die Vereinbarung überhaupt zustande kommt. Es* macht mir keinen Spaß, *immer dieselbe Arbeit zu verrichten.*

Wenn der Subjektsatz vor dem Hauptsatz steht, entfällt das *es*:

> *Daß er immer müde ist*, wundert mich nicht. *Ob die Vereinbarung überhaupt zustande kommt*, ist nicht sicher.

 Infinitivsätze als Subjekt werden nicht durch ein Komma abgetrennt, wenn sie vor dem Hauptsatz stehen (↑ auch 117):

> *Immer dieselbe Arbeit zu verrichten* macht mir keinen Spaß. *Einmal sechs Richtige im Lotto zu haben* war sein größter Wunsch.

7.3 Adverbialsätze

471 Von einem Adverbialsatz spricht man, wenn eine freie adverbiale Bestimmung (Umstandsbestimmung) in Form eines Satzes auftritt; vgl. z. B.:

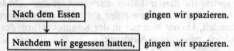

| Nach dem Essen | gingen wir spazieren. |
| Nachdem wir gegessen hatten, | gingen wir spazieren. |

Adverbialsätze – anstelle von „einfachen" adverbialen Bestimmungen – werden gebraucht, wenn der Sprecher zwei Ereignisse zueinander in Beziehung setzen will, wenn er also z. B. ausdrükken möchte, daß ein Ereignis die Ursache oder die Bedingung für ein anderes Ereignis ist, daß zwischen zwei Ereignissen ein Widerspruch besteht usw. Um welche Beziehung es jeweils geht, wird hauptsächlich durch die einleitende Konjunktion des adverbialen Nebensatzes gekennzeichnet. Die wichtigsten inhaltlichen Beziehungen, die mit Adverbialsätzen ausgedrückt werden können:

472 Zeit

Zum Ausdruck des zeitlichen Verhältnisses zwischen zwei Ereignissen gibt es viele Konjunktionen. Sie zeigen – zusammen mit der Zeitform des Verbs – an, ob das Geschehen des

Nebensatzes (des Temporalsatzes) vor dem Hauptsatzgeschehen liegt („Vorzeitigkeit"), ob es parallel abläuft („Gleichzeitigkeit") oder ob es danach stattfindet („Nachzeitigkeit").

Mit Konjunktionen wie *als, während, wenn, wie, sobald, solange* kann man ausdrücken, daß sich zwei Ereignisse zur gleichen Zeit abspielen, sich also zeitlich – zumindest teilweise – überschneiden:

> *Als sie zur Tür hereinkam,* klingelte das Telefon. *Während sie im Urlaub waren,* ist bei ihnen eingebrochen worden. Sag mir gleich Bescheid, *wenn du da bist.* Wir gehen los, *sobald es aufhört zu regnen.*

 wie anstelle von *als* wirkt umgangssprachlich, wenn das Verb in einer Vergangenheitsform steht:

> *Wie* (besser: *als*) ich im Krankenhaus war, hat sie mich oft besucht.

Andere Konjunktionen zeigen an, daß zwei Ereignisse zeitlich aufeinanderfolgen. Wenn man das zeitlich frühere Geschehen im Nebensatz nennt, gebraucht man Konjunktionen wie *nachdem, als, seit(dem):*

> *Nachdem er die Daten zusammengestellt hat,* gibt er sie in den Computer ein. *Als sie gerade die Wäsche aufgehängt hatte,* fing es an zu regnen. Er hat sich sehr verändert, *seit(dem) er arbeitslos ist.*

 seitdem bezeichnet ein fortdauerndes Geschehen, *nachdem* einen Zeitpunkt; die beiden Konjunktionen können deshalb nicht gegeneinander ausgetauscht werden.

Nicht: *Nachdem* er verheiratet ist, kommt er nicht mehr oft zu uns. Sondern: *Seitdem* er verheiratet ist, kommt er nicht mehr oft zu uns.

Nebensätze mit *bevor, ehe, bis* schildern ein Ereignis, das zeitlich nach einem anderen Geschehen liegt (sofern es überhaupt eintritt); vgl. z. B.:

> *Bevor er in unserer Firma anfing,* war er im Ausland. (= Erst war er im Ausland, dann hat er in unserer Firma angefangen.) Wir müssen etwas unternehmen, *bevor ein Unglück geschieht.* (= Wir müssen etwas unternehmen, sonst geschieht vielleicht ein Unglück.) Hör auf zu rauchen, *ehe es zu spät ist. Ehe er ein Wort sagen konnte,* war sie verschwunden. Wir blieben draußen sitzen, *bis es dunkel wurde.*

Nach einem verneinten Hauptsatz wird ein Nebensatz mit *ehe, bevor* nicht verneint. Es heißt z. B.:

Wir können nichts unternehmen, ehe der Bescheid da ist (nicht: Wir können nichts unternehmen, ehe der Bescheid nicht da ist). Ich gehe nicht weg, bevor du mir eine Antwort gegeben hast (nicht: Ich gehe nicht weg, bevor du mir keine Antwort gegeben hast).

Nur wenn der Nebensatz dem Hauptsatz vorangeht, kann er auch verneint werden:

Ehe der Bescheid *nicht* da ist, können wir nichts unternehmen. Bevor du mir *keine* Antwort gegeben hast, gehe ich nicht weg.

---

473 Grund

Begründende Nebensätze (Kausalsätze) werden mit *weil* oder *da* eingeleitet:

Ich glaube ihm nicht mehr, *weil er mich schon ein paarmal angelogen hat. Da heute Sonntag ist*, können wir länger schlafen.

weil-Sätze stehen häufiger hinter dem Hauptsatz, *da*-Sätze öfter vor dem Hauptsatz. *da* und *weil* sind meistens, aber nicht immer gegeneinander austauschbar; so ist z. B. als Antwort auf eine Frage mit *warum/weshalb/weswegen* nur ein *weil*-Satz möglich:

Warum kommst du erst jetzt? *Weil* (nicht möglich: *da*) *ich aufgehalten worden bin.*

Manchmal wird in einem *weil*-Satz nicht der Grund für einen Sachverhalt genannt, sondern dafür, daß man diesen Sachverhalt annimmt; es wird also eine Schlußfolgerung ausgedrückt; z. B.:

Es hat offenbar geregnet, *weil die Straße naß ist.* (= Daraus, daß die Straße naß ist, schließe ich, daß es geregnet hat.) Fährst du länger weg, *weil du den großen Koffer nimmst?*

Zu *weil* mit Zweitstellung des Verbs ↑ 386.

Auch *denn* leitet einen begründenden Satz ein, allerdings keinen untergeordneten Nebensatz, sondern einen gleichgeordneten Hauptsatz (↑ 386).

474 Bedingung

Bedingungssätze (Konditionalsätze) werden vor allem mit *wenn* und *falls* eingeleitet. Nur *falls* drückt immer eindeutig eine Bedingung aus; bei *wenn* ist oft nicht zu unterscheiden, ob mehr eine Bedingung oder ein Zeitverhältnis gemeint ist:

> *Falls das Geld nicht reicht*, bezahle ich mit einem Scheck. *Wenn du auf mich gehört hättest*, wäre das nicht passiert. Sie können gern noch länger bleiben, *wenn Sie möchten*. (Konditional und zeitlich:) *Wenn zwei sich streiten*, freut sich der Dritte.

Konditionalsätze können noch in einer anderen Form, ohne einleitende Konjunktion, vorkommen, und zwar als Satz mit dem Verb an erster Stelle. In dieser Form steht der Nebensatz in der Regel vor dem Hauptsatz:

> *Besteht man die Prüfung nicht*, kann man sie in einem halben Jahr noch einmal wiederholen. *Kommst du heut' nicht*, kommst du morgen. *Hättest du auf mich gehört*, (dann) wäre das nicht passiert.

In einem bestimmten Sinne konditional sind auch Partizipialfügungen wie z. B.

> im Grunde genommen, realistisch betrachtet, auf die Dauer gesehen, rein praktisch gesehen, besser gesagt, anders ausgedrückt.

475 Gegensatz (Widerspruch)

Nebensätze mit *obwohl, obgleich, obschon, wenn auch* (Konzessivsätze) drücken aus, daß zwischen zwei Sachverhalten ein Verhältnis besteht, wie es normalerweise nicht besteht:

> *Obwohl die Sonne scheint*, ist mir kalt. (Normalerweise ist es einem warm, wenn die Sonne scheint.) Sie geht zur Arbeit, *obwohl sie krankgeschrieben ist*. *Obgleich er viel getrunken hatte*, fuhr er mit dem Wagen. Ich komme mit, *wenn ich es mir auch eigentlich nicht leisten kann*.

476 Folge

Nebensätze, die eine Folge oder Wirkung nennen (Konsekutivsätze), stehen immer hinter dem Hauptsatz. Als einleitende Konjunktion kommt vor allem *(so) daß* vor:

> Frank hatte einen Unfall, *so daß er heute leider nicht kommen kann.* Er stellt das Radio immer so laut, *daß sich die Nachbarn beschweren.*

13*

Die Folgebeziehung wird fast nur in Satzform, nicht als einfaches Satzglied ausgedrückt.

477 Zweck

Nebensätze zur Angabe eines Zwecks oder einer Absicht (Finalsätze) werden meist mit *um zu* + Infinitiv oder *damit* eingeleitet:

> Iß, *damit du groß und stark wirst.* Er besucht Fortbildungskurse, *um sich für eine bessere Stelle zu qualifizieren.*

 Ein Infinitivsatz mit *um zu* bezieht sich in der Regel auf das Subjekt des Hauptsatzes, d. h., er enthält – nicht ausgedrückt – dasselbe Subjekt wie der Hauptsatz:

> *Sie* nimmt Tabletten, *um sich vor Erkältung zu schützen.* (= *Sie* will sich vor Erkältung schützen).

Man kann also z. B. ni cht sagen:

> Er bezahlt die Leute, *um zu arbeiten und nicht zu faulenzen.* (Denn nicht er will ja arbeiten, sondern die Leute sollen arbeiten.)

Bei verschiedenem Subjekt kann man nur einen Finalsatz mit *damit* bilden:

> Er bezahlt die Leute, *damit sie arbeiten und nicht faulenzen.*

Nur bei *senden* und *schicken* ist es möglich, den Infinitivsatz auf die Akkusativergänzung zu beziehen (sofern sie eine Person bezeichnet):

> Ich habe *die Kinder* zum Bäcker geschickt, *um Brötchen zu holen.* (= Die Kinder sollen Brötchen holen.)

478 Art und Weise

Nebensätze, die die Art und Weise, auch das Mittel oder die Begleitumstände einer Handlung erläutern, werden als „Modalsätze" zusammengefaßt. Die typische Konjunktion ist *indem:*

> Sie wich vor ihm zurück, *indem sie erbleichte.* Er machte sich bemerkbar, *indem (dadurch, daß) er schrie und winkte.* Er erklärte uns seinen Plan, *indem (wobei) er mit langen Schritten im Zimmer auf und ab ging.*

Zu den Modalsätzen zählen auch Vergleichssätze wie z. B.:

> Es ging besser, *als wir alle gedacht hatten*. Die Sitzung hat nicht
> so lange gedauert, *wie es zunächst den Anschein hatte*. Er ging
> an mir vorbei, *als wenn ich Luft für ihn wäre*. Sie lief davon, *als
> ob sie verfolgt würde*.

Vergleichssätze mit *als ob/als wenn* (sogenannte „irreale Vergleichssätze") können auch die Form *als* + Verb an erster Stelle haben:

> Er ging an mir vorbei, *als wäre ich Luft für ihn*. Sie lief davon,
> *als würde sie verfolgt*.

7.4 Attributsätze

479   Ein Attributsatz ist ein Nebensatz, der nicht ein ganzes Satzglied vertritt, sondern nur einen Teil, und zwar ein Attribut (eine Beifügung); vgl. z. B.:

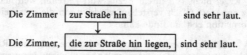

Die Zimmer | zur Straße hin | sind sehr laut.

Die Zimmer, | die zur Straße hin liegen, | sind sehr laut.

Die wichtigste Form des Attributsatzes ist der Relativsatz. Er wird durch ein Relativpronomen eingeleitet, das Haupt- und Nebensatz in einer bestimmten Weise miteinander verknüpft: Das Relativpronomen bezieht sich einerseits auf ein Substantiv (oder Pronomen) im Hauptsatz und übernimmt von diesem Bezugswort das Geschlecht und die Zahl. Andererseits stellt es selbst ein Satzglied des Nebensatzes dar; deshalb richtet es sich im Fall nach dem Verb des Relativsatzes:

Ich kenne den   *der* (Subjekt) dort steht.
Mann nicht,   *dem* (Dativergänzung) Gaby gerade zulächelt.
                    den (Akkusativergänzung) du mir gezeigt hast.
                    mit dem (Präpositionalergänzung) Eva spricht.

Das gebräuchlichste Relativpronomen ist *der*; zu anderen Relativanschlüssen ↑ 292 (*welcher*), 293 (*was*), 291 (*wo*).

480 In Relativsätzen wird eine Person oder Sache näher bestimmt. Dabei kann man zwei Arten der Bestimmung unterscheiden. Manche Relativsätze geben nur eine zusätzliche Beschreibung oder Erläuterung; die Aussage des Hauptsatzes ist mit und ohne Relativsatz die gleiche:

> Meine Eltern, *die jetzt in Frankfurt wohnen*, kommen uns am Wochenende besuchen. Kurt, *der sonst nie krank ist*, mußte plötzlich operiert werden.

Meist wird jedoch mit dem Relativsatz eine Einschränkung gemacht; der Hauptsatz ist dann ohne den Relativsatz eine andere – oft nicht sinnvolle – Aussage:

> Hunde, *die bellen*, beißen nicht. Artikel, *die im Preis herabgesetzt sind*, werden nicht umgetauscht. Jeder, *der das 18. Lebensjahr vollendet hat*, kann teilnehmen. Es gibt immer noch einige, *die das nicht einsehen wollen*.

481 Relativsätze stehen meist unmittelbar hinter dem Bezugswort. Vor allem einschränkende Relativsätze werden in der Regel nicht von ihrem Bezugswort getrennt, weil man den Satz zunächst falsch verstehen würde, wenn die entscheidende Information erst am Ende käme.

 Häufig ist es aber auch stilistisch besser, einen Relativsatz – besonders wenn er lang ist – auszuklammern, also getrennt von seinem Bezugswort hinter die Satzklammer (↑ 455) zu stellen, damit der Leser oder Hörer nicht so lange auf das Verb des Hauptsatzes zu warten braucht und der Satzaufbau übersichtlicher bleibt:

Heute habe ich das Buch mitgebracht, *von dem ich dir erzählt habe und das ich letztes Mal vergessen hatte.* Statt: Heute habe ich das Buch, *von dem ich dir erzählt habe und das ich letztes Mal vergessen hatte*, mitgebracht.

Auch wenn der Relativsatz eng zusammengehörende Satzteile trennen würde, wird er besser nachgestellt:

Sie hatte plötzlich einen starken Widerwillen gegen Fleisch, *den sie sich nicht erklären konnte.* Statt: Sie hatte plötzlich einen starken Widerwillen, *den sie sich nicht erklären konnte*, gegen Fleisch.

Bei der Ausklammerung von Relativsätzen ist aber immer darauf zu achten, daß der Bezug eindeutig bleibt. Wenn sich ein Relativpronomen von der Form her auf zwei Substantive des Hauptsatzes beziehen kann, kommt es leicht zu mißverständlichen oder komischen Sätzen, weil man den Relativsatz in der Regel auf das letzte passende Substantiv bezieht. In solchen Fällen kann der Relativsatz nicht ausgeklammert werden, sondern er muß unmittelbar hinter dem Bezugswort stehen:

(Eindeutig:) Sie stellte die Bücher, *die sie abgestaubt hatte*, wieder in die Regale. (Mehrdeutig:) Sie stellte die Bücher wieder in die Regale, *die sie abgestaubt hatte*. Wir suchen eine Wohnung, *die verkehrsgünstig liegt*, für eine vierköpfige Familie. Nicht: Wir suchen eine Wohnung für eine vierköpfige Familie, *die verkehrsgünstig liegt*.

482 Manche Relativsätze bestimmen nicht eine Person oder Sache näher, sondern drücken einen neuen Gedanken aus, der sich auf den gesamten im Hauptsatz genannten Sachverhalt bezieht. Solche „weiterführenden Relativsätze" werden in der Regel mit *was* oder *wo-* + Präposition eingeleitet:

Er hat wieder eine Stelle bekommen, *was ihn selbst am meisten wundert / womit niemand mehr gerechnet hatte / worüber die ganze Familie sehr froh ist.*

Sätze, die einen neuen, weiterführenden Gedanken ausdrücken, sollten nicht als Relativsätze an ein einzelnes Bezugswort angeschlossen werden:

Nicht: Machen Sie eine Probefahrt mit dem neuen Wagen, *der Ihnen bestimmt gefallen wird*. Sondern: Machen Sie eine Probefahrt mit dem neuen Wagen. *Er wird Ihnen bestimmt gefallen.*

Nur wenn durch Wörter wie *aber, jedoch, dann, auch* die Eigenständigkeit des Nebensatzes genügend betont ist, kann ein weiterführender Satz auch relativisch angeschlossen werden:

Er machte noch einen Versuch, *der aber restlos scheiterte*. Sie suchte überall nach ihrem Mann, *den sie auch endlich fand*.

483 Neben dem Relativsatz gibt es noch eine andere Art des Attributsatzes; sie liegt z. B. in folgenden Fällen vor:

> Mein Entschluß, *morgen abzureisen*, steht fest. Die Vermutung liegt nahe, *daß der Spion zu den engsten Mitarbeitern des Ministers gehörte*. Sie kam nicht weit in ihren Überlegungen, *wie sie ihm am besten helfen könnte*. Bitte beantworten Sie meine Frage, *ob Sie den Täter erkannt haben*, mit einem klaren Ja oder Nein.

In dem Attributsatz wird hier sozusagen der Inhalt des Bezugswortes dargelegt; es wird also z. B. gesagt, wie die Frage lautet, was der Inhalt der Vermutung ist, worin der Entschluß besteht usw. Das Bezugswort ist oft eine Substantivbildung von einem Verb (*vermuten – Vermutung, fragen – Frage*); die Attributsätze bei diesen Substantiven entsprechen den Objektsätzen bei den jeweiligen Verben (↑ 469); vgl.:

> Ich *frage* Sie, *ob Sie den Täter erkannt haben*. (Objektsatz) – meine *Frage, ob Sie den Täter erkannt haben*, … (Attributsatz).

Entsprechend kommen die Nebensätze auch in den gleichen Formen vor, nämlich mit *daß, ob* oder einem *w*-Wort als Einleitung, als Infinitivsätze und zum Teil als „abhängige Hauptsätze", wie z. B.:

> die Behauptung des Angeklagten, *er sei zur fraglichen Zeit nicht am Tatort gewesen*, …

8 Die Verknüpfung von Sätzen

8.1 Nebenordnung und Unterordnung

484 Man kann den Zusammenhang zwischen zwei Ereignissen oft auf verschiedene Weise darstellen. So kann man z. B. erzählen:

> Ich wollte über die Straße gehen, da schaltete die Ampel gerade auf Rot. Ich hatte es sehr eilig, deswegen bin ich trotzdem noch rübergegangen …

Den gleichen Sachverhalt könnte man aber auch so ausdrükken:

> Die Ampel schaltete gerade auf Rot, als ich über die Straße ge-
> hen wollte. Weil ich es sehr eilig hatte, bin ich trotzdem noch
> rübergegangen ...

Im ersten Fall sind die Ereignisse, die man aufeinander bezieht,
in zwei gleichrangigen Sätzen nebeneinander gestellt:

Ich wollte über die Straße gehen	da schaltete die Ampel gerade auf Rot

Im zweiten Fall sind die beiden zusammenhängenden Ereignisse
in Sätzen ausgedrückt, die einander über- bzw. untergeordnet
sind:

Die Ampel schaltete gerade auf Rot

als ich über die Straße gehen wollte

Man kann also grundsätzlich zwei Arten der Satzverknüpfung
unterscheiden: die nebenordnende und die unterordnende.

In einer nebenordnenden Verknüpfung stehen immer gleichbe-
rechtigte, gleichrangige Sätze; das können Hauptsätze (wie in
dem Beispiel oben) sein, aber auch Nebensätze, die in gleicher
Weise auf einen Hauptsatz bezogen sind; z. B.:

> Ich bin bei Rot über die Straße gegangen, *weil ich es sehr eilig
> hatte* und *weil auch weit und breit kein Auto zu sehen war.*

Wenn Hauptsätze zu einer Äußerung miteinander verknüpft werden, spricht man von einer Satzreihe; die Verknüpfung von un-
gleichrangigen Sätzen (Haupt- und Nebensatz) heißt Satzgefüge.

8.2 Die Satzreihe

485 Eine Satzreihe besteht aus zwei oder mehr Hauptsätzen.
Die aneinandergereihten Sätze sind meist durch ein bestimmtes Wort miteinander verbunden, das die inhaltliche Bezie-

hung (z. B. Gegensatz, Begründung) zwischen den einzelnen Sätzen deutlich macht. Solche Verknüpfungswörter sind vor allem nebenordnende Konjunktionen (*und, oder, aber, denn,* ↑ 391 ff.) und hinweisende Adverbien wie z. B. *dann, da, darauf, deswegen, daher*:

> (Konjunktionen:) Am Anfang war das Wort, *und* das Wort war bei Gott, *und* Gott war das Wort. Hast du mich verstanden, *oder* muß ich noch deutlicher werden? Schütz gab sein Bestes, *aber* er konnte die Niederlage seiner Mannschaft doch nicht verhindern. Müllers müssen verreist sein, *denn* seit Tagen sind die Rolläden heruntergelassen.
> (Adverbien:) Sie schaute sich noch einmal prüfend um, *dann* verließ sie das Haus. Ich wollte gerade weggehen, *da* klingelte das Telefon. Er spielt sich immer so auf, *deswegen* kann ihn keiner richtig leiden.

Die Sätze können aber auch ohne Verknüpfungswort aneinandergereiht sein:

> Vertrauen ist gut, Kontrolle ist besser. Der Mai ist gekommen, die Bäume schlagen aus. Beeil dich, wir müssen los!

Mit solchen unverbundenen Sätzen werden die gleichen inhaltlichen Zusammenhänge dargestellt wie mit den verbundenen; man kann immer ein entsprechendes Verknüpfungswort dazwischensetzen:

> Vertrauen ist gut, *(aber)* Kontrolle ist besser.

486 Bei der Nebenordnung von Sätzen können Satzteile, die den aneinandergereihten Sätzen gemeinsam sind, im angeschlossenen Satz (manchmal auch im ersten Satz) weggelassen werden; vgl. z. B.:

> Martin geht auf die Realschule, und sein Freund geht auf die Hauptschule. → Martin geht auf die Realschule und sein Freund auf die Hauptschule.

Die beiden Sätze haben das gleiche Prädikat *(geht);* es braucht im zweiten Satz nicht wiederholt zu werden. Entsprechend:

> (Subjekt gemeinsam:) *Wir* fahren morgen in die Stadt und kaufen dir ein Paar neue Schuhe. (Subjekt, Prädikatsteil und Zeitangabe gemeinsam:) *Soll ich jetzt* erst den Brief zu Ende schreiben oder erst Kaffee machen? (Adverbialergänzung gemeinsam:) Helga fliegt, Monika trampt *nach Spanien.*

Eine adverbiale Bestimmung am Anfang des Satzes kann in der Regel nicht auf den angeschlossenen Satz bezogen werden, wenn sie das einzige gemeinsame Satzglied ist:

Nicht: Gestern war Frühlingsanfang und schien die Sonne.
Sondern: Gestern war Frühlingsanfang, und die Sonne schien.
Nicht: Vielleicht klappt es und bekomme ich die Stelle. Sondern: Vielleicht klappt es, und ich bekomme die Stelle.

Der zweite Satz muß also als vollständiger Hauptsatz (mit dem Verb an zweiter Stelle) angeschlossen werden.

8.3 Das Satzgefüge

487 Ein Satzgefüge besteht aus einem Hauptsatz und mindestens einem Nebensatz. Wenn mehrere Nebensätze in einem Satzgefüge vorkommen, kann es verschiedene Stufen oder Grade der Unterordnung geben. So kann z. B. von einem Nebensatz wiederum ein Nebensatz abhängen, von diesem ein weiterer usw.; z. B.:

Leider müssen wir Ihnen mitteilen, daß wir Ihre Bewerbung nicht berücksichtigen können, da die Frist bereits abgelaufen ist.

Der Fahrer des Unfallwagens hatte zu spät gebremst, weil er glaubte, er hätte Vorfahrt vor dem Wagen, der von links kam.

Dem Hauptsatz können auch zwei oder mehr gleichrangige Nebensätze untergeordnet sein:

> Ob wir zu einer Einigung kommen, hängt vor allem davon ab, zu welchen finanziellen Zugeständnissen Sie bereit sind.

Oft folgen die Sätze nicht im ganzen aufeinander, sondern ein Nebensatz ist in den Hauptsatz (oder einen anderen Nebensatz) eingeschoben:

> Der Wagen, der von rechts kommt, hat Vorfahrt.

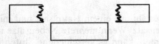

Diese Grundbauformen können fast beliebig erweitert und miteinander kombiniert werden; es entstehen dann jedoch leicht Satzgefüge, die nur noch schwer durchschaubar und verständlich sind (↑ 490).

488 In welcher Reihenfolge die einzelnen Sätze eines Satzgefüges stehen, hängt weitgehend von der Art der Nebensätze ab. Grundsätzlich gibt es drei Möglichkeiten für die Stellung von Nebensätzen im Verhältnis zum Hauptsatz: Sie können vor dem Hauptsatz, innerhalb des Hauptsatzes oder hinter dem Hauptsatz stehen.

Ergänzungssätze können nicht in den Hauptsatz eingeschoben, sondern nur vor oder hinter ihn gestellt werden. Subjektsätze stehen meist vor dem Hauptsatz (wenn sie nicht durch *es* vorweggenommen werden, ↑ 470), Objektsätze stehen meist hinter dem Hauptsatz:

> (Subjektsätze:) *Wer einmal hier gewesen ist*, wird immer wieder herkommen wollen. *Ob das stimmt oder nicht*, interessiert mich im Moment nicht. – (Objektsätze:) Ich will wissen, *was hier gespielt wird*. Ihr könnt mir doch nicht erzählen, *daß ihr keine Ahnung davon hattet*.

Auch Adverbialsätze stehen gewöhnlich vor oder hinter dem
Hauptsatz; die Stellung innerhalb des Hauptsatzes ist selten:

> *Wenn der Wecker klingelt*, steht sie immer sofort auf. Sie steht
> immer sofort auf, *wenn der Wecker klingelt*. Sie steht, *wenn der
> Wecker klingelt*, immer sofort auf.

Attributsätze folgen meist unmittelbar auf ihr Bezugswort, werden also in den Hauptsatz eingeschoben. Sie können aber auch
hinter den Hauptsatz gestellt werden (↑ auch 481):

> Die Platte, *die du mir geschenkt hast*, gefällt mir sehr gut. Die
> Platte gefällt mir sehr gut, *die du mir geschenkt hast*. Man muß
> nicht alles, *was er sagt*, glauben. Man muß nicht alles glauben,
> *was er sagt*.

8.4 Satzbau und Stil

489 In einem Text kommen Satzreihen, Satzgefüge und einfache Hauptsätze meist gemischt vor. Es gibt aber Textarten und Sprachstile, in denen mehr der nebenordnende Satzbau
(einfache Sätze, Satzreihen) überwiegt, während in anderen die
Sätze besonders häufig unterordnend verknüpft werden. Die Nebenordnung von Sätzen ist z. B. typisch für Märchen, für die
Kindersprache, überhaupt für die gesprochene Umgangssprache,
für die mündliche Alltagskommunikation; vgl. z. B.:

> Einwurf für die deutsche Mannschaft ist ausgeführt worden von
> Möller zu Kiparski. Da sind zwei Mann um den Duisburger
> herum, und der versucht zu flanken und schießt in die Beine
> eines gegnerischen Abwehrspielers. Der Ball springt ins Toraus.
> Eckball; das ist jetzt schon der sechste Eckball für Deutsch-
> land, und er wird diesmal von der linken Seite geschlagen. Und
> wieder ist Rahner zur Stelle. Er leitet weiter und – Tor! Wir
> haben die 10. Spielminute; Deutschland führt mit 1:0. Das war
> kein Abseits, da stand noch einer auf der Linie ...

Die Ausdrucksweise in Satzgefügen ist dagegen eher für die geschriebene Sprache kennzeichnend, vor allem für wissenschaftliche und fachsprachliche Texte, in denen kompliziertere Zusammenhänge dargestellt werden; vgl. z. B.:

> Ein Spieler ist abseits, wenn er im Augenblick, in dem der Ball
> gespielt wird, näher der gegnerischen Torlinie ist als der Ball,
> ausgenommen: ... Abseits soll nicht in dem Augenblick beur-

teilt werden, in dem der fragliche Spieler den Ball erhält, sondern in dem Augenblick, in dem ihm der Ball von einem Spieler
seiner Mannschaft zugespielt wird. Ein Spieler, der nicht in Ab-
seitsstellung ist, wenn ihm einer seiner Mitspieler den Ball zu-
spielt oder einen Freistoß tritt, wird daher nicht abseits, wenn er
während des Fluges des Balles vorläuft.

490   Im allgemeinen gilt der nebenordnende Satzbau als „kla-
rer" und „leichter verständlich" als die unterordnende
Satzverknüpfung. Man muß aber bei solchen Wertungen auch
berücksichtigen, daß es für die Verständlichkeit nicht nur auf die
Art der Satzverknüpfung ankommt, sondern auch auf die „Fül-
lung", den Innenbau der einzelnen Sätze. Ein Einzelsatz, der
eine oder mehrere umfangreiche Substantivgruppen enthält
(↑ dazu 245: Nominalstil) kann schwerer verständlich sein als
ein entsprechendes Satzgefüge, in dem die unterschiedlichen Beziehungen zwischen den Satzteilen deutlicher zu erkennen sind;
vgl. z. B.:

> (Einzelsatz:) Die Umweltschützer protestierten gegen die Ab-
> lehnung ihres Antrags auf Einstellung der Bauarbeiten an der
> neuen Autobahn. – (Satzgefüge:) Die Umweltschützer prote-
> stierten dagegen, daß ihr Antrag abgelehnt worden ist, die Bau-
> arbeiten an der neuen Autobahn einzustellen.

 Ein Satzgefüge wird jedoch unübersichtlich und schwer
verständlich, wenn zu viele Nebensätze vor dem Hauptsatz stehen oder eingeschoben sind, vor allem dann,
wenn die Sätze nicht im ganzen aufeinanderfolgen, sondern ineinander „geschachtelt" sind. Solche Schachtel-
sätze sollten vermieden werden. Also:

> Nicht: Derjenige, der das Portemonnaie, das gestern hier lie-
> gengelassen wurde, wiederbringt, erhält eine Belohnung. Son-
> dern z.B.: Wer das Portemonnaie wiederbringt, das gestern
> hier liegengelassen wurde, erhält eine Belohnung.
> Nicht: Wenn die Elektroarbeiten nicht bis zum 20. 10., obwohl
> Sie zugesagt hatten, diesen Termin einzuhalten, ausgeführt sind,
> werden wir eine andere Firma damit beauftragen. Sondern
> etwa: Wenn die Elektroarbeiten nicht, wie zugesagt, bis zum
> 20. 10. ausgeführt sind, werden wir eine andere Firma damit be-
> auftragen.

9 Satzarten

9.1 Sprechabsichten

491 Wenn man einen Satz (einen einzelnen Hauptsatz oder einen „zusammengesetzten" Satz) äußert, so tut man das immer in einer bestimmten Absicht: Man will z. B. etwas feststellen, über etwas informieren, um etwas bitten oder etwas anordnen, sich nach etwas erkundigen, seine Verwunderung ausdrücken usw. Alle diese verschiedenen Sprechabsichten lassen sich auf drei Grundtypen zurückführen: Aussage, Frage und Aufforderung. Die Satzarten, die diese Sprechabsichten ausdrücken, heißen entsprechend

Aussagesatz	Achim kommt morgen.
Fragesatz	Kommt Achim morgen? Wer kommt morgen?
Aufforderungssatz	Komm bitte morgen!

492 Aussage-, Frage- und Aufforderungssätze haben jeweils eine charakteristische Bauform, die wesentlich durch die Stellung des Verbs bestimmt ist (↑ dazu 415): Aussagesätze haben das Verb an zweiter Stelle, in Aufforderungssätzen steht es an erster Stelle, in Fragesätzen kommen beide Verbstellungstypen vor. Sätze mit dem Verb an letzter Stelle spielen in diesem Zusammenhang nur eine untergeordnete Rolle; sie sind die typische Form für Nebensätze.

Neben der Verbstellung ist vor allem die Intonation (die Satzmelodie) ein wichtiges Merkmal, in dem sich die Satzarten voneinander unterscheiden: Aussage- und Aufforderungssätze haben fallende Intonation, d. h., die Stimme senkt sich am Ende des Satzes; Fragesätze dagegen haben im allgemeinen steigende Intonation, d. h., die Stimme steigt am Satzende an (↑ auch 51).

Den einzelnen Sprechabsichten lassen sich zwar bestimmte typische Formen zuordnen, sie können aber vielfach auch in anderen Formen ausgedrückt werden. So kann man z. B. auch eine Aufforderung aussprechen, indem man einen „Aussagesatz" formuliert, d. h. einen Satz, der üblicherweise für eine Aussage verwendet wird, etwa:

> Du hältst jetzt auf der Stelle den Mund!

Es gibt also eine weitgehende Entsprechung, aber keine völlige Übereinstimmung zwischen Satzarten und Satzformen.

9.2 Aussagesätze

493 Mit einem Aussagesatz stellt der Sprecher etwas fest, er behauptet einen (tatsächlichen, angenommenen oder zukünftigen) Sachverhalt. Das Verb steht an zweiter Stelle; die Intonation ist fallend:

> Ich *habe* Hunger. Heute *geht* die Sonne um 4.05 Uhr auf. Die Uhr *ist* stehengeblieben. Das *würde* die Angelegenheit sehr beschleunigen. Wir *werden* pünktlich da sein.

Eine besondere Art des Aussagesatzes ist der Ausrufesatz, mit dem der Sprecher nicht nur etwas feststellt, sondern zugleich auch eine Gemütsbewegung, vor allem Erstaunen, zum Ausdruck bringt. Ein Wort des Satzes ist oft besonders betont; häufig kommen auch Partikeln wie *aber*, *vielleicht*, *doch* hinzu, die den Ausrufecharakter verstärken. Das Verb kann an erster oder zweiter Stelle stehen:

> *Bist* du aber gewachsen! Du *bist* aber gewachsen! *Hat* der vielleicht lange Haare! Der *hat* vielleicht lange Haare!

Daneben kommen Ausrufesätze auch in Nebensatzform, also mit dem Verb am Ende, vor:

> Wie mich das für dich *freut*! Wie langweilig das doch alles *ist*! Was du nicht *sagst*! Was die für Preise *verlangen*! Daß ich aber auch gar nichts davon gemerkt *habe*! Daß du das noch *weißt*!

9.3 Fragesätze

Eine Frage stellt man, wenn einem etwas nicht bekannt ist. Das kann ein ganzer Sachverhalt oder nur ein bestimmter Teil sein. Entsprechend gibt es zwei Arten von Fragen, die sich auch in ihrer Form unterscheiden; sie heißen Entscheidungsfragen und Ergänzungsfragen.

| **494** | Die Entscheidungsfrage |

Mit einer Entscheidungsfrage (oder Satzfrage) möchte der Sprecher in Erfahrung bringen, ob etwas zutrifft oder nicht; der Gesprächspartner soll ihm die Entscheidung (*ja* oder *nein*) liefern. Das Verb steht in Entscheidungsfragen an erster Stelle; die Intonation ist steigend:

> *Ist* die Ware in der nächsten Woche wieder lieferbar? *Kann* man das Gerät auch mit Batterien betreiben? *Haben* Sie gewußt, daß die Firma Konkurs anmelden muß? *Kommst* du morgen zum Training?

Zu den Antworten auf Entscheidungsfragen (*ja, nein, doch*) ↑ 404.

Wenn der Sprecher die Antwort im Grunde schon weiß, sich aber noch einmal vergewissern möchte, formuliert er die Frage in Form eines Aussagesatzes (mit dem Verb an zweiter Stelle); daß es sich trotzdem um eine Frage handelt, wird dann nur an der steigenden Intonation deutlich. Häufig wird auch die Partikel *doch* hinzugesetzt:

> Du *kommst* doch morgen zum Training? Wir *kennen* uns doch? Sie *erinnern* sich doch noch an unser Gespräch letzte Woche?

Entscheidungsfragen kommen auch in Nebensatzform (mit *ob* als Einleitung und dem Verb am Ende) vor; sie drücken dann eine stärkere Ungewißheit, einen Zweifel des Sprechers aus:

> Ob das alles mit rechten Dingen *zugeht*? Ob sich das Wetter *hält*?

| **495** | Die Ergänzungsfrage |

Mit einer Ergänzungsfrage (oder Wortfrage) drückt der Sprecher aus, daß ihm ein Teil eines Sachverhalts (z. B. der Zeitpunkt, der Grund, der Urheber des Geschehens) unbekannt ist; er möchte sein Wissen in diesem Punkt ergänzen. In der Ergänzungsfrage steht das Verb an zweiter Stelle; an der ersten Stelle steht ein Fragewort bzw. eine Fügung mit einem Fragewort, das eben dasjenige bezeichnet, was der Sprecher wissen möchte:

> *Wann* ist die Ware wieder lieferbar? *Wie teuer* ist dieses Gerät? *Warum* bist du nicht zum Training gekommen? *Wer* ist der Mörder? *Über wen* sprecht ihr gerade? *Was für ein Vogel* ist das? *Mit welchen Kosten* müssen wir rechnen?

Wenn mehrere Dinge gleichzeitig erfragt werden, stehen die übrigen Fragewörter in der Satzmitte:

> *Wer* hat hier *wen* betrogen? *Wer* hat *mit wem wann worüber* gesprochen?

Nur gleichartige Dinge, z. B. Umstände des Geschehens, können gereiht am Anfang des Fragesatzes stehen:

> *Wann und wo* fanden die letzten Olympischen Spiele statt? *Weshalb und wozu* hast du das getan?

9.4 Aufforderungssätze

496 Mit einem Aufforderungssatz wendet sich der Sprecher immer, wie mit einem Fragesatz, an einen Partner; er möchte, daß der Angesprochene etwas Bestimmtes tut. Im typischen Aufforderungssatz steht das Verb an erster Stelle, und zwar in einer bestimmten Form, dem Imperativ (zu den Imperativformen im einzelnen ↑ 153); die Intonation ist fallend:

> *Geh* mir aus den Augen! *Ruf* doch mal an! *Stellt* den Fernseher leiser! *Räumt* jetzt bitte euer Zimmer auf!

Wenn der Sprecher sich in die Aufforderung mit einbezieht, steht das Verb im Konjunktiv I Präsens, ebenso wie bei der Aufforderung an eine Person, die man siezt (↑ 154):

> *Seien* wir doch mal ganz ehrlich! *Machen* wir uns doch nichts vor! *Seien* Sie unbesorgt! *Buchen* Sie Ihren Urlaub jetzt!

Aufforderungen können auch in anderen Satzformen ausgedrückt werden. So kann z. B. eine besonders nachdrückliche Aufforderung wie ein Aussagesatz, aber auch in Form eines Nebensatzes mit *daß*-Einleitung oder mit dem Verb in Partizipform auftreten:

> Das nimmst du sofort zurück! Ihr werdet jetzt ohne Widerrede ins Bett gehen! Daß du ja pünktlich nach Hause kommst! Daß ihr mir keinen Unsinn macht! Aufgepaßt! Stillgestanden!

Allgemeine Aufforderungen, die sich nicht an bestimmte Personen richten (z. B. in Rezepten, Gebrauchsanweisungen, Bedienungsanleitungen), werden meist mit dem Verb im Infinitiv ausgedrückt:

> Die Pilze putzen, waschen, in Scheiben schneiden und mit Zwiebeln andünsten. Arzneimittel für Kinder unzugänglich aufbewahren! Gerät nicht ohne Aufsicht betreiben und zur Reinigung nie ins Wasser tauchen. Vor Gebrauch schütteln. Bitte einsteigen und die Türen schließen. Nicht hinauslehnen.

Als Bitte oder höfliche Aufforderung werden sehr häufig Fragesätze (mit dem Verb an erster Stelle) verwendet, vor allem Fragesätze mit einer *würde*-Form:

> Gibst du mir mal gerade die Schere rüber? Könntet ihr wohl mal einen Moment ruhig sein? Würdest du mich mal bitte ausreden lassen? Würden Sie das bitte heute noch erledigen?

497 Mit dem Aufforderungssatz verwandt ist der Wunschsatz. Auch hier wird etwas dargestellt, was (noch) nicht existiert, was der Sprecher aber gern verwirklicht sähe. Im Unterschied zur Aufforderung richtet sich der Wunsch meist nicht an einen Partner.

Hauptkennzeichen des Wunschsatzes ist der Konjunktiv. Wunschsätze mit dem Verb an zweiter Stelle und im Konjunktiv I (↑ 143) werden relativ selten gebraucht:

> Er ruhe in Frieden! Sie lebe hoch! Der Himmel bewahre mich davor!

Häufiger ist der sogenannte „irreale Wunschsatz" mit dem Verb im Konjunktiv II. Hier steht das Verb an erster Stelle, oder der Satz wird mit *wenn* eingeleitet und hat Endstellung des Verbs. Charakteristisch sind Partikeln wie *doch* und *nur*:

> Wären wir doch endlich da! Hätte ich nur nichts gesagt! Wenn sie doch einmal Wort halten könnte! Wenn ich das alles doch nur verstehen würde!

REGISTER

Im Unterschied zu den Fachausdrücken sind die sonstigen Wörter, die dieses Register enthält, in Schrägdruck gesetzt. Die Zahlen verweisen auf die Ziffern im Text, nicht auf Seitenzahlen. Da aus Platzgründen nicht alle Wörter oder Wortformen verzeichnet werden können, muß der Benutzer unter der jeweiligen Grundform oder dem betreffenden Wortbestandteil nachschlagen, z. B.

> *brauchte/bräuchte* unter *brauchen*,
> *blasser/blässer* unter *blaß*,
> *gewinkt/gewunken* unter *winken*,
> *den Intendant/den Intendanten* unter *-en*,
> *damit, davon, daran* usw. unter *da-*.

Unregelmäßige Verben † auch 179.